De oneindige wijsheid van Harriet Rose

Diana Janney

De oneindige wijsheid van Harriet Rose

2007 – De Boekerij – Amsterdam

Oorspronkelijke titel: The Infinite Wisdom of Harriet Rose (Headline Review)
Vertaling: Annemieke Oltheten
Omslagontwerp: Charlotte Fischer
Illustratie bloemen: Francien Frommé

ISBN 978-90-225-4856-1

Voor mijn moeder

1

'Ik wil dit jaar geen cadeautjes voor mijn verjaardag – geef het geld maar aan een goed doel.' Meer had ik niet gezegd. Hoe kon ik nou weten dat zo'n simpele suggestie bij ons tot verhitte discussies zou leiden?

Toen ik met dit verzoek kwam aanzetten, had ik er niet echt diep over nagedacht. Eigenlijk was het pas net bij me opgekomen. Dat heb je soms bij filosofen – hun gedachten zijn niet altijd even logisch en gaan alle kanten op. Daarom was Plato zo succesvol. Anders was hij nooit op zijn ideeënleer gekomen.

Maar mijn moeder en Nana, mijn grootmoeder, begrepen dat soort dingen blijkbaar niet. En daarom had mijn simpele altruïstische verzoek hun kennelijk een heleboel onnodige zorgen gegeven. Ik kon ze boven op mijn slaapkamer nog horen bekvechten. Daar was ik naartoe gevlucht om te ontsnappen aan hun verontruste blikken en ijzige stiltes.

'Heb je gehoord wat ze zei?' fluisterde Nana op een toon die ze gewoonlijk reserveerde voor de meest afgrijselijke insinuaties. 'Ze wil dat wij het geld voor haar verjaardag aan een goed doel geven! Dat is jouw schuld, Mia!'

'Hoe kan dat nou in vredesnaam mijn schuld zijn?' reageerde mijn moeder. Nu ze besefte dat zij de schuld kreeg, vergat ze helemaal dat het eigenlijk haar bedoeling was geweest om Nana wat te kalmeren.

'Je had haar laatst nooit moeten laten opendoen, toen die vrouwen met die godsdienstige blaadjes voor de deur stonden.'

'Harriet is een intelligent meisje,' antwoordde mijn moeder met een uiterst scherp inzicht. 'Ze houdt van een levendig debat.'

'Dat moet dan wel een heftig debat zijn geweest, want het heeft een volledige aflevering van *The Archers* geduurd,' antwoordde Nana.

'Ik dacht dat het haar goed zou doen,' vervolgde mijn moeder. 'Hoe kon ik nou weten dat ze nu denkt dat ze Maria is in *The Sound of Music*?'

Eerlijk gezegd hadden mijn moeder en Nana het allebei mis. Aan de gedachtewisseling tussen mij en de twee vrouwen bij ons op de stoep was een tamelijk abrupt einde gekomen toen ik hun had gevraagd hoe zij dachten over de ontologische godsbewijzen van Descartes en de vrouwen hadden geantwoord dat ze nog geen gelegenheid hadden gehad het er met hem over te hebben.

Nee, mijn buitenissige verjaardagswens had absoluut niets met hen te maken. In werkelijkheid was het helemaal mijn eigen idee. Maar net als veel ideeën – ik had dat ook al geponeerd in nummer 49 van mijn verzameling Meditaties – was het tot rijping gekomen onder invloed van mijn omgeving. Om precies te zijn, onder invloed van de Kerk van de Onnozele Kinderen.

Ik had in een opwelling besloten weer naar de kerk te gaan, na een afwezigheid van een jaar en drie maanden, een periode die in de ogen van mensen die geneigd zijn tot het hebben van vooroordelen wellicht getuigt van een gebrek aan eerbied. In werkelijkheid was dit geenszins het geval. Er zat een bedoeling achter mijn bezoek, hoewel ik dat op het moment zelf nog niet helemaal begreep. Pas toen mijn oog viel op de biechtstoel begon de bedoeling vorm te krijgen. Daar ik niet katholiek ben, waren biechtstoelen altijd het toppunt van geheimzinnigheid voor mij geweest. Ik denk dat ik er daarom aanvankelijk door werd aangetrokken – door het mysterieuze. Geheimzinnigheid spreekt schrijvers aan, ook al bestaan hun schrijfsels alleen maar uit reflectieve meditaties, neergekrabbeld op een blocnote die ze te allen tijde bij zich dragen in hun handtas voor het geval hun een gedachte ontglipt voordat ze haar onder woorden hebben kunnen brengen.

Ik liep vastbesloten naar de biechtstoel – ik wilde niet dat de andere kerkgangers dachten dat ik een groentje was – en klopte op de houten deur.

'Binnen!' zei een stem. Een gedragen stem als van een kerstman. De meeste mensen zouden hard zijn weggerend, maar dat gold niet voor Harriet Rose, schepper van 'De Meditaties van Harriet Rose', het meisje dat twee schoolprijzen in de wacht had gesleept, eentje voor Engels en eentje voor filosofie.

Het was donker binnen. Toen mijn ogen aan de duisternis waren gewend en ik kon zien hoe hij – de eerwaarde vader – door het traliewerk naar me zat te staren in afwachting van mijn biecht, boog ik wat naar voren en fluisterde: 'Ik zal meteen maar bekennen dat ik niet een echte katholiek ben – dat ik eigenlijk helemaal niet katholiek ben.' Het was niet meer dan terecht dat hij dat wist. Ik wilde niet dat er enig misverstand tussen ons bestond.

Onze deur staat voor iedereen open,' zei hij.

Ik deed de deur dicht en zei: 'Dat komt door mij, eerwaarde. Ik dacht dat het hierbinnen anders wat donker zou zijn.'

Toen drong het langzaam tot me door dat ik niets op te biechten had. Klinkt dat verwaand voor een meisje van dertien? Misschien wel, maar het was de waarheid en ik zou wel gek zijn geweest als ik in de biechtstoel was gaan zitten liegen. Maar daar zat ik nu wel, in de biechtstoel. En ik was hier niet zomaar naartoe gekomen. Er moest iets zijn wat ik wilde zeggen.

'Ik wilde even praten,' zei ik ten slotte, met mijn linkerhand in een kommetje over mijn mond voor het geval iemand ons buiten onverhoopt stond af te luisteren.

'Wat is er, mijn kind?' vroeg de stem in de duisternis. 'Ik ben hier om te luisteren.'

'Het gaat over mijn vader,' vervolgde ik op fluistertoon. 'Ik vroeg me af of u hem een boodschap van mij kunt overbrengen.' Plotseling voelde het erg warm aan in de biechtstoel, wel lekker eigenlijk, alsof je heerlijk ligt te slapen in een groot zacht bed en droomt van een ver oord waar de zon altijd schijnt.

'Ken ik je vader?' vroeg hij.

'Het is een knappe man,' begon ik hem uit te leggen, 'met blond haar en lichtblauwe ogen die twinkelen als hij lacht en met een kuiltje in zijn kin.'

'En gaat hij naar de Kerk van de Onnozele Kinderen?'

'Vroeger wel. Ik weet niet of hij hier nog steeds komt. Ik kan nu niet meer met hem spreken zoals u dat kunt. Maar hij praatte er altijd heel positief over. Hij hield van de luister van de kerk, zei hij altijd. Van de pracht en de praal, van de mengeling van grootsheid en nederigheid. Ik weet nog hoe hij een keer met Kerstmis – wat later zijn laatste kerst bleek te zijn – hier ergens in de buurt van de biechtstoel stond. De banken zaten stampvol, dus moesten we staan; mijn vader, mijn moeder en ik. Die Kerstmis was voor ons allemaal erg moeilijk. We wisten hoe ziek hij was, hij kon het niet meer voor ons verbergen. Maar hij wilde hiernaartoe om zijn lievelingskerstliedjes te zingen. En gezongen dat hij heeft! U moet hem hebben horen zingen, zelfs tussen al die mensen die tot op de stoep stonden.' Ik moest even stoppen, ik had een brok in mijn keel. Het was benauwd. Daar kwam het door.

'Ik begrijp het,' zei hij zacht, en heel even klonk hij net als mijn vader. 'En nu heb je een boodschap voor hem?'

'Ja,' zei ik aarzelend – ik wist nog niet precies wat de boodschap was – 'voor als u hem toevallig spreekt. Ik heb het zelf wel geprobeerd, maar ik kan hem niet meer horen. Mijn moeder zegt dat ik dat over een tijdje wel weer zal kunnen, maar dat klinkt me helemaal niet logisch in de oren. Ik dacht dat er geen tijd bestond op de plek waar hij is, dus waarom gebeurt er niks? Het is al meer dan een jaar geleden, eerwaarde.'

'Vertel me je boodschap maar,' zei hij met zo'n lage, bedachtzame stem, dat ik deze hele onderneming opeens weer een beetje zag zitten. 'Wat wil je tegen je vader zeggen?'

'Gewoon dat ik hem mis,' kon ik nog net uitbrengen. Had ik maar iets voorbereid, dan was me die hapering niet overkomen, maar dat had ik niet. 'Dat ik van hem hou. En dat hij ongelooflijk moedig is geweest. En dat ik wou dat we nooit ruzie hadden gemaakt, maar soms was het echt zijn schuld, maar ik meende de dingen niet die ik zei als ik kwaad was. En dat Liverpool het goed heeft gedaan in het bekertoernooi. En dat mijn moeder nog steeds aan hem denkt en dat ze nog steeds wou dat hij hier bij ons was. En ook al vind ik het heerlijk dat Nana bij ons woont, dat het niet hetzelfde is als vroeger. Maar dat we allemaal proberen even flink te zijn als hij. En dat we proberen dingen te doen waarop hij trots zou zijn. Of waarom hij zou moeten lachen. Ja, zijn lach, die herinner ik me het liefst.'

Door de stilte die volgde, begon ik te vrezen dat de eerwaarde de biechtstoel had verlaten zonder dat ik het had gehoord, of dat hij misschien in slaap was gevallen. Eerlijk gezegd zou het allebei te begrijpen zijn geweest. Ik had veel te lang doorgepraat. Er zaten vrijwel zeker tijdslimieten vast aan deze biechtstoelen. Waarschijnlijk stond er buiten een rij van wel een kilometer te wachten.

'Vertrouw erop, mijn kind, dat je vader jouw boodschap heeft gehoord.'

Dat was nu precies het soort dubbelzinnigheid waar ik zo'n hekel aan had.

'Bedoelt u mijn vader, eerwaarde vader, of uzelf?' vroeg ik – precisie was een niet te overschatten eigenschap van de reflectieve geest.

'Ik bedoelde allebei,' antwoordde hij.

'En wat moet ik nu doen?' was mijn volgende vraag, want ik voelde dat ons gesprek ten einde liep.

'Je moet bidden en ik zal ook voor je bidden. Je moet je concentreren op al je talenten en op de positieve kanten van je leven – ik voel dat dat er veel zijn. Draag je liefde voor je vader met je mee de wereld in en probeer daar een verschil te maken, mijn kind. Dan zul je zien dat hij nog steeds bij je is.'

'Ik bedoelde, eerwaarde,' legde ik uit, 'wat moet ik nu doen in de biechtstoel? Hoe kom ik eruit?'

'Je moet stevig tegen de deur aan drukken,' antwoordde hij, een beetje harder dan daarvoor, 'dan gaat hij wel open.'

Zijn woorden waren me bijgebleven, nadat ik hem had verlaten. Wat had hij met me voor? Tegen welke deur moest ik stevig duwen? En als ik dat deed, zou hij dan echt opengaan?

Toen ik de kerk uit liep en op weg ging naar Harvey Nichols, schoot het me te binnen dat de eerwaarde en ik misschien wel met een bedoeling bij elkaar waren gebracht. Ik had hulp nodig gehad en er was hulp gestuurd, en niet zomaar een willekeurige hulp, maar de meest waardevolle, de meest spirituele hulp die je je maar kon wensen. Bewees dat niet iets over dit leven en over de bedoeling ervan? Bewees dat niet iets over mij? Kon iemand een overtuigender bewijs krijgen dat hij belangrijk voor de wereld was op een spirituele manier? Het was mijn plicht om te leven met dit doel voor ogen, omdat ik voelde dat ik daartoe was uitverkoren. En op dat moment, daar midden in die drukke, lawaaierige straat in Londen, beloofde ik mezelf plechtig dat ik trouw aan mezelf zou zijn, dat ik me niet meer zou laten afleiden door al die onbenullige, materialistische aspecten van het leven.

En wanneer kon ik daar beter mee beginnen dan op mijn verjaardag? Het zou niet alleen een viering worden van veertien jaren op deze aarde, het zou een mijlpaal worden, een katalysator in mijn leven. Mijn moeder en Nana zouden het op den duur wel gaan begrijpen. Daar twijfelde ik geen moment aan, want het waren op hun beurt intelligente, gevoelige vrouwen. Ik zou mijn geest concentreren op mijn talrijke talenten, precies zoals de eerwaarde vader me had opgedragen, en ik zou een verschil maken in de wereld. Misschien had hij gelijk en zou ik dan inzien dat mijn vader nog steeds bij me was. En dat zou het allergrootste cadeau zijn.

2

'Ik kan sneller hoofdrekenen dan Dustin Hoffman in *Rain Man*, omdat ik een keer verwijten heb gekregen vanwege mijn gebrekkige vaardigheden op dat gebied.

In de kerk doe ik altijd net alsof ik meezing, zodat niemand mijn zangstem kan horen.

Bij schaken speel ik om te winnen, maar ik vind het niet erg om te verliezen als het een interessante partij is geweest.

Ik geloof dat je alleen maar dingen moet zeggen die je meent.

Ik heb altijd een notitieboekje bij me voor het geval ik een Meditatie moet opschrijven voor mijn verzameling.

Vroeger dacht ik altijd dat ik beroemd zou worden als ik groot was. Nu wil ik alleen maar met rust gelaten worden.

Ik lees altijd het liefst boeken met een happy end, zoals *De Kritiek van de Zuivere Rede* van Kant of nog beter zijn *Fundering voor de Metafysica van de Zeden* – die vind ik fantastisch.

Ik geloof niet meer in God, omdat hij het leven van mijn vader niet heeft gered.

Ik vind het leuker om aan de mensen die ik aardig vind cadeaus te geven dan om ze te krijgen.

Ik voel me gauw verlegen, vooral als er veel mensen bij zijn.'

Ik kon niets anders meer over mezelf bedenken, dus ging ik zitten en concentreerde me op het verschil in lengte van mijn vingers. Op dat moment leek het me een zinnige bezigheid, vooral omdat niemand in de klas iets zei. Ik was er niet aan gewend om in het openbaar te spreken. Het was moeilijker dan ik had gedacht.

Volgens mij was Jason nu aan de beurt om over zichzelf te praten. Hij wist vast wel wat hij moest zeggen, dat wist hij altijd. Waarom had hij niet vóór mij aan de beurt kunnen zijn?

Ik hoorde hoe hij keihard begon te praten over zichzelf, zijn familie, hun huis, zijn hobby's en zijn toekomstplannen. Waarom had ik niet over dat soort dingen gepraat? Opeens leek het logisch dat het daarom ging bij deze opdracht. Hij zat nu te praten over de ondeugende streken van zijn jongere broertje, en iedereen lachte, zelfs mevrouw Marlowe. Ik wou dat ik dergelijke verhalen leuk kon vinden. Maar dat deed ik niet. Zo te horen was zijn jongere broertje een stomkop. Vond niemand anders in de klas dat? En wat deed het ertoe dat zijn lievelingsauto een Ferrari was en zijn lievelingskleur geel en dat hij een supporter was van Chelsea en dat hij geen wedstrijd miste?

Hij ging veel te lang door en hij begon steeds harder te schreeuwen. Mevrouw Marlowe keek op haar horloge. Het werd tijd dat Jason ging zitten. Ik had geen zin om nog meer mensen over zichzelf te horen praten, dus hield ik op met luisteren. Dat was het voordeel als je het eerst aan de beurt was. Ik wou dat ik niet had gezegd dat ik dacht dat ik beroemd zou worden. Daarom zouden ze allemaal nog meer de pest aan me hebben, ook al wist ik zeker dat ze dat zelf ook wel eens hadden gedacht. Nou ja, mij een biet!

Plotseling merkte ik dat ze me allemaal zaten aan te staren, en zelfs Charlotte was midden in haar autobiografie blijven steken en keek ook mijn richting uit.

'Wat zei je daarnet, Harriet?'

Dat was de stem van mevrouw Marlowe, niet die van Charlotte.

Ik had niet hardop 'mij een biet' willen zeggen. Ik had gedacht dat ik het alleen maar in gedachten zei. Het was me blijkbaar uit de mond geglipt.

'Hoorde ik je daar "mij een biet" zeggen?'

'Ja, mevrouw Marlowe.'

Ik kon niet liegen. Ik moest het hebben gezegd, en als dat inderdaad het geval was: mij een biet!

'Welnu, Harriet, ik denk dat je je excuus moet aanbieden aan Charlotte, vind je ook niet?'

Aan Charlotte? Wat had Charlotte ermee te maken?

'Waarom, mevrouw Marlowe?' vroeg ik timide. Ik bloosde bij alle aandacht die mijn geheime gedachten over mijn kortstondige verlangen naar roem onbedoeld hadden veroorzaakt.

'Misschien heb jij geen hoge pet op van de belangrijke positie van haar vader binnen de juridische stand, maar er zijn anderen in de klas, Harriet, die dat wel hebben.'

De belangrijke positie van haar vader binnen de juridische stand? Wat had dat met mij te maken? Had Charlotte daarover zitten zeuren?

Ik wilde net gaan uitleggen dat ik absoluut niet geïnteresseerd was in de vader van Charlotte, toen ze begon te huilen – met lange diepe uithalen, afgewisseld met slikgeluiden. Ze zat weer aan haar tafeltje en de rest van de klas deed kennelijk een vrij vruchteloze poging om haar te troosten. Ik had een keer in de *Cosmopolitan* iets gelezen over dergelijke aandachtvragende tactieken in een artikel met de titel 'Grote jongens huilen niet, maar slimme meisjes wel', maar ik had niet gedacht dat iemand daar echt in zou trappen. Ik had me toen afgevraagd welke vrouw met enig zelfrespect haar toevlucht zou nemen tot emotionele manipulatie als ze daarmee de indruk wekt een zielige, willoze idioot te zijn.

'Charlotte!' zei ik, als antwoord op mijn eigen vraag.

Charlotte hield even plotseling op met snikken als ze was begonnen. 'Ja, Harriet?' antwoordde ze zachtjes.

'Je mascara loopt uit.' Ik kon niets anders bedenken. En bovendien was het waar, de mascara liep in lange zwarte strepen langs haar krijtwitte gezicht naar beneden.

'Bedankt dat je het me hebt gezegd, Harriet,' antwoordde ze, en wel met een lief glimlachje, toen ze merkte dat alle ogen op haar waren gericht. Ik wou dat ik het artikel uit de *Cosmopolitan* helemaal had uitgelezen. Het was niet bepaald wat je het perfecte begin van een verjaardag zou noemen. Niet dat ik had verwacht dat ze allemaal in een 'Lang zal ze leven' waren uitgebarsten, gevolgd door veertien klappen op de tafels. Dat was ook geen realistische verwachting, want ik had niemand verteld dat ik jarig was.

Misschien was ik wel een beetje onaardig geweest tegen die arme Charlotte. Omdat ze extra dikke lagen mascara op had en hairextensions, was ze nog niet automatisch een nitwit, nietwaar? Nou ja, misschien toch wel, maar Harriet Rose was niet het soort meisje dat neerbuigend deed. Per slot van rekening stond dat lijnrecht tegenover mijn ervaring in de Kerk van de Onnozele Kinderen. Was het juist niet een onderdeel van mijn plan om aardiger te zijn?

'Charlotte,' zei ik kalm, toen mevrouw Marlowe het lokaal had verlaten. 'Ik ben vandaag jarig en ik ga vanavond zwemmen in de fitnessclub van mijn moeder in Kensington. Zou je misschien zin hebben om met me mee te gaan?'

'Een fitnessclub? Wat gaaf!' riep de arme Charlotte. 'Is het daar gemengd?'

'Gemengd?' herhaalde ik, terwijl ik naarstig in mijn hoofd naar de betekenis van die vraag zocht.

'Je weet wel – ook met jongens?' giechelde ze, en heel even had ik spijt van al mijn nobele plannen.

'Zullen we afspreken om zes uur bij de balie?' vroeg ik. Daarna schreef ik het adres voor haar – uiteraard in hoofdletters – op een vel gelinieerd papier.

'En trouwens,' voegde ik eraan toe, 'je hoeft geen cadeautje voor me te kopen. Ik wil liever een bijdrage voor een goed doel.'

'Cool,' antwoordde Charlotte, en weg was ze. Ze had me niet eens gefeliciteerd.

3

Mijn moeder was kort na het overlijden van mijn vader lid geworden van de fitnessclub vlak bij ons huis in Kensington. Het was oorspronkelijk mijn idee, en Nana was het ermee eens geweest. We vonden dat ze weer wat op krachten moest komen. Ze had al die maanden dat zijn gezondheid achteruitging voor mijn vader gezorgd. Veertig was te jong om weduwe te zijn. Het was niet eerlijk. Maar, zoals ik al had gezegd in Meditatie 56, 'degenen die het het meest verdienen, krijgen zelden een eerlijke behandeling'. Anders had ik nooit in de finale van het kampioenschap van de schaakclub verloren van Miles Brown, omdat ik heel even was afgeleid door de gedachte aan wat mijn moeder me die avond voor lekkers zou voorzetten.

Natuurlijk had Nana niet altijd bij ons gewoond. Zij en mijn opa woonden in de buurt van Edinburgh, maar toen was mijn opa gestorven, net als mijn vader, en we waren het er alle drie over eens dat wij ons beter zouden voelen als Nana bij mijn moeder en mij in Londen zou komen wonen. We hadden ieder een eigen slaapkamer – Nana kreeg de logeerkamer aan de voorkant met uitzicht op de straat. We woonden in een rustige doodlopende straat, maar er stond een straatlantaarn pal voor haar slaapkamerraam waardoor ze aanvankelijk, volgens eigen zeggen, de halve nacht wakker lag. Maar toen ze eenmaal de zijden gordijnen van mijn moeder had vervangen door haar eigen zware exemplaren met driedubbele voering, was ze gelukkig.

Ik vond het fijn als Nana gelukkig was. Haar gezicht straalde dan de warmte uit die ze vanbinnen bezat. Zonder enige twijfel was Nana een mooie vrouw volgens de maatstaven van alle generaties. En ze accepteerde haar uiterlijk alsof het de gewoonste zaak van de wereld was, heel natuurlijk, als een leeuwin die zich van geen leeftijd bewust is.

Het besef dat Nana in de kamer tegenover de mijne lag en mijn moeder aan de andere kant van de slaapkamerwand gaf me een veilig gevoel. Het was altijd de slaapkamer van mijn ouders geweest – het was de grootste en had een eigen badkamer. Ik zeg wel 'ouders', maar ik had nu nog maar één ouder. Het was een gewoonte die ik bijna niet kwijt kon raken. En het klonk niet goed om 'ouder' te zeggen als ik het over mijn moeder had, ook al was ze het wel. Ik was gewoon gewend aan ouders, in het meervoud. Op de een of andere manier klonk het logischer. Dus als ik geen 'ouders' meer kon hebben, moest ik het woord maar helemaal vergeten.

Mijn moeder was zevenentwintig toen ik geboren werd en hoewel ze nu eenenveertig was, zag ze er veel jonger uit. Volgens Nana was dat vanwege haar goede botten, haar mooie figuur en haar grote ogen, die een ijzeren vastberadenheid uitstraalden, net als haar eigen ogen.

Telkens als ik met mijn moeder op pad ging, bijvoorbeeld om te winkelen, zag ik hoe mannen zich vol bewondering omdraaiden. Maar zij reageerde helemaal niet. Het was net alsof ze het niet zag – en misschien was dat ook wel zo. Maar ik zag het wel. Wat ik het leukst vond aan mijn moeder was haar enthousiasme, haar energie. Ze had de gave om van normale dingen iets spannends te maken, bijvoorbeeld als je moest besluiten wat je aan moest of wat je moest doen op een regendag, of zelfs als ze mijn haar deed (ik had te veel haar om het zelf te kunnen doen, zij deed het altijd). Goed beschouwd bofte ze dat ze een dochter had die haar met beide benen op de grond hield.

Soms, als ik naar hen beiden keek, kon ik duidelijk zien dat ze niet alleen aan elkaar verwant waren, maar ook aan vroegere generaties strijders uit de Schotse Hooglanden, en dan vroeg ik me af of ik geadopteerd was. Nog afgezien van de ijzeren wilskracht, waren mijn haren niet kastanjebruin en had ik geen bleke huid die in het zonlicht onder de sproeten kwam te zitten. Als ik in de zon zat, werd ik bijna onmiddellijk bruin en werden mijn blonde haren nog blonder. Een keer, toen ik met mijn zorgen bij mijn moeder aanklopte, zei ze dat ik maar eens in de spiegel moest gaan kijken als ik een bevestiging nodig had wie mijn ouders waren. Dat deed ik. Urenlang. Van alle kanten. Ze had gelijk: we leken ontegenzeggelijk op elkaar – de grote, zeeblauwe ogen, het ovale gezicht, de dikke haardos. Het was vast alleen maar een kwestie van tijd en dan zou ik die ijzeren, wilskrachtige blik ook onder de knie hebben, vooral als ik er af en toe voor de spiegel op oefende. 'Zien we Charlotte bij de club of komt ze hiernaartoe?' vroeg mijn moeder onder het strijken van mijn bikini.

'We zien elkaar daar,' antwoordde ik.

'Dan zou ik me maar eens gauw gaan omkleden – Nana is al klaar.'

'Heb je het over mij?' vroeg Nana toen ze in haar donkerblauwe trainingspak de zitkamer in kwam joggen. Mijn moeder had dat pak uitgekozen om haar aan te moedigen af en toe met ons mee te komen. Er waren niet veel vierenzeventigjarigen lid van de club, maar daar trok Nana zich niets van aan. Ze had sowieso altijd het gezelschap van jongere mensen geprefereerd. Niet dat zij of mijn moeder die avond in de club zou blijven. Het leek hun het beste als Charlotte en ik alleen zwommen, zonder hen erbij. Maar dat weerhield Nana er niet van zich te verkleden in wat haar favoriete kledij was geworden.

'Ik vertrouw erop, Nana, dat je me zegt wat ik van Charlotte Goldman moet denken. Ik heb gezegd dat ze bij de balie op me moet wachten. Misschien kun je heel even je hoofd om de hoek steken.'

'Dat kan ik je nu al wel vertellen,' antwoordde Nana. 'Zo te horen is het een herrieschopster en een aandachttrekster. Hoe heeft ze haar haar zitten?'

Nana vond het erg belangrijk hoe mensen hun haar hadden zitten. Haar kapsel zat altijd onberispelijk; haar donkere, kastanjebruine haar was in overeenstemming met haar Keltische afkomst, die duidelijk geprononceerd was, net als haar persoonlijkheid.

'Ze heeft blond haar,' zei ik, 'het type haar waar je doorheen kunt kijken. En ze heeft hairextensions.'

'Extensions?' herhaalde Nana met een afkeurende blik. 'Wat zijn dat?'

'Bosjes onecht haar die ze aan hun eigen haar vastmaken, waardoor het langer en dikker lijkt,' legde mijn moeder uit.

'Zie je wel!' riep Nana. 'Het is een aanstelster.'

'Laten we haar eerst eens bekijken,' was het advies van mijn moeder, 'voordat we ons een overhaast oordeel vormen.'

We gingen in mijn moeders auto op pad en in de club troffen we Charlotte aan, die in een gesprek gewikkeld was met Ben, de receptionist en zwemleraar. Uit de flarden van het gesprek dat we opvingen toen we naar binnen liepen – mijn moeder voorop – bleek dat ze het hadden over de lidmaatschapskosten van de club, en of er ook beroemde mensen lid waren.

'Wat heb ik je gezegd?' fluisterde Nana doordringend, met opgetrokken wenkbrauwen.

'Jij bent vast Charlotte,' zei mijn moeder met uitgestoken hand. 'Ik herkende je van Harriets beschrijving.'

Voordat Charlotte iets kon zeggen, wendde Ben zich tot mijn moeder en zei: 'Hallo, mevrouw Rose, u ziet er vanavond weer te gek uit.'

Hoewel 'te gek' misschien niet de uitdrukking was die ik gekozen zou hebben, had Ben gelijk. Mijn moeder straalde op een manier die ik sinds de dood van mijn vader niet meer gezien had. Haar kapsel zag er nog glanzender en kastanjebruiner uit dan gewoonlijk, en het viel om haar gezicht heen als een fijn gesneden schilderijlijst.

'Komt u vanavond niet binnen?' vroeg Ben met een doordringende blik op de zwarte kasjmieren sweaterjurk van mijn moeder en de zachtblauwe pashmina die ze om haar schouders had gedrapeerd.

'Nee,' antwoordde ze. Het klonk niet helemaal oprecht, vond ik, 'ik heb iets anders te doen.'

Vreemd genoeg bleef ze niet even staan om uit te leggen wat dat 'iets' was, maar liep ze met Nana naar buiten. Maar eerst keek ze nog even achterom en zei: 'Nana komt je precies om zeven uur ophalen.' En toen waren ze weg.

Pas in de kleedkamer ontdekte ik dat Charlotte een beha aanhad. We waren bezig ons zwempak aan te trekken en Charlotte had ongewoon veel tijd nodig om een wit-blauw gestreepte handdoek om zich heen te wikkelen terwijl ze ondertussen stond te wiebelen als een rups die ooit gaat veranderen in een prachtig gekleurde vlinder. Helaas hield de gelijkenis daar op. Charlotte kwam tevoorschijn in een zwart polyester badpak met nauwelijks een spoor van een boezem. Ze deed erg haar best om een setje van een broekje met een behaatje weg te moffelen waarop Winnie de Poe stond afgebeeld op het stukje stof waar haar tepel zat. Tot dat moment had ik altijd bewondering gehad voor Winnie de Poe: ik had altijd de indruk gehad dat hij een beer was die, in weerwil van zijn reputatie en zijn tamelijk dwaze naam, niet gespeend was van enig verstand. Maar daar maakte het behaatje van Charlotte een abrupt einde aan. Vanaf dat moment werd Winnie de Poe een beer die gedoemd was om dikker te worden, gelijke tred houdend met een puberale boezem, terwijl hij zich vastklampte aan een steeds groter wordende honingpot, alsof hij de arme Charlotte van haar zuurverdiende kuisheid zou beroven als hij hem losliet. Hoe kon ik zo'n beer ooit nog serieus nemen? Ik was opgegroeid met de gedachte dat hij een unieke, originele geest was, een wezen op wie je wilt lijken, en plotseling was hij veranderd in niet één, maar in twee dragers van bar weinig inhoud.

Ik trok op een waardige manier mijn witte katoenen hemd uit en legde dat netjes naast de badhanddoek van Charlotte neer. Ik deed in mijn naaktheid een stap achteruit om mezelf in de muurhoge spiegel te bekijken. Ik was trots op mijn figuur – ik vond het prettig om groot en slank te zijn, en ik kon met recht zeggen dat ik de aanzet van een boezem had, vooral als ik me van de zijkant bekeek en mijn adem inhield. Maar het idee dat ik hem zou wegstoppen in een onnatuurlijk uitziend geval dat elke beweging beperkte, deed me denken aan het opsluiten van jonge tijgers in de dierentuin, om ze vervolgens naar een grotere kooi te verhuizen als ze te groot werden voor hun oorspronkelijke kooi.

Ik keek Charlotte strak aan toen we naar het zwembad liepen en ik wist zeker dat ze er diep in haar hart hetzelfde over dacht als ik. Het was waarschijnlijk een idee van haar moeder. Welke verstandige veertienjarige zou zo vroeg al in haar ontwikkeling vrijwillig haar vrijheid beperken? Charlotte Goldman was nog meer te beklagen dan ik me ooit had gerealiseerd. Neem nou haar zwempak. Toen mijn moeder en ik hadden zitten plannen wat ik in het zwembad aan zou trekken, had ik er geen seconde aan gedacht dat Charlotte een nuchter zwart polyester zwempak zou uitkiezen. Toen ik haar daarin naast me zag rondlopen, wou ik bijna dat ik niet mijn rode bikini met de gouden kettingbandjes aanhad. Dat kwam omdat iedereen me altijd had verzekerd dat ik erin uitzag als een jonge Brigitte Bardot, en daar Charlotte half Frans was, had ik gedacht dat ze zich daardoor misschien wel meer thuis zou voelen.

Voor de komst van Charlotte op onze school was ik goed in Frans geweest. In feite was ik de beste van de klas. Onze Franse lerares, madame du Bois, gaf me altijd complimentjes over mijn beheersing van die taal.

'*Merveilleux!*' had ze een keer in de volle klas gezegd. Maar het Frans van Charlotte was beter dan '*merveilleux*', het was perfect. Ze was nog geen week op school of ik was niet meer de beste van de klas, maar bevond me ergens in de middenmoot. Het sprak me niet aan om tweede te zijn, dus van toen af aan deed ik mijn best om de slechtste te zijn. Maar de laatste plaats kwam me niet aanwaaien. Het was veel moeilijker voor mij bij Frans dan bij scheikunde. Bij scheikunde was ik zelfs nog slecht als ik vals speelde en tijdens het proefwerk de antwoorden opzocht in mijn aantekeningen. Toen de resultaten hardop werden voorgelezen en mijn naam als eerste werd genoemd, begreep ik pas dat meneer Shaw onderaan begonnen was toen hij eraan toevoegde: 'Drieëndertig procent.' Toen hij vervolgde met: 'Jij zult nooit in aanmerking komen voor de Nobelprijs voor Scheikunde, hè, Harriet?' werd mijn grootste angst bewaarheid. Ik had waarschijnlijk op de verkeerde bladzijde gekeken.

Ik gaf mijn moeder de schuld. Zij vond scheikunde een onsmakelijk vak en bovendien gevaarlijk voor meisjes. Ik was te aantrekkelijk om goed in scheikunde te zijn. Ik was geschapen voor talen, communicatie, cultuur, kunstgeschiedenis, toneel, niet voor rotzooien met eng spul in jampotjes. Daar zat wel wat in. Zelfs Charlotte had blijkbaar geen scheikunde gekozen, en zij stamde rechtstreeks af van Louis Pasteur.

Ik had al mijn haar boven op mijn hoofd zitten, zoals mijn moeder me had voorgedaan, en ik hield het bij elkaar met een grote, goudkleurige speld die mooi bij mijn schouderbandjes paste. Charlotte had haar haren met extensions en al in een witten rubberen badmuts gestopt. Toen wendde ik mijn blik af en moest onwillekeurig heel even denken aan het esthetische belang van een visueel contrast.

Charlotte en ik zwegen onder het lopen, want we gingen beiden volledig op in onze totaal verschillende soorten zelfbewustzijn. Ik liep de richting uit van de duikplank, waar ik mijn aquatische vaardigheden kon laten zien. Niet dat ik van nature extravert was – absoluut niet – maar door mijn bespiegelingen over Charlotte voelde ik me een beetje ontmoedigd. Ik moest mezelf bewijzen ten opzichte van haar en ook ten opzichte van de twee andere zwemmers die ons hadden zien aankomen. Eerst kon je bijna niet zien of het mannen of vrouwen waren, zo snel bewogen ze zich door het water, als dolfijnen, en ik wilde voor geen geld dat zij de indruk kregen dat ik ze goed vond.

Ik zette koers naar de duikplank met het vertrouwen van een marathonwinnaar, en ik liet me niet van de wijs brengen door de roepende, heftig gebarende mensen om me heen. Bij de plank aangekomen stapte ik erop met de gratie van een ballerina en de zelfverzekerdheid van een mannequin. Nu zou ik ze eens wat laten zien. Hier kon ik eindelijk schitteren en als de andere zwemmers en Charlotte me probeerden af te leiden met hun gegil en gezwaai, dan was dat, nou ja, eerlijk gezegd, hun probleem.

Ik hief mijn handen hoog boven mijn hoofd en duwde ze tegen elkaar als in een gebed, klaar om mezelf te lanceren en daarna mijn lichaam te buigen en me voorover in het water te storten.

Het volgende wat ik me herinnerde was dat ik door twee onbekenden naar een ligbed naast het bassin werd gedragen. Er was niets heldhaftigs aan mijn reactie op het bloed dat uit mijn mond stroomde toen mijn voortand zachtjes uit mijn onderlip werd getrokken. Noch kon mijn reactie op de wankele positie van de tand als dapper beschreven worden. Toch troost ik me met de gedachte dat over de hele linie mijn stoïcijnse wil om niet te huilen indruk maakte op de menigte die zich om me heen had verzameld. Per slot van rekening was het niet mijn schuld dat ik niet had begrepen dat ze met hun geschreeuw mij op een ongelukkig geplaatst bordje boven de duikplank met DEFECT erop hadden willen wijzen. Je kon toch nauwelijks van mij verwachten dat ik wist dat hij door zou zakken door de kracht van mijn meesterlijke sprong en tegen mijn mond zou slaan toen ik ertegenaan viel.

In een oogwenk was het zwembad ontruimd en stond er een badmeester naast me. Volgens mij had een badmeester de taak om ongelukken te voorkomen en niet om er vanuit de verte naar te kijken als ze al waren gebeurd, maar ik kon me niet permitteren om ruzie te gaan zoeken. Dus aanvaardde ik de aandacht en het warme water en de handdoeken en vroeg me af of het er ook zo aan toe ging als je een kind baarde – en dan natuurlijk van de andere kant. Het mooie van het filosofenbestaan was dat je best wat vaag mocht zijn. Precisie was vereist bij theorieën, niet zozeer bij praktische zaken.

Gelukkig voor mij bleek een van de zwemmers die er in het water als een dolfijn had uitgezien, ervaring met EHBO te hebben: hij wist hoe hij mijn tand in het tandvlees moest blijven vasthouden totdat hij niet meer wiebelde. Zijn naam was Jean-Claude en hij sprak Engels met een Frans accent, dus vermoedde ik dat hij Frans was. Hij moet zo'n jaar of zeventien zijn geweest, en hij had dik zwart haar en donkerbruine ogen. Natuurlijk zei ik niet tegen hem dat ik had gedacht dat hij er als een dolfijn uitzag – bepaalde gedachten moet een vrouw gewoon voor zich houden.

Helaas hing Charlotte een volledig andere filosofie aan. Ze zag Jean-Claude nog niet naast me staan – met zijn zwarte zwembroek tot vlak boven de knie toen hij zich bukte om mij een helpende hand te reiken – of ze begon te roepen: 'Harriet! Ik heb me *zo'n* zorgen over je gemaakt. Je arme mond! Het ziet er *afschuwelijk* uit – gaat het een beetje? O, hallo, ik ben Charlotte!'

Maar Jean-Claude had het te druk met zijn eerste hulp om te reageren.

Toen ik weer iets kon zeggen, bedankte ik hem in het Frans voor zijn hulp en hij antwoordde, in het Frans, dat het hem een genoegen was. Daarmee verdiende hij mijn respect en het was duidelijk dat hij ook respect voor mij voelde. Eindelijk iemand die de tactiek die door de Charlottes van deze wereld werd gehanteerd, doorzag. Hier had je iemand die onder de indruk was van de afwezigheid van tranen en de aanwezigheid van grote moed. Vrouwelijke listen vielen daar toch bij in het niet?

Jean-Claude kwam overeind en maakte aanstalten om weg te lopen. Zijn haren dropen nog. Het water liep langs zijn lange zongebruinde rug en verdween in zijn wijde zwarte zwembroek. Nog even en hij was weg. Ik denk dat het door de combinatie kwam van shock en chloor, maar opeens, volledig onverwacht, stortte ik weer in.

De vijf minuten die Jean-Claude nodig had om een glas cola voor me te halen, waren voor mij voldoende om weer helemaal bij mijn positieven te komen. Ik was niet op de wereld om opgepikt te worden door de eerste de beste charmante, aantrekkelijke Fransman. Dit leven bestond niet alleen uit het najagen van hedonistisch geluk. Nee, Harriet Rose had een geest te ontwikkelen – en toch was ze bij de eerste gelegenheid die zich voordeed verworden tot een stereotiepe zielenpoot, die beschermd wil worden tegen de trauma's van het leven door een flitsende held. Rustig aan, Harriet! Gebruik je verstand! Denk eens aan die arme Charlotte en hoezeer die het juiste rolmodel nodig heeft.

Ik voelde me al wat beter. Door de cola speelde mijn maag niet meer zo op en mijn lip bloedde niet meer. Ik stond op om weg te lopen. Aan de ene kant liep Jean-Claude en aan de andere kant had Charlotte zich slinks een plaatsje veroverd. Een merkwaardig drietal in aflopende lengte, van wie de zwijgende gêne ten slotte werd doorbroken door de stem van Charlotte die in het Frans zei: 'Je bent heel aardig geweest voor Harriet.' Ze lachte lief naar haar landgenoot. '*Merci.*'

'Ben jij ook Frans?' Hij kon niet onder die vraag uit.

'*Ma mère est française,*' legde ze uit, alsof hem dat ook maar iets zou interesseren.

We waren bij de kleedkamers aangekomen. Charlotte deed haar mond open om haar onbenullige gebabbel voort te zetten, maar werd daarvan weerhouden door mijn 'na jou', terwijl ik de deur openhield om haar voor te laten gaan. Toen ze eenmaal veilig en wel binnen was, zei ik nog vlug '*au revoir*' tegen Jean-Claude en ging toen ook naar binnen.

Charlotte deed nog langer over het aantrekken van haar witte stretch jeans en haar oranje lycra T-shirt dan over het uittrekken. Ik bleef uit voorzorg op een bank in de hoek van de kleedkamer zitten. Het kostte haar zo veel tijd om haar haren in model te brengen dat het me op de zenuwen begon te werken. En ondertussen zat ze in de spiegel tegen zichzelf te glimlachen. Ik moest daar weg, ondanks al mijn goede bedoelingen. Dit was onverdraaglijk voor een denker als ik.

'Ik realiseer me net,' zei ik, 'dat ik mijn handdoek bij het zwembad heb laten liggen.'

'Als je wilt, kun je de mijne wel lenen,' antwoordde ze. 'Ik heb hem niet meer nodig.' Ze wees naar een zielig blauw-wit gestreept nat hoopje naast zich op de vloer.

'Dat hoeft niet,' zei ik. 'Ik ga mijn eigen handdoek wel halen.'

Jean-Claude kwam net uit het water. Toen hij me zag, glimlachte hij en wees naar een ligbed waar we naast elkaar op gingen zitten.

'Bedankt voor je hulp daarnet,' was het enige wat ik kon bedenken – op de heenweg had ik iets heel anders uitgedacht.

'Ik was blij dat ik van dienst kon zijn,' was zijn galante reactie. Toen zaten we. Zwijgend. Minutenlang. Starend naar een leeg zwembad alsof het bleekblauwe chloorwater een fascinerende boodschap bevatte. Als schrijfster van *De Meditaties van Harriet Rose, een denkende adolescent*, kon ik toch wel iets interessanters bedenken? Als ik Jean-Claude wilde leren kennen, zou ik meer over hem te weten moeten komen. Ik deed nog maar een poging. 'Zou ik je misschien een vraag mogen stellen?'

'Natuurlijk,' antwoordde hij nietsvermoedend, en hij liet zijn hand door zijn haar glijden.

'Die zwembroek van jou, heb je die zelf uitgekozen?' Het was een vraag die ik al had willen stellen vanaf het moment dat ik had gezien dat je door de pijpen van de broek omhoog kon kijken.

Ik had niet verwacht dat hij zou gaan lachen – het waren waarschijnlijk zenuwen.

'En?' drong ik nog eens aan. Hij had nu wel in de gaten dat hij me een antwoord schuldig was.

Hij hield op met lachen en zei: 'Toevallig heeft iemand anders hem voor me uitgekozen. Ik heb 'm van een vriendinnetje gekregen.'

Opeens wilde ik dat ik het niet had gevraagd. Wat hadden zijn smakeloze wijde broek en zijn ouderwetse vriendin per slot van rekening met mij te maken? 'O, vandaar,' mompelde ik, en ik keek de andere kant op.

'Het spijt me,' zei hij, en hij legde zijn hand op mijn rechterknie alsof dat de normaalste zaak van de wereld was.

'Je hoeft je niet te verontschuldigen,' zei ik. Ik staarde naar zijn hand. Zou Nana vinden dat ik hem eraf moest halen? Niet letterlijk, natuurlijk. Alleen maar van mijn knie. Zelfs Nana was niet zo beschermend.

'Maar je ziet eruit alsof je van slag bent,' vervolgde hij, 'en dat is het laatste wat ik wilde, vooral na zo'n ongeluk.'

'Van slag?' Ik liet een onverschillig lachje horen. 'Waarom zou ik in godsnaam van slag zijn van een bermuda die nogal passé is? Ik wilde gewoon iets zeggen, meer niet.'

Ik was tevreden over mijn gebruik van een voor hem begrijpelijk Frans woord om hem iets duidelijk te maken wat me steeds meer begon te ergeren, maar toen haalde hij zijn hand van mijn knie. Had ik het misschien toch bij Engels moeten houden?

'Je hebt gelijk. Hij is een beetje passé, hè?' Hij keek me vanuit een ooghoek aan, voordat hij eraan toevoegde: 'Net als het vriendinnetje van wie ik hem heb.'

'Ik ben niet in de positie om een oordeel te vellen over haar gevoel voor mode zonder dat ik haar ooit gezien heb,' merkte ik zo filosofisch mogelijk op.

'Ik had het niet over haar gevoel voor mode,' legde hij uit. 'Ik bedoelde dat ze voor mij passé was, hoe zeg je dat, dat het uit is.'

'Dat is waarschijnlijk maar goed ook,' opperde ik tactvol, althans dat dacht ik.

Jean-Claude dacht er kennelijk hetzelfde over; zijn hand keerde terug naar mijn knie toen hij vroeg: 'Heb je zin om morgen met mij te gaan eten? In een bistro misschien? Ik ben niet zo goed thuis in Londen, maar jij wel, denk ik.'

Was hij uit op een afspraakje of wilde hij een gids voor een rondleiding?

'Ik kan je wel iets adviseren.' Op deze onverschillige manier nam ik zijn uitnodiging aan, maar om de een of andere reden keek Jean-Claude wat onzeker, dus zei ik gauw: 'Er is een kleine Franse bistro in een zijstraat van Kensington High Street – zullen we daar afspreken?'

Voordat hij een interessante manier om '*Oui*' te zeggen kon bedenken, hoorde ik tot mijn stomme verbazing de stem van Charlotte achter me. 'Gaaf! Ik vind het daar ook leuk. Wanneer gaan we?'

Die dag heb ik een waardevolle les geleerd: je moet nooit medelijden hebben met kleine, domme mensen, want wat ze tekortkomen in lengte en intelligentie compenseren ze met een schaamteloze opdringerigheid. Ik hoorde telkens weer de stem van Nana in mijn hoofd die me waarschuwde. Maar als een overmoedige puppy had ik niet naar haar geluisterd en was ik linea recta in de val gelopen, en daar kon ik niemand anders dan mezelf de schuld van geven. Zelfs de eerwaarde vader kon niet verwachten dat mijn welwillende houding zo ver reikte.

Maar wat moest ik doen? Aan Charlotte uitleggen dat de uitnodiging alleen voor mij was bedoeld? Misschien trapte Jean-Claude wel in dezelfde val en had hij medelijden met de zichzelf voor de gek houdende Charlotte en deed hij net alsof de uitnodiging ook voor haar was bedoeld. Dat risico mocht ik niet lopen. Maar wat dan? Moest ik de kans mislopen op een eetafspraakje met Jean-Claude vanwege het slinkse gekonkel van een *petit oiseau* met de hersens van een vos? Absoluut niet. *Quelle tristesse!* Was mijn leven gedoemd tot één lange tragedie? Was mijn moeder soms net *Anna*

Karenina aan het lezen toen ze van mij in verwachting was?

Er was maar één oplossing, en voordat ik me over de voor- en nadelen kon gaan buigen, had ik al gezegd: 'Morgen om acht uur? Ik verheug me erop!'

4

Toen het moment voor mijn verjaardagscadeautjes naderde, begon ik te vermoeden dat mijn onzelfzuchtige spirituele verzoek misschien een beetje overhaast was geweest, vooral toen Nana zei dat ik eraan vastzat. Daarna knikte ze mijn moeder toe toen ze dacht dat ik niet keek. Ik had te snel te hoog gemikt. Ik had moeten beginnen met het vragen van kleinere cadeautjes voor mijn veertiende verjaardag, om dan geleidelijk toe te werken naar een schenking aan een goed doel voor mijn eenentwintigste. Maar nu was het te laat, ik had erom gevraagd en ik kon niet meer terug zonder volledig voor gek te staan.

Dus toen mijn moeder en Nana de zitkamer binnenkwamen, mijn moeder met lege handen en Nana met één pakje, zette ik me schrap en hoopte dat mijn moeder mijn woorden niet al te letterlijk had opgevat.

'Dit jaar krijg je iets van ons samen, Harriet,' kondigde mijn moeder trots aan. Als ze maar niet bedoelde dat minder méér betekende. 'Ik hoop dat je het net zo mooi vindt als wij.' Nana gaf me een klopje op mijn knie en overhandigde me het cadeautje.

Het was een klein pakje, ongeveer zo groot als een dvd, prachtig ingepakt in goudkleurig papier, met bovenop een grote rode strik. Tijdens het openmaken probeerde ik mezelf wijs te maken dat een documentaire over een derdewereldland of een lezing over dierenrechten eigenlijk mijn grootste wens was. Maar toen ik zag dat het een ingebonden boek was met een felrode kaft en sierlijke gouden letters zag de wereld er al iets zonniger uit. Ik speurde de voorkant af naar een titel en een schrijver. Het viel niet tegen. Het was een titel die ik wel kon waarderen van een schrijver die ik nog niet helemaal kon bevatten. Het werd omschreven als '*Een verzameling Meditaties*' en de titel was *De oneindige wijsheid van Harriet Rose.*

'Bevalt de titel je?' Mijn moeder klonk zenuwachtig. Ik weet niet waarom – het was exact het soort titel dat ikzelf gekozen zou hebben. Het drong door tot de kern van wat Harriet Rose voorstelde – het oneindige van haar leeftijdloze diepgang, een wijsheid die geen grenzen kende.

'Nana en ik hebben er lang over nagedacht, voordat we uitkwamen bij *De oneindige wijsheid van Harriet Rose,*' legde mijn moeder uit, en ze liet haar vingers trots over de dikke gouden letters glijden.

'De titel bevalt me,' zei ik, toen ik eindelijk een woord kon uitbrengen. 'Daardoor onderscheidt het boek zich van de *Meditaties* van Descartes, of de *Meditaties van Marcus Aurelius.* Anders was het te verwarrend geweest.'

'En op een bepaalde manier,' vervolgde mijn moeder, 'heb je de titel zelf gekozen.'

'O ja? Hoezo?' vroeg ik gretig.

'Herinner je je jouw Meditatie 33 niet meer, aan het begin van deel twee?'

De woorden waren me bekend voorgekomen, maar ik had me niet gerealiseerd dat ze van mezelf waren. Ik sloeg Meditatie 33 op en las:

In Zijn oneindige wijsheid nam Hij je mee
geen afscheidskus, of een 'vaarwel'
vergeten doe ik dat nooit, nee
de dood deed pijn, kwam veel te snel
ik wil je terug
laat je niet los
kwam je maar vlug

ik mis je zo
In Zijn oneindige wijsheid nam Hij je mee
terwijl ik nog zoveel te zeggen had
met wijze woorden vul je niet zo'n gat
want jouw gezicht verdwijnt van lieverlee
Mijn woorden vullen jou met trots
zo is mijn hoop, zo is mijn wens
ze komen eigenlijk van jou
jij maakte mij tot deze mens
ik schrijf ze op
vul menig blad
meer wijsheid dan een kind ooit had
In Zijn oneindige wijsheid nam Hij je mee
Maar ik zeg in mijn wijsheid: nee
ik haal je terug met de kracht van mijn woord
door mij leef jij voor eeuwig voort.

Mijn moeder had tranen in haar ogen toen ze zei: 'Het is een cadeau dat je vader ook voor je zou hebben gekozen.'

Er stond zelfs een prijs op – 13.99 pond. Mijn eigen boek te koop voor 13.99 pond! Iedereen die mijn Meditaties wilde lezen, moest ervoor betalen. En toch waren ze nog maar heel kort geleden een privéverzameling geweest die alleen ikzelf onder ogen kreeg. Maar anderzijds was dat voordat ik een schrijfster was geworden, een schrijfster van een boek, niet langer gewoon Harriet Rose, maar dé Harriet Rose, schrijfster van *De oneindige wijsheid van Harriet Rose*, iemand die je niet moest onderschatten.

Ik keek op aandringen van Nana naar de binnenkant van de achterflap – ze wilde dat ik naar de foto van me keek die zij en mijn moeder hadden uitgekozen. Het was een foto waarop ik lachte, een kleurenfoto van mijn hoofd, maar ik wist eerst niet waar hij vandaan kwam. Hoewel ik glimlachte, had de foto ook iets tragisch, alsof ik net was neergeschoten maar niet wilde dat iemand het zag.

En toen schoot het me weer te binnen – de sportdag van 2003. Ik had de zakloopwedstrijd met zo'n grote voorsprong gewonnen dat de juryleden – Miss Goud, Miss Zilver en Miss Brons – me over het hoofd hadden gezien. Ze waren op de drie die achter mij kwamen toe gerend met felgekleurde linten in hun hand, rood, blauw en groen, maar de idioten hadden mij volledig gemist. Ik stond me daar secondelang in mijn zak af te vragen of ze misschien hun fout zouden inzien en Molly van haar rode lint zouden ontdoen, voordat ze er te zeer aan gehecht kon raken. Maar nee, de linten bleven trots op hun plaats hangen en geen van mijn leeftijdgenoten had het lef of het fatsoen om op te biechten wat er aan de hand was. Wat is er eervol aan het onverdiend ontvangen van een eerbetoon, vroeg ik me die avond en de daaropvolgende af.

Achteraf gezien had ik mijn vader er niet van moeten weerhouden om een officiële klacht in te dienen, maar op dat moment vond ik het al meer dan genoeg dat hij luid 'boe' riep en uit protest op een stoel was gaan staan. Maar gerechtigheid geschiedde, en ik hoefde er niet lang op te wachten. Het volgende weekend stond ik pontificaal op de voorpagina van de plaatselijke krant, op een foto van een scherpziend lid van de paparazzi met een gevoel voor fair play – Harriet Rose die de zakloopwedstrijd won met minstens drie lengtes voorsprong op de rest van het veld. Voor mijn vader en mij was het niet zomaar een uitslag, het was een overwinning. Een onrecht was rechtgetrokken, en voor ons was dat veel belangrijker dan het winnen van een stomme wedstrijd. En juist die foto stond te pronken op mijn eigen gebonden boek.

Mijn verzameling Meditaties had ik oorspronkelijk opgedragen aan alle mensen die mijn leven hadden beïnvloed. Het was duidelijk wie die mensen waren. Ik begon met mijn moeder, omdat zij de belangrijkste persoon in mijn leven was. Ik vulde een hele pagina met beschrijvingen van haar goede eigenschappen en haar slechte, met haar sterke en haar zwakke punten, haar triomfen en haar nederlagen. Toen schreef ik '2' in de marge van het papier en ging op lfde manier te werk bij de beschrijving van mijn vader. Het was niet moeilijk, ik kende ze allebei zo goed. Ze waren toen elke dag van mijn leven bij me. Zij waren mijn leven. Ik kon me geen leven zonder hen voorstellen.

Ik weet nog dat ik Meditatie 2 begon met de woorden: 'Mijn vader heeft me geleerd hoe ik mezelf moet zijn.' Daarna stopte ik, zoals schrijvers dat doen, om mijn gedachten te laten gaan over de woorden die ik had gekozen. Was wat ik wilde zeggen duidelijk genoeg? Niet dat het belangrijk was of het duidelijk zou zijn voor andere mensen, want ik had er toen nog geen voorstelling van dat dit werk ooit zou worden gelezen door iemand anders dan mezelf. Nee, was het voor mijzelf duidelijk genoeg? Wat weten twaalfjarige meisjes over zichzelf? Wie kon ik anders zijn dan mezelf?

Deze overpeinzing voelde vreemd aan, alsof je een nieuwe taal leert, en dan iets zegt zonder precies te weten wat. En hoewel ik toen pas twaalf was, had ik geweten dat er meer achter de gedachte zat dan ik had begrepen. Dus probeerde ik het opnieuw. Ditmaal schreef ik: 'Mijn vader heeft mij laten zien hoe ik trouw moet zijn aan mezelf.'

Dat klonk beter, wereldwijzer, en ik was er tevreden over, totdat ik mezelf afvroeg hoe ik zou weten of ik ontrouw aan mezelf was. Dus heb ik die zin ook doorgestreept.

Mijn derde poging was tegelijk mijn laatste, omdat ik er ditmaal wel tevreden over was. Nu stond er: 'Mijn vader heeft me leren schaken.' Het was precies het begin dat ik wilde hebben. Daarna stond er:

Hij heeft me verteld wat de belangrijkste schaakstukken waren en dat ik nooit de pionnen moest onderschatten of onderwaarderen. Hij zei dat je soms een stuk moest offeren om een groter doel te bereiken. Hij zei dat ik me nooit gewonnen moest geven in een herdersmat, en dat je als je aan de winnende hand was, nooit je doel uit het oog moest verliezen. Hij raadde me aan niet te veel in de verdediging te blijven zitten omdat mijn spel zich beter leende voor een vroege aanval, en om op mijn hoede te zijn voor de tactiek van andere spelers die mij uit mijn concentratie wilden halen of die mijn zelf-vertrouwen wilden ondermijnen. Hij zei dat als het me lukte mijn doel voor ogen te houden, en als ik niet opgaf onder druk of omdat ik minder stukken overhad, ik een fantasti-sche schaakspeler zou zijn en, wat nog belangrijker was, van elke partij zou genieten.

Ik wou dat ik hem die Meditatie had laten zien. Ik wou dat ik die al-le maanden toen hij ziek was niet voor hem had verstopt. Ik wou dat ik had verteld dat ik hem onze laatste partij niet kon laten win-nen alleen maar omdat hij ziek was, omdat hij me had geleerd dat ik dan niet trouw aan mezelf zou zijn.

Nana was Meditatie 3 – drie keer is scheepsrecht zou ze zeggen, en Grootvader was 4. Oma Rose was 5 en oudtante Margo was 6. Mijn hele familie bestond uit die zes mensen, toevallig ook het aantal verschillende stukken die er bij het schaken zijn – koning, dame, toren, loper, paard en pion. Daardoor was ik op het idee ge-komen. Waarom zou ik niet alle personen in dit deel beschrijven alsof het schaakstukken waren? Uiteraard zou het duidelijk zijn aan welke kant ik stond. Zes waren er al op papier gezet. Maar dat wilde niet zeggen dat de tegenpartij niet even belangrijk was in de schepping en beheersing van het spel. Daarom kwamen er in het eerste deel van mijn Meditaties tweeëndertig personen voor, één voor elk schaakstuk. Ze vertegenwoordigden ook twee volkomen verschillende invloeden op mijn leven. De ene kant van het bord werd gevormd door de leden van mijn familie, levend of dood; de andere kant, Meditatie 17 tot en met 32, bestond uit een ratjetoe van personen die ik niet erg mocht. Maar dat vond ik juist intrige-rend. Ze maakten het spel interessanter: ze brachten het beste in de andere partij boven, ze haalden de sterke punten van de ander naar voren en ook de zwakke punten, en de overwinning smaakte des te zoeter. Acht pionnen, onder wie Charlotte Goldman, kletsten en manipuleerden zich een weg door Meditaties 17 tot en met 24, met aan het roer mevrouw Mason, de dame van de tegenpartij, die op mijn allereerste schooldag mijn hoofdrekentalenten had bekritiseerd ten overstaan van de hele klas, alleen maar omdat ik door haar slechte articulatie de vraag verkeerd had begrepen. Ze waren er allemaal, de spelers op mijn toneel, goede, slechte en een heel grijs gebied ergens midden op het bord.

Toen ik het eerste deel af had, deed ik het boek dicht en legde het in een schoenendoos, als een begraven lijk dat het daglicht nooit meer zou aanschouwen. Maar als een lijk – en toen had ik er inmiddels eentje gezien – bood het voeding aan het leven dat het achterliet.

En dat was de reden waarom deel twee van mijn verzameling met die zeer speciale Meditatie 33 begon waar de titel van mijn boek vandaan kwam. Ik had haar opgeschreven op de dag van de begrafenis van mijn vader om hem te laten weten dat zijn dood me niet had belet om door te gaan met schrijven. En hoewel hij mijn werk nooit heeft kunnen zien, weet ik absoluut zeker dat hij er trots op zou zijn geweest – op de veelzijdigheid, de scherpte van de observaties, de integriteit waarmee het is geschreven.

Hij had geweten dat ik schrijfster wilde worden. Daarom had ik een jaar voor zijn dood een pen van hem gekregen voor mijn verjaardag. Ik bewaarde hem in een lusje naast mijn notitieboekje, als een soort uitroepteken. Een keer ben ik hem kwijtgeraakt in een taxi, pal na zijn dood – hij was waarschijnlijk uit mijn tas gevallen. Ik dacht dat ik hem voorgoed kwijt was. Maar ik had het mis: hij was door de taxichauffeur afgegeven bij Gevonden Voorwerpen. Ik moest huilen toen we hem gingen ophalen. Dat klinkt niet-schrijvers misschien stom in de oren, maar andere schrijvers zullen het wel begrijpen. En niet omdat je zonder pen niet kunt schrijven. Schrijvers herinneren zich dit soort voorvallen, omdat ze in hun geest symbolen vormen die ze nooit meer kwijt kunnen raken, hoe ze daar ook hun best voor doen. Mijn verloren pen was niet zomaar een verloren pen: het was een verloren vader, en telkens als ik naar mijn pen kijk, zie ik dat en zal ik dat altijd blijven zien. En als ik hem uit zijn lusje haal en zie hoe mijn gedachten er woorden mee vormen op een vel papier, dan is mijn pen een middel waarmee ik met mijn overleden vader communiceer. Niet alleen die pen, álle pennen, omdat hij een keer een pen voor me had gekocht om me aan te moedigen te gaan schrijven.

Onder de foto stond een korte beschrijving van me: ik had mijn Meditaties geschreven in een klassieke stijl, maar met mijn eigen jeugdige en toch scherpe kijk op het leven; ik was een uitzonderlijk goede scholiere en had al twee prijzen in de wacht gesleept, een voor Engels en een voor filosofie; ik was in het bezit van een literaire flair die ik verder wilde ontwikkelen zo gauw ik van school af was; mijn boek was uniek, verfrissend, en bood een helder inzicht in de geest van een tiener.

Ik las stomverbaasd verder. Zou iemand dat van mij geloven? En zo ja, zouden ze geen hekel aan me krijgen, omdat ik zo'n uitzonderlijk getalenteerd persoon was? Kortom, hadden Nana en mijn moeder niet een klein beetje te veel overdreven, meer dan goed voor me was? Maar ook al was dat waar, wat kon mij dat schelen? Ik was jarig en ik ging ervan genieten. Morgen, in de woorden van de beroemde Scarlett O'Hara, kwam er weer een dag.

'Je hebt je vast afgevraagd waarom ik zo'n haast had toen ik je vanavond bij de club afzette,' hoorde ik mijn moeder zeggen. 'Ik moest de eerste doos met boeken bij de drukker afhalen. De rest wordt later bezorgd – we hebben er duizend besteld.'

Dat deed me weer tot mezelf komen. Heel even was ik helemaal vergeten dat ik ook nog een uitgeversteam had. Mijn moeder en Nana, Mia en Olivia, of liever gezegd Miandol Books, zoals ze zichzelf noemden, die daar zo geduldig zaten te wachten op de reactie van de auteur. Nana overhandigde me mijn fijnschrijver en mijn moeder sloeg het boek open op de bladzijde waarop de titel en mijn naam stonden en zei: 'Zou ik het eerste gesigneerde exemplaar mogen hebben?'

Ik zag aan haar gezicht dat ze een speciale opdracht van me verwachtte. Maar wat? De bladzijde zag er opeens zo wit en groot en leeg uit. *Voor mama, met al mijn liefde, Harriet,* leek op de een of andere manier niet goed genoeg. Ik moest iets bedenken wat zowel geestig als betekenisvol was. Ik moest erachter zien te komen hoe andere schrijvers hun boek signeerden. Ik had tijd nodig om op mijn handtekening te oefenen. 'Schrijf er later maar iets in,' zei ze, en ze pakte de pen uit mijn hand. Ik wist dat ze het zou begrijpen.

Het was het meest fantastische cadeau dat ik ooit had gekregen, maar ik kon nog niet precies de woorden vinden om dat uit te drukken, dus in plaats daarvan omhelsde ik hen alle twee en wreef met een zakdoekje over mijn ogen. Die begonnen altijd te tranen als ik er het minst op verdacht was. 'Dank jullie wel,' fluisterde ik. Maar ze wilden dat geen van beiden horen.

'Laten we iets gaan eten!' zei Nana. 'En dan kun je je kaarsjes uitblazen.'

Pas veel later die avond, toen ik op mijn bed lag en mijn boek begon door te bladeren, ontdekte ik dat er ook nog een opdracht in stond. Er stond: *Voor mijn overleden vader.* Wat kenden ze me toch goed.

5

Het had geen zin om duizend exemplaren te laten drukken van een boek dat je had uitgegeven als er geen enkele in de belangrijkste boekhandels klaarlag om gekocht te worden door kritische lezers die op dat idee waren gebracht door een effectieve publiciteitscampagne. De volgende dag, toen ik wat was bijgekomen van de schok, werd er besloten dat mijn moeder de afdeling marketing en publiciteit voor haar rekening zou nemen, en Nana de afdeling verkoop (op voorwaarde dat niemand haar 'vertegenwoordiger' zou noemen). Mijn rol bestond erin dat ik stil op de achtergrond bleef, gehuld in een praktische introspectieve creativiteit, me volledig onbewust van de inspanningen die gevergd werden van de mensen in mijn omgeving.

Het klonk niet zo moeilijk toen het publiciteitsteam het me uitlegde. Het moest welhaast een succes worden. Nana, de geduchte pleitbezorger; mijn moeder, de vindingrijke organisator; en ik, de ondoorgrondelijke denker. Het was net alsof het lot dit project altijd al voor ons in gedachten had gehad, dat het onze verschillende persoonlijkheden had klaargestoomd voor dit speciale moment, dat het onze wegen had geleid naar dit specifieke kruispunt. Het lag eigenlijk allemaal al vast vanaf het moment dat ik mijn productieve fijnschrijver ter hand nam. Er was maar één dringende aangelegenheid – die van de feestelijke presentatie op de dag van publicatie die stond gepland voor de komende zaterdag. Dat gaf me maar drie dagen om te besluiten wat ik aan moest en om aan mijn speech voor de gasten te werken. Overigens – wie moesten die gasten zijn? Het was een vraag die alleen door de publiciteitsagente beantwoord kon worden.

'Je hoeft je nergens zorgen over te maken,' verzekerde mijn moeder me. 'Lees gewoon een paar van je Meditaties voor en bedank ze voor hun komst.'

Maar wie moest ik bedanken? Mijn handjevol vriendinnen paste gemakkelijk in onze zitkamer, maar hier ging het om een ontvangstruimte in de London Portrait Academy.

'Je nodigt geen vriendinnen uit voor een boekpresentatie!' legde mijn moeder uit. 'Er moeten mensen komen die motiverend zijn en die je boek kopen.'

Ik snapte waar ze naartoe wilde. Maar waar vonden we dat soort mensen?

'Tot nu toe zijn er vijfenvijftig reacties binnen,' zei ze met een blik op de gastenlijst. 'Ik ben nog in afwachting van de andere vijfenveertig.'

Van de meeste gasten had ik nog nooit gehoord. Er zouden volslagen vreemden bij de feestelijke presentatie aanwezig zijn, die mijn boek kochten, bespraken wat er goed of niet goed aan was, naar mijn speech luisterden, nipten van mijn champagne en jus d'orange en roddelden over wat ik aanhad. Boekverkopers, verslaggevers van plaatselijke kranten, critici – er was zelfs iemand die een column schreef voor de *Evening Standard*. Opeens was ik een moeder kwijt en had ik er een pr-goeroe voor in de plaats gekregen.

Op de uitnodiging stond dat het een avond was ter gelegenheid van de feestelijke presentatie van *De oneindige wijsheid van Harriet Rose*. Volgens mij was het dus wel de bedoeling dat ik erbij was. De genodigden hadden bij hun uitnodiging ook een exemplaar ontvangen van de omslag van het boek, dus konden ze me in ieder geval herkennen als ze eenmaal in de London Portrait Academy waren. Ik wou dat ze van de foto van de sportdag meer dan alleen mijn hoofd hadden overgelaten – op deze manier had ik me net zo goed in die zak kunnen verstoppen.

'Vergeet die zak nou maar.' Mijn moeder glimlachte toen ik me klaarmaakte voor mijn afspraakje die avond met Jean-Claude en Charlotte. 'Morgen gaan we met z'n allen winkelen en dan kiezen we elk iets nieuws uit – voor zo'n belangrijke gebeurtenis is dat absoluut noodzakelijk. Al die mensen komen speciaal naar de London Portrait Academy om jou te zien – en misschien wordt er ook af en toe een blik op het publiciteitsteam geworpen!'

'Kan ik dit niet aan?' vroeg ik, terwijl ik mijn favoriete heupspijkerbroek aantrok, waarvan ik om strategische redenen de achterzakken had afgehaald. Het interesseerde de meeste mensen niet hoe ze er van achteren uitzagen. Dat zou wel zo moeten zijn: een laatste indruk was even belangrijk als een eerste, zo niet belangrijker. 'Voor vanavond kan die broek prima, maar voor de London Portrait Academy moet je iets chiquers hebben,' was het diplomatieke antwoord van mijn moeder. En ik wist zeker dat mijn pr bij haar in uitstekende handen was.

'Ik heb geregeld dat de ontvangst in hun Rembrandt Suite op de eerste verdieping gehouden zal worden,' vervolgde ze.

'Toch niet die zaal met de parketvloer en de driedubbele kroonluchters,' zei ik met een brok in mijn keel, 'en met aan de ene kant zes schuiframen?'

'Ja, die is het.' Ik kon aan haar ogen zien dat ze van zichzelf onder de indruk was. 'Ik heb hem tegen een speciaal tarief kunnen huren omdat daar een keer een portret van mij gehangen heeft.'

Het zou nooit bij haar zijn opgekomen om een schilderij bij de London Portrait Academy voor te dragen als mijn vader en ik haar niet hadden overgehaald. We wisten dat ze een duwtje in de rug nodig had. Dat had ze altijd. Ze miste zelfvertrouwen als het om haar eigen talenten ging. Ze had zelfs nooit tegen haar vrienden verteld dat ze in haar jeugd cum laude was afgestudeerd aan de kunstacademie. Ik was pas elf jaar toen mijn vader ons naar de Academy had gereden. Ik bleef bij hem in de auto zitten en we lieten mijn moeder alleen met haar portret naar binnen gaan. Het was een vrij groot portret – een meter bij een meter twintig – in een barokke vergulde lijst. Ze had zich dagen opgesloten in de zolderkamer die ze haar studio noemde. Niemand mocht het zien, totdat het klaar was en de vernis was opgedroogd. Ze zat er nog steeds aanmerkingen op te maken toen ze het laken eraf haalde dat er alle trappen af overheen gehangen had – 'Had ik maar meer tijd gehad, dan had ik de ogen nog wat meer aandacht kunnen geven. Als je vindt dat het niet op je lijkt, dan neem ik het weer mee en begin opnieuw. Als het dakraam wat groter was geweest, had ik veel meer uren aan je haar kunnen besteden.' Enzovoort. En de hele tijd dat ze bezig was met die uitvluchten, speurde ze onze gezichten af naar een reactie.

Alleen iemand als mijn moeder kon ons perplexe zwijgen hebben geduid als afkeuring. Geen van beiden hadden we ooit zo'n prachtig, ontroerend portret van een jong meisje gezien. *Harriets glimlach* stond er achter op het doek, net boven *Mia Rose pinxit*. Ze was de enige van ons drieën die verbaasd was toen de London Portrait Academy liet weten dat ze het graag wilden tentoonstellen, zoals zij ook de enige was die verbaasd was toen de opdrachten begonnen binnen te stromen.

En nu zou *Harriets glimlach* in de London Portrait Academy gezelschap krijgen van mijn eigen literaire creatie. Wat zou mijn vader trots op ons beiden zijn geweest. Welke plek was beter geschikt voor onze speciale gebeurtenis dan deze?

'Omdat het toevallig een elegant gebouw is, betekent dat nog niet dat ik niet iets gemakkelijks aan mag. Van Gogh heeft zich ook nooit in smoking vertoond, en ze zouden hem in de London Portrait Academy nooit de toegang hebben geweigerd.'

'Daar kunnen we morgen altijd nog over denken,' opperde mijn moeder toen ze me hielp bij het aantrekken van het witte T-shirt uit Cannes.

Jean-Claude zou een subtiele verwijzing naar de Côte d'Azur wel op prijs stellen, en zo nodig zou het ons aan een nieuw gespreksonderwerp kunnen helpen. Ik was in Cannes geweest tijdens de laatste vakantie met mijn ouders; een vakantie die me altijd zou bijblijven.

'Wacht maar tot hij je daarin ziet,' zei mijn moeder opgetogen. 'Charlotte Goldman kan net zo goed thuisblijven.'

Maar helaas deed ze dat niet. Ze zat al in de bistro te wachten. Ik kon haar zien zitten aan een ronde tafel bij het raam. Er stond een grote witte druipkaars voor haar en dat was maar goed ook, want voorbijgangers zouden anders recht in haar diep uitgesneden turquoise bloes gekeken hebben. Niet dat daar veel te zien was natuurlijk, maar dankzij een push-upbeha konden ze dat niet weten. In ieder geval had Winnie de Poe een avondje vrij, dacht ik, toen ik de deur van de bistro openduwde en bij haar aan tafel ging zitten.

'Ben je hier al lang?' vroeg ik met een blik op haar lege milkshakeglas.

'Niet echt,' loog ze, en ze keek naar de deur. 'Hij is laat,' zei ze toen. 'Vreemd – hij leek me een type dat altijd op tijd komt.'

'Je weet kennelijk meer over mannen dan ik,' biechtte ik in mijn onnozelheid op.

'Het is helemaal niet moeilijk,' legde ze uit. 'Er zijn eigenlijk maar twee soorten mannen – mannen die het jou naar de zin willen maken, en de rest die wil dat jij het hun naar de zin maakt. Jean-Claude leek mij van het eerste soort.'

Met stomheid geslagen over de grondige, diepgaande eenvoud van de keuzemogelijkheden, besloot ik het menu te bestuderen dat voor me op het rood-wit geruite tafelkleed lag. Ik had eigenlijk nog nooit eerder in de bistro gegeten, ik was er alleen langsgekomen op weg naar school.

'De steak met frietjes is meestal goed,' zei ik. Het was een abstracte theorie – steak met frietjes is bijna altijd goed.

'Ik eet geen vlees,' antwoordde Charlotte, en één moment vreesde ik dat ik haar had onderschat.

45

'Ik snap het,' zei ik, 'al die prachtige dieren die alleen maar worden geslacht om half opgegeten op een vettig bord te eindigen.'

'Dat is het niet,' zei Charlotte beteuterd. 'Vlees blijft tussen mijn tanden zitten.'

We werden bij ons interessante morele debat onderbroken door de komst van Jean-Claude. Mijn eerste indruk was dat hij er in een spijkerbroek en een T-shirt beter uitzag dan in zijn slobberige bermudashort, en ik voelde me gesteund dat hij een outfit had gekozen die qua, wat Charlotte 'genre' zou noemen, leek op de mijne en niet op de wat minder informele kledij waarvoor Charlotte had gekozen.

'Sorry dat ik zo laat ben,' zei hij, 'maar ik moest nog een filosofie-opdracht afmaken voor morgen.'

Natuurlijk spitste ik mijn oren bij deze opmerking. 'Studeer je filosofie? Wat toevallig, ik ook.'

'*Vraiment?*' antwoordde hij alsof Charlotte er helemaal niet was. 'Ik ben net voor een jaar naar Londen gekomen om op een school in South Kensington mijn Engels bij te schaven. Filosofie en Engels zitten in mijn eindexamenpakket.'

'Dat is sterk,' zei ik. 'Ik heb vorig jaar op school prijzen gewonnen voor zowel Engels als filosofie. Op dit moment ben ik speciaal geïnteresseerd in Descartes.'

'Ik ook,' zei hij enthousiast en schoof zijn stoel iets dichter naar de mijne. 'Er zijn niet veel filosofen die geloven dat er een ziel bestaat.'

Ik wilde me net op een onderwerp storten dat ik buitengewoon boeiend vond, toen Charlotte uitriep: 'Ik vind Descartes ook goed! Ik weet alles over zijn *Incognito ergo sum*.'

'*Cogito*,' moest ik haar corrigeren. '*Cogito*, niet *incognito*.' Ik wilde niet dat Jean-Claude dacht dat ik ook een volslagen idioot was.

Charlotte brak met zo veel kracht een stukje af van haar baguette dat de kruimels over haar minuscule zwarte rokje vlogen. 'Descartes was Frans,' zei ze opeens, alsof ze daar net achter was gekomen, 'net als wij. Mijn moeder komt uit Bretagne,' vervolgde ze. Dat was nieuw voor me. Ik had altijd begrepen dat ze uit Boulogne kwam. 'Ze is naar Londen gekomen voor een baan als tweetalige secretaresse, en toen kwam ze mijn vader tegen. Die is advocaat.'

Ik snapte niet goed waarom ze dat er nu per se aan moest toevoegen, maar Charlotte vond het kennelijk belangrijk dat Jean-Claude volledig op de hoogte was.

'Advocaat!' herhaalde Jean-Claude, waarna hij zich weer tot mij wendde en vroeg: 'En jouw vader, Harriet? Wat doet hij?'

'Hij doet niets meer,' zei ik. 'Hij is dood.'

Ondertussen zag ik hoe Charlotte ongemakkelijk op haar stoel heen en weer schoof. Ik zou niet weten waarom. Misschien was ze vergeten dat mijn vader dood was.

'Wat erg voor je,' zei Jean-Claude. Hij legde zijn grote gebruinde hand op de mijne. '*Quel dommage!* Hij was vast nog niet zo oud. *Ta pauvre maman.*'

'Veertig,' zei ik, maar ik wilde niet dat hij medelijden met mij had, dus vervolgde ik: 'Ik woon in Kensington met mijn moeder en mijn grootmoeder. We hebben een huis van drie verdiepingen, met een dakterras waar we 's zomers zitten. Op een heldere dag kun je Albert Hall zien.' Ik klonk bijna als een makelaar die een huis probeert te verkopen dat al veel te lang te koop heeft gestaan.

'Ik woon met mijn ouders in Islington,' kwam Charlotte tussenbeide, en ik wist zeker dat ze het woordje 'ouders' extra beklemtoonde.

'Dat deel van de stad ken ik niet,' antwoordde Jean-Claude beleefd – ik kon zien dat hij niet echt geïnteresseerd was.

'Ik kan het je laten zien als je wilt.' Wat een lef!

Precies op dat moment kwam de ober langs om onze bestelling op te nemen. Jean-Claude en ik namen de steak met frietjes en Charlotte koos voor een Franse omelet.

Haar bestelling nam niet veel tijd in beslag, maar ik had ook niet veel tijd nodig. 'Als je van filosofie houdt,' zei ik tegen Jean-Claude, alsof Charlotte in slaap was gevallen, 'dan vind je mijn boek dat net is uitgekomen misschien wel interessant.'

'Heb je een boek geschreven?' vroeg hij opgewonden. 'Ik realiseerde me niet dat ik met een beroemde auteur zat te eten.'

'Het is een verzameling met Meditaties die ik de afgelopen twee jaar heb geschreven. De feestelijke presentatie is aanstaande zaterdag in de London Portrait Academy.'

Het laatste deel van mijn zin was bijna onhoorbaar vanwege Charlottes gekletter met haar mes tegen haar glas, een bezigheid die ze blijkbaar ontzettend interessant vond. Maar dat kon me niets schelen. Ik moest een veel belangrijker dilemma oplossen. Als ik Jean-Claude voor mijn feest uitnodigde, moest ik Charlotte ook vragen – ik had een nette opvoeding gehad. Ik woog de alternatieven snel tegen elkaar af en besloot het niet te doen.

'Er komen een heleboel belangrijke mensen,' zei ik in de hoop dat zelfs Charlotte dan in de gaten zou hebben dat zij daar niet bij hoorde. 'Intellectuelen en filosofen – er komt zelfs een journalist van de *Evening Standard*.'

Voor één keer was Charlotte met stomheid geslagen.

De steak met frietjes was net zo lekker als ik had gehoopt en Jean-Claude was het met me eens. Charlotte klaagde dat haar omelet niet helemaal gaar was, en dat was blijkbaar voor haar een excuus om er een flinke scheut tomatenketchup overheen te gooien. 'Dan blijft het in ieder geval niet tussen je tanden zitten,' merkte ik op, een mededeling die aan Jean-Claude voorbijging.

Jean-Claude en ik bestelden als toetje de *tarte au citron*. Charlotte wilde niks meer, maar anders had ze vast de charlotte-russe met sinaasappel en citroen genomen, want daar had ze het de hele tijd over gehad.

'Wil je dan misschien een cappuccino?' stelde Jean-Claude voor.

'Nee, dank je,' antwoordde ze, 'ik wil geen toetje.'

Ik voelde dat het etentje wat ongemakkelijk ging eindigen, maar ik wist niet goed wat ik moest zeggen. Ik had mijn T-shirt met

Cannes erop nog als gespreksonderwerp achter de hand, maar op de een of andere manier kon je niet zo gemakkelijk overspringen op de Côte d'Azur na een domme fout over de betekenis van het woord 'cappuccino'. Gelukkig hoefde ik niet al te lang mijn hoofd te breken – Jean-Claude was blijkbaar beter dan ik in dit soort situaties.

Hij keek me diep in de ogen en zei: 'Zeg Harriet. Wat ga je doen als je van school af komt?'

Ik had nog nooit zo ver in de toekomst gedacht. Uiteraard had ik altijd schrijfster willen worden, maar was dat een afdoende antwoord op de vraag van Jean-Claude? 'Ik wil interessant worden,' zei ik ten slotte.

Jean-Claude glimlachte. 'Maar dat ben je al.'

Op dat moment begon Charlotte luidruchtig de tafel te bewerken met haar ongebruikte lepel.

Charlotte kwam overeind, waardoor ze een paar centimeter groter werd dan toen ze nog zat, en zei: 'Ik denk dat we maar eens moesten gaan.'

Jean-Claude was veel te beleefd om het bevel van de arrogante Charlotte in de wind te slaan, stond op van tafel en begeleidde ons naar Kensington High Street, waar we op zoek gingen naar een taxi. Omdat Jean-Claude en ik dezelfde kant op woonden, was het niet meer dan logisch dat hij voorstelde om samen een taxi te nemen en dat Charlotte dan met een andere taxi naar Islington zou gaan. En dat deden we dus ook. Eindelijk waren we alleen, Jean-Claude en ik. Op deze kans had ik al de hele avond zitten wachten. Charlotte was niet eens naar het toilet geweest en daar had ik ten onrechte wel op gerekend – al die spiegels om in te glimlachen, hoe kon ze daar nu weerstand aan bieden? Maar dat had ze wel gedaan. Nu we eindelijk alleen waren, zwegen we totdat we in de buurt van mijn huis kwamen en ik zei: 'Hier woon ik.'

'Heel dicht bij mij,' antwoordde hij. Ik geef toe dat ik dat heel even verkeerd opvatte. 'Ik woon in South Kensington met mijn moeder.'

'Dat kun je lopen,' antwoordde ik.

'Misschien kunnen we elkaar nog eens zien?' Aan het eind van de zin ging zijn stem omhoog zoals de Fransen dat doen.

Ik wist dat dit mijn kans was. 'Misschien kan er bij de feestelijke presentatie nog wel één gast bij als je zin hebt om te komen? Het is wel krap, maar ik zou het aan mijn moeder kunnen vragen.'

'Echt waar?' Hij zag er oprecht verheugd uit. 'Weet je dat zeker?'

'Het begint om zes uur. Er is een ontvangst met champagne en jus d'orange in de London Portrait Academy. Ik ga een kort toespraakje houden.'

'Ik zou erg graag komen,' zei hij, en hij gaf me een handkus. 'Maar kan ik dan voordat je uitstapt je telefoonnummer krijgen?'

We hadden geen van beiden papier bij ons, dus schreef hij met mijn pen mijn nummer op de rug van zijn hand. Het was een lang nummer zelfs voor een hand zo groot als die van Jean-Claude, maar met de zijkant van zijn duim erbij lukte het.

'Het staat je goed!' Ik lachte toen ik uit de taxi stapte. Het was een poging van mij om geestig en luchthartig tegelijkertijd te klinken, met een nonchalante opmerking over mijn schouder terwijl ik verdween in de intrigerende schaduwen van mijn huis. 'Nu niet omkijken,' prentte ik mezelf in. 'Dan heb je kans dat hij een *encore* wil.'

6

De dag voorafgaand aan mijn presentatie bleef de telefoon rinkelen, maar ik had instructies gekregen niet op te nemen – een schrijver moest mysterieus zijn en ongrijpbaar – dus het kwam als een verrassing toen Nana mijn slaapkamer kwam binnenrennen met de mededeling dat Sacha Distel voor mij aan de telefoon was.

'Wie?' vroeg ik.

'Jouw fransoos,' antwoordde ze.

Het was zorgwekkend dat het gehoor van Nana net begon te verslechteren nu ik op het punt stond de allereerste speech van mijn leven te houden. 'Bedoel je Jean-Claude?' vroeg ik keihard.

'Hij "vil met jou sprekèn"!'

Nana's Franse accent was afgrijselijk – als het boek naar het buitenland werd verkocht, zouden we iemand anders moeten vinden om te onderhandelen met de overzeese inkopers.

Ik had al bij mijn moeder gecheckt of Jean-Claude naar mijn presentatie kon komen. 'Waarom niet?' had ze geantwoord. 'We willen dat het boek ook naar het buitenland gaat.' Bovendien zou het onbeleefd van me zijn geweest om Jean-Claude niet uit te nodigen. Londen kon, volgens mijn moeder, een ongastvrije stad zijn als je de juiste mensen en de beste plaatsen niet kende.

'Ik heb het er met mijn publiciteitsagente over gehad en zij zegt dat je morgen welkom bent bij de presentatie,' zei ik tegen hem – ik kwam het liefst snel ter zake.

'Toen je zei dat er al een boek van jou uit was, besefte ik niet dat je je eigen publiciteitsteam had,' zei hij.

'Er zijn nog heel veel dingen die je niet van me weet,' antwoordde ik geheimzinnig, onderwijl mijn hersens pijnigend om er eentje te vinden.

'Dan ontdek ik die misschien wel tijdens mijn verblijf in Londen.'

Ik was nog maar drie dagen beroemd, en nu al was er een Fransman met me aan het flirten. Ik was een *femme fatale* geworden en ik had niet eens lipgloss op. Ik zweeg lang genoeg om een snedig antwoord te vinden en zei toen: 'Hoe lang blijf je?' Het was niet het antwoord waarop ik had gehoopt, maar ik was Harriet Rose en niet Ruby Wax.

'Minstens een jaar,' antwoordde hij.

'Daar heb je veel meer tijd voor nodig!' Ik lachte. Oké, dan heette ik maar geen Ruby Wax. Ik leerde snel.

'Dus morgen om zes uur?'

'Ik verheug me erop.'

Mijn moeder had gelijk – wat je aan moest was een belangrijke beslissing als je indruk wilde maken op je publiek en een literaire reputatie moest promoten. Ik snapte dat zij en ik een heleboel aandacht moesten besteden aan het creëren van het juiste image – niet alleen voor mezelf, maar voor mijn lezers. Dat was ik aan hen verschuldigd.

Meestal vroeg ik mijn moeder naar haar mening over wat ik aan moest, maar ditmaal maakte ik de fout om Nana er ook bij te betrekken. Nana wist een heleboel over dingen die met stijl te maken hadden – als dat niet het geval was had ze ons nooit naar een concert van McFly meegenomen in een lange okerkleurige cape en een grote zwarte zonnebril – maar als het haar enige kleindochter betrof was het een andere zaak. 'Je moet je haar leuk doen met krullen en naar achteren dragen met een leuke felgekleurde diadeem, zodat ze je mooie gezichtje kunnen zien,' zei ze toen we met z'n drieën op pad gingen naar de King's Road. 'Ik weet zeker dat ik nog wel ergens een paar van die verwarmde krulspelden in huis heb liggen.'

'Ze moet geen krullen hebben,' legde mijn moeder uit. 'Ze moet een intellectuele en serieuze indruk maken. Ik denk dat ze het in een staart moet dragen met een zwarte, fluwelen speld.'

'Hoor eens even,' viel ik hen in de rede toen we onze eerste kledingzaak binnenliepen, 'het is *mijn* haar en *mijn* gezicht en *mijn* boekpresentatie, en als jullie het niet erg vinden zou ik graag zelf beslissen hoe ik eruitzie.' Ik kreeg een beetje het gevoel dat ik aan het winkelen was met de smaakpolitie.

'Kan ik je helpen?' vroeg een verkoopster aan me. 'Zoek je iets speciaals?'

Maar waar zocht ik eigenlijk naar? We hadden het er niet over gehad, en dat hadden we wel moeten doen. Met al dat geprat over mijn kapsel had ik er nog geen gedachte aan gewijd. Dus liet ik mijn moeder voor mij antwoorden. 'We zijn op zoek naar een cocktailjurk voor mijn dochter,' begon ze, en ze wees naar mij – ik weet niet waarom. Het meisje zou er geen seconde aan hebben gedacht dat Nana haar dochter was.

'Wat denken jullie van iets in zwart?' vroeg de verkoopster.

'Zwart,' riep Nana uit. 'Ze gaat niet naar een begrafenis. Ze moet iets in roze hebben, misschien met een paar kantjes. Dat vindt die Jean-Claude vast leuk. Mannen houden altijd van roze.'

'Ik kleed me niet om indruk op mannen te maken, Nana,' snauwde ik. 'Ik kleed me voor mezelf.'

'Maar waarom wil iemand nou zwart dragen?' drong Nana aan, toen de verkoopster met een stuk of wat zwarte jurkjes aan kwam zetten.

Het vervelende was dat ik er in een paar te jong uitzag en in andere weer te oud. En als het aan de verkoopster had gelegen had ik erbij gelopen als een kruising tussen Kylie Minogue en Bonnie Langford. Zij vond dat het er niet toe deed als een jurk zo kort was dat je mijn achterwerk kon zien (of zoals zij het noemde: 'gave kontje'). Met mijn mooie, lange, blonde haren zou ik er 'wreed' uitzien.

Wreed. Waarom moest alles wreed zijn? Ik wilde er niet wreed uitzien. Ik had er nooit naar gestreefd om wreed te zijn. Ik wilde er interessant uitzien, bezielend, mysterieus.

Nana begreep er ook niets van. 'Wie denk je wel dat je wreed noemt?' brulde ze. Ze kwam in de kleedkamer overeind en liep op het verbijsterde meisje af, dat achteruitdeinsde en in een stand met designer-handtassen viel. 'Er zit geen wreed botje in dat meisje haar lichaam! Ik zou maar als de wiedeweerga mijn excuses aanbieden, anders laat ik jou wel even zien wie er hier echt wreed is.'

Mijn moeder en ik probeerden tussenbeide te komen, maar Nana was niet meer te houden.

'Het is maar een uitdrukking, Nana,' zei ik, 'zoiets als "sexy".'

'Sexy? Noemt ze een meisje van veertien sexy? Is ze nou helemaal gek geworden?'

Het meisje bood haar excuses aan en zei dat ze alleen maar had willen zeggen dat ik er erg leuk uitzag in dat jurkje en dat was ook zo, maar ik wilde er niet leuk uitzien – ik was een schrijfster en geen weervrouw.

Uiteindelijk vonden we de perfecte jurk, zwarte zijde met een patroon van rode rozen, zodat Nana ook tevreden was.

Mijn moeders kledij leverde veel minder problemen op, omdat zij precies wist wat ze zocht: een wijde witte linnen broek met daaroverheen een blauwe zijden bloes, niet te strak maar ook niet te wijd, zodat haar figuur er goed in uitkwam. Maar dat ook weer niet te veel – de kunst van een ingetogen geheimzinnigheid was belangrijk voor haar. En bovendien zou Nana dat nooit hebben goedgevonden – in ieder geval niet meer sinds haar dochter zelf 'een wichtje' groot moest brengen. Ze had maar drie kwartier nodig in Harvey Nichols om de ideale kledij te vinden en ook nog een lange parelketting die er prachtig bij stond.

Tegen het middaguur waren mijn moeder en ik klaar met onze inkopen, en dus konden we de hele middag besteden aan de kledij van Nana. We wisten allebei ook dat we daar de meeste tijd mee kwijt zouden zijn. Nana dacht daar uiteraard anders over.

'Jullie hoeven geen moeite voor mij te doen,' zei ze op een toon die ons geen van beiden overtuigde, ook al dacht Nana oprecht dat ze het meende. 'Ik ben niet moeilijk.'

Als we onderweg niet op een terrasje organische fruitcocktails en een caesar salad hadden genuttigd, weet ik niet hoe we het hadden volgehouden. Die Caesar, dat was nog eens een keizer die wist waar Abraham de mosterd haalde: die ansjovis erin was een geniale vondst.

We begonnen aan onze speurtocht naar de perfecte outfit voor Nana bij Peter Jones, totdat Nana kwaad werd toen ze haar verwezen naar de afdeling voor 'de oudere dame'. Dus liepen we Sloane Street in en stuitten we ten slotte op een winkel die bij Nana in de smaak viel.

'Hebben jullie gezien hoeveel deze kost?' protesteerde ze op die harde fluistertoon waarvan ze dacht dat niemand het kon horen.

'Sst, Nana, ze kunnen je horen!' zei ik smekend, en ik hing de lichtbruine jurk met de fluwelen bies weer terug.

'Het is kasjmier,' was het hooghartige commentaar van een verkoopster op leeftijd. 'Kasjmier is altijd duurder.'

'U probeert toch niet aan iemand uit Schotland uit te leggen wat kasjmier is, hè?' antwoordde Nana. Ze trok er een streng en fel gezicht bij dat ik o zo goed kende; als een kruising tussen Braveheart en Cleopatra.

'Misschien zat u meer aan zoiets te denken,' hield de vrouw, nogal roekeloos, vol, en ze hield een bruin polyester broekpak omhoog, met gespikkelde veertjes op de revers. Ik kon aan de blos op Nana's wangen zien dat ze dit voorstel van de verkoopster niet erg kon waarderen. Wat moest ik doen? Ik kon daar niet werkeloos staan toekijken, en mijn moeder was naar boven verdwenen. Dus deed ik wat ik altijd deed als Nana mijn hulp nodig had: ik lachte. En het werkte. Nana begon ook te lachen, tot de tranen haar over de wangen liepen. Niet lang daarna bekeek Nana de hele situatie vanuit een volledig ander perspectief. Ze pakte het broekpak aan van de verkoopster en begon over de veertjes op de revers te aaien, en onderwijl zei ze tegen de verkoopster: 'Het is prachtig – ik neem aan dat u de kip zelf geplukt hebt?'

Op dat moment kwam mijn moeder terug met een chic donkerblauwe zijden jurk met witte manchetten die ze boven had gevonden. Voordat Nana nog iets kon zeggen, had mijn moeder ons al meegetroond naar een gemeenschappelijke kleedkamer aan de andere kant van de winkel. Nana was niet gewend aan gemeenschappelijke kleedkamers; ze was op haar privacy gesteld. Maar met mijn moeder en mij aan weerskanten, die haar afschermden tegen nieuwsgierige ogen, begon ze zich toch uit te kleden. Ik had Nana nog nooit eerder in haar ondergoed gezien en ik zag nu dus ongewild haar onderbroek.

'Ben je mijn directoire aan het bewonderen?' vroeg Nana me terwijl ze hem optrok. Ik had wel eens van een directoire gehoord, maar tot dan toe had ik niet geweten hoe anders ze waren dan Engelse onderbroeken. Ik had gedacht dat een directoire op de een of andere manier verleidelijk zou zijn, waarschijnlijk van zwarte zijde met een heleboel kant en hoog opgesneden pijpjes. Maar deze was vaalwit met een versterkt kruis en elastiek in de taille. Deze directoire was geen gewone damesonderbroek, concludeerde ik. Nana's directoire was vast een symbool van vrijheid en een laat-maar-waaienmentaliteit, die alleen maar werd gedragen door vrouwen die zich niets aantrokken van conventionele tierelantijntjes of oppervlakkige merknamen. Deze directoire was een vlag die als een vrijheidsuiting was uitgestoken. Opeens schaamde ik me voor mijn beige satijnen string van Marks & Spencer. Ik wilde verschrikkelijk graag net zo'n katoenen directoire hebben als Nana.

Toen mijn moeder eindelijk had gezorgd dat de jurk goed zat, maakte zelfs Nana na drie uur zoeken eindelijk een tevreden indruk. Ze schreed de kleedkamer uit om zichzelf bij daglicht te kunnen bekijken, als een tweede Greta Garbo, elegant en koninklijk, alsof ze de hele wereld aankon.

'Je ziet er fantastisch uit, Nana,' riep ik uit en ik gaf mijn moeder een goedkeurend kneepje in de arm.

'Dat doet ze zeker,' beaamde mijn moeder.

Alleen de verkoopster zweeg in alle talen – totdat Nana zich naar haar omdraaide en met een veelbetekenend glimlachje vroeg: 'Hoe zie ik eruit?'

'We hebben hem ook nog in grotere maten,' mompelde de verkoopster, en toen wisten we zeker dat de jurk Nana prima stond.

7

De dag van de presentatie begon voor mij om vier uur 's ochtends. Het leek me zinloos om in bed te blijven liggen als ik toch niet kon slapen. Volgens mij kon ik veel beter opstaan en mijn speech oefenen. De anderen hoorden me toch niet als ik voor de spiegel in mijn slaapkamer mijn speech geluidloos uitsprak. Ik had de avond daarvoor naar mijn moeders video-opname van de prijsuitreiking van de grote toneelprijzen gekeken om in de juiste stemming te komen, dus ik wist wat me te doen stond: je moest zo veel mogelijk mensen bedanken, wat voor mij betekende mijn moeder en Nana, dus dat zou niet veel tijd in beslag nemen, en je moest de hele tijd datgene noemen wat je aan het pluggen was, in mijn geval dus mijn *Oneindige wijsheid*. Het scheen dat als dat de aandacht niet vasthield, ik altijd nog mijn toevlucht kon nemen tot tranen en met trillende stem kon vertellen hoe ik in zo korte tijd zover was gekomen. Maar ik was Harriet Rose, filosoof en denker, dus dat was geen optie. Zoals ik al in mijn Meditatie 55 had benadrukt: 'vrouwen die huilen als ze niet bedroefd zijn, zijn net als mannen die met een glimlach op hun gezicht over serieuze zaken spreken – onbetrouwbaar.'

Het kijken naar de prijsuitreiking had me wel iets heel belangrijks geleerd: je kunt je nog zo onbeduidend voelen, er is altijd wel iemand in het publiek die nog veel onbeduidender is. En meestal gaat het om wel meer dan één persoon; het gold voor de meesten. Per slot van rekening was dat de reden waarom zij daar naar jou zaten te luisteren in plaats van andersom. Ik zette Bugs Bunny en mijn drie teddyberen op een rijtje voor mijn spiegel, zodat ik me kon verbeelden dat ik publiek had. Het leek net alsof hun vier paar ogen me de woorden uit de mond keken. Ik hoopte dat mijn echte publiek net zo geïnteresseerd zou zijn. Maar hoe zat het met Harriet Rose? Hoe zag zij eruit?

Ik ging wat dichter bij de spiegel staan. Daarna pakte ik mijn eigen persoonlijke exemplaar van mijn boek vast, waarin ik een foto van mij en mijn ouders had zitten als boekenlegger. Ik had al besloten welke Meditaties ik zou voorlezen – ik had er zelfs een paar extra genoteerd voor het geval mij om een toegift zou worden gevraagd. Het was geen teken van overmoed, eerder van het tegendeel: ik wilde niet met mijn mond vol tanden staan. Ik moest ook rekening houden met de goede naam van Miandol Books: ze hadden hun vertrouwen in mij en in mijn Meditaties gesteld, ik mocht ze niet teleurstellen.

Ik sloeg het boek nog niet open, maar bekeek eerst de gouden letters en de rode omslag. Hoeveel moeite en inspanning was er in de totstandkoming gaan zitten? Hoeveel gesprekken hadden op fluistertoon plaatsgevonden terwijl ik boven lag te slapen? Hoeveel aandacht was er besteed aan het allerkleinste gedrukte detail? Hoeveel herinneringen waren weer naar boven gekomen door de woorden die ze lazen? Wie van hen had de naam van de uitgever bedacht? Had Nana gezegd dat ze wilde dat haar naam achteraan stond? Ik wist honderd procent zeker dat mijn moeder het kleurenschema had gekozen, maar wie van hen had het papier uitgezocht en het lettertype? Hadden ze om beurten de drukproeven gecorrigeerd? Hadden ze eigenlijk nog wel tijd gehad om te gaan slapen?

Er waren zo ongelooflijk veel kleine dingetjes die tot de totstandkoming van het boek hadden geleid en ik had, in mijn oneindige wijsheid, alleen maar een boek gezien. Zoals ik nu naar mijn gezicht in de spiegel keek, zo had ik ook verder moeten kijken dan mijn neus lang was. Ik had hun aandacht en hun inspanningen moeten herkennen. Daarin lag de betekenis van hun verjaardags-cadeau voor mij.

Ik sloeg het boek open, en voor het eerst keek ik verder dan de woorden die ik daar aantrof. Ik voelde het gewicht en de bladstruc-tuur van elke bladzijde. Ik stuitte op het ISBN-nummer dat ze moesten hebben aangevraagd. Ik zag dat ze het auteursrecht op mijn naam hadden laten vastleggen. Ik haalde de papieren omslag eraf, zodat de band van het ingebonden boek zichtbaar werd. Rood als de omslag, met gouden letters op de rug. De titel, mijn naam en 'Miandol Books'. Een toppunt van de inspanningen van ieder van ons afzonderlijk, een eenheid van drie in één.

Ik deed het boek dicht en legde het op mijn nachtkastje. Het bedlampje bescheen de letters van mijn naam. *Een Verzameling Meditaties*, zo hadden zij het genoemd. Voor mij was het een uit-drukking van hun liefde.

Toen ik het bad vol liet lopen en er een paar druppels van het Jo Malone-badzout van mijn moeder bij deed dat ze de avond tevo-ren naast de kraan had klaargezet, besloot ik datgene wat ik had ge-schreven niet in de praktijk te brengen. Ik hoefde niet te oefenen. Het boek zou wel voor zichzelf spreken.

De London Portrait Academy was echt een imposant gebouw, met een enorm hek met daarachter de ingang met de pilaren. Er stond een bewaker die ons begroette en ons daarna naar de zaal bracht die ze op de eerste verdieping voor ons gereserveerd hadden. We liepen gedrieën die immense trap op, en ieder voor zich vroegen we ons iets anders af. Ik vroeg me af wat ik zou aantreffen als ik er was, of de zaal nog net zo zou zijn als in mijn herinnering en waar ik zou moeten staan. Mijn moeder vroeg zich ongetwijfeld af waarom mijn vader er niet bij had kunnen zijn, en Nana waar het toilet was.

We hadden meer dan genoeg tijd om ons op de komst van de gasten voor te bereiden. We keken op de lijst om te zien wie er ook weer waren uitgenodigd. Achtenzestig personen hadden toegezegd. Tien hadden niet eens de moeite genomen om te reageren.

'Verscheidene gasten hebben hun eigen onafhankelijke boekwinkel,' zei mijn moeder terwijl we de namen bestudeerden. 'Anderen hebben zelf een boek geschreven.'

'Je hebt me niet verteld dat er nog andere schrijvers kwamen,' zei ik. Het begon nu pas tot me door te dringen dat het allemaal echt was.

'Alleen maar onbelangrijke schrijvers die wetenschappelijke verhandelingen hebben geschreven,' antwoordde ze, alsof ze me daarmee geruststelde.

'Komen er ook wetenschappers?'

'Ik weet niet waarom je je daar zorgen over zou moeten maken,' zei Nana, nippend aan haar eerste glas champagne. 'Je bent zelf ook een wetenschapper.'

Ze had natuurlijk gelijk. Ik was een wetenschapper. Ze had me er niet aan hoeven te herinneren.

'Het is de bedoeling dat er allerlei soorten mensen komen,' legde mijn pr-vrouw uit, 'met verschillende achtergronden. Je kunt niet alleen maar gasten hebben als Jean-Claude bij wie je je op je gemak voelt.'

Ik had nooit gezegd dat ik me bij hem op mijn gemak voelde – hoe wist ze dat?

'Daarom heb ik Melvyn Bragg uitgenodigd,' ging ze verder.

'Komt Melvyn Bragg naar mijn boekpresentatie?'

Nana gaf mij haar glas champagne door voor een slokje – ze zag dat ik in een shocktoestand verkeerde. 'Melvyn Bragg?' vroeg ze. 'Wie is dat?'

'Niemand minder dan de belangrijkste persoon op het gebied van kunst die we in dit land hebben,' legde ik uit.

'Hij kan onmogelijk belangrijker zijn dan Parky, je weet wel, Michael Parkinson, van die talkshow.' Nana's ogen glommen van de opwinding. 'Ik hoop dat je hem hebt gevraagd.'

'Toevallig wel,' zei mijn moeder, terwijl ze een van de vele olieverfschilderijen bekeek die de hoge muren van de Rembrandt Suite bedekten. 'Hij kon niet. Maar hij wenste je veel succes. Ik heb tegen zijn assistente gezegd dat ik hem een exemplaar van je boek zou sturen.'

'Dus is het alleen nog maar een kwestie van tijd,' was de filosofische reactie van Nana.

'En? Komt Melvyn?' Ze had daar nog geen antwoord op gegeven en ik kreeg een wee gevoel in mijn maag. Misschien had ik toch meer op mijn speech moeten oefenen.

'Hij komt misschien nog even langs als zijn vergadering op tijd is afgelopen,' zei mijn moeder, die nog steeds stond te kijken naar het grote donkere portret naast het laatste van de zes ramen.

'Ze komen eraan,' zei ze plotseling, en ze maakte bij hoge uitzondering ook een zenuwachtige indruk. 'Ik herken die man daarbeneden in het grijze pak van de delicatessenzaak bij ons in de buurt.'

'Waarom heb je die in godsnaam uitgenodigd?' vroeg ik. Het was een tegenvaller na Melvyn.

'Hij verkoopt overheerlijke salami,' antwoordde ze, alsof dat een afdoende verklaring was.

We hadden net genoeg tijd om de honderdvijftig boeken die we bij ons hadden op stapels naast mijn tafel te rangschikken. Ik had van tevoren al een paar exemplaren gesigneerd die Nana dan kon verkopen. Een stuk of veertig – een beetje optimisme kon geen kwaad. Het was belangrijk, legde PR ons uit, dat ze er naderhand over praatten. Op haar beurt liet het Hoofd Verkoop weten dat ze allemaal een exemplaar moesten kopen. Dat was wel het minste wat ze konden doen met onze gratis champagne achter de kiezen.

'Voor mij maakt het niet uit of ze mijn boek wel of niet kopen,' zei ik vanuit een veilig hoekje dat op dat moment een buitengewone aantrekkingskracht op me uitoefende. 'Ik wou dat ze allemaal thuis waren gebleven.'

Mijn moeder vond dat ik wel één glas champagne met jus d'orange mocht drinken, als het daar maar bij bleef. En na een poosje begon ik me al een stuk beter te voelen, vooral toen Nana en ik grapjes hadden gemaakt over de kleren die sommige gasten aanhadden.

We hadden besloten dat ik de gasten moest toespreken staande naast mijn moeders portret van mij, om een extra dimensie aan Harriet Rose te geven. Niet alleen de ernstige leergierige intellectueel die ze nu voor zich zagen, maar daarnaast ook het jongere, minder ontwikkelde meisje van *Harriets glimlach*. De afbeelding van een gelukkig jong meisje dat wat uit de toon viel naast portretten van oudere, meer wereldwijze gezichten.

Toen ik opstond om vanachter mijn signeertafel de gasten toe te spreken, wist ik dat mijn outfit een goede keus was geweest. Zesentachtig paar geboeide ogen werden op mij gericht. De enige echte Harriet Rose ging aan haar speech beginnen. Camera's klikten en ergens op de achtergrond schreef een vrouwelijke journalist, die een column had in de *Evening Standard,* alles op wat ik zei.

'Ik bedank u allemaal dat u vanavond naar deze feestelijke presentatie van mijn boek bent gekomen. Toen ik van mijn moeder de namen hoorde van de gasten die ze had uitgenodigd, had ik eerlijk gezegd geen idee wie de meesten van u waren. Behalve natuurlijk belangrijke mensen als Melvyn Bragg, die naar ik heb begrepen vanavond misschien komt als zijn vergadering op tijd is afgelopen. Succesvolle mensen als hij hebben het altijd zo druk, nietwaar?' Ik merkte dat het goed ging, al stonden hun gezichten wat minder geïnteresseerd dan die van mijn teddyberen en Bugs Bunny tijdens de repetitie. Ik vervolgde: 'Dat wil niet zeggen dat je alleen als je beroemd bent belangrijk kunt zijn. Er zijn hier vanavond een paar niet-beroemdheden die desondanks juist heel belangrijk zijn – en getalenteerd, en interessant, en intelligent.'

Ik glimlachte tijdens het praten naar hen en mijn vriendelijkheid werd beantwoord door een welwillend hoofdgeknik en een instemmend gemompel.

'Ik heb het uiteraard over mijn moeder en Nana.' Ik keek even hun kant op. 'Twee mensen die overduidelijk met kop en schouders boven de rest uitsteken.' Ik begon te applaudisseren, precies zoals ik het de avond tevoren had gepland, en na een korte aarzeling deden er een paar mee, hoewel ik moet zeggen dat ik had gehoopt op een wat luider en overtuigender applaus. Maar ik zou me niet laten intimideren door die lethargische houding. Mijn uitgeversteam verdiende meer dan dit. Dus besloot ik tot een actie over te gaan die ik niet van plan was geweest en riep: 'Hiep hiep!' waarna ik de stilte die volgde verbrak met mijn eigen 'hoera!'. Dat zou ze leren!

'Ik weet dat sommigen van u vanavond van ver zijn gekomen en ik bedoel niet alleen intellectueel gezien.' Ik grinnikte om te benadrukken dat dit als grapje bedoeld was. Maar ze lachten geen van allen. Ik had me bij mijn filosofische leest moeten houden, want ik was niet als comédienne in de wieg gelegd. Mijn moeder had me gewaarschuwd. Ik zag haar staan, trots naast Nana, en beiden moedigden me aan met hun uitdrukkingsvolle ogen. Waren mijn ogen even uitdrukkingsvol, vroeg ik me opeens af. Zo niet, dan zou dat wel moeten; ze waren immers de vensters van de ziel. Ik sperde de mijne steeds verder open totdat ik spierpijn kreeg en een paar maal moest knipperen omdat ze anders te veel traanden.

Een vrouw vooraan in een laag uitgesneden zwarte jurk die veel van haar decolleté liet zien – te veel naar mijn gevoel – fluisterde iets in het oor van haar partner en hij schoot in de lach. Mijn moeder keek hem aan zoals alleen zij dat kan, waarop ze allebei hun mond hielden.

Ik had nog nooit gehoord hoe mijn stem in het openbaar klonk. Ik had niet verwacht dat ze echt naar me zouden luisteren. Ik had gedacht dat ze gewoon door me heen zouden praten, net als bij een pianist in een hotellobby. Een paar knikten zelfs als ik iets zei waar ze het mee eens waren. Dat bracht me echt van de wijs – ik probeerde in gedachten na te gaan wat ik net had gezegd en vergat prompt wat er daarna kwam. Ik was ongeveer halverwege de eerste pagina van mijn inleiding toen me iets te binnen schoot: stel dat er zo'n vervelende beroepssaboteur aanwezig was? Ik zweeg en keek naar al die mensen die om mij heen stonden. Ze maakten geen van allen de indruk dat ze iets slechts in de zin hadden, maar wist ik eigenlijk wel hoe dat soort types eruitzagen? Ik zou het gewoon moeten riskeren en als er iemand iets begon te roepen, zou ik hem stevig op zijn plaats zetten met een intimiderende blik of met een *mot juste*. En als dat niet werkte, zou ik mijn moeder erop afsturen.

Niemand ging me vanavond in de rede vallen, zelfs Charlotte Goldman niet. Charlotte? Wat deed Charlotte hier? Ik had haar niet uitgenodigd, en mijn moeder zou dat zeker nooit gedaan hebben. 'Het lijkt me nogal een nitwit,' was het enige commentaar van mijn moeder over Charlotte Goldman na onze avond in de club. Ik probeerde haar te negeren, maar dat was erg moeilijk, want ze had iets aan in felroze met kantjes.

'Wij delen iets gemeenschappelijks waardoor we allemaal vanavond hier zijn,' vervolgde ik. 'En dat gemeenschappelijke bestaat uit mijn Meditaties.' Ik hoopte dat niemand had gemerkt dat mijn stem bibberde. Ik probeerde de blik van mijn moeder te vangen ter goedkeuring, maar ik zag haar niet meer – er stond een zwaarlijvige gast voor haar die mij het zicht op haar ontnam. Ze had moeten weten dat ik haar de hele tijd moest kunnen zien – was dat niet de essentie van het moederschap?

'Dus zal ik mijn Meditaties voor zichzelf laten spreken.' Het begon een beetje te klinken als zendtijd voor politieke partijen. Ik had op dat moment met iets pittigers op de proppen moeten komen. Ik bladerde mijn boek door totdat ik bij de bladwijzer belandde die ik daar de avond tevoren in had gelegd.

'Meditatie 41.' Ik wachtte even om er zeker van te zijn dat iedereen bij de les was. Precies op dat moment zag ik hoe Jean-Claude –

de enige gast die ikzelf had uitgenodigd – naar voren liep tussen het strijdgewoel. Hij knikte me toe, een keer maar, voordat hij werd overschaduwd door een enorme hoeveelheid roze kantjes.

'Meditatie 41.' Ik keek neer op de beschreven bladzijde, alsof ik nog herinnerd moest worden aan de woorden die ik daar aantrof, alsof ik er niet de hele nacht over had gedaan om ze allemaal stuk voor stuk uit mijn hoofd te leren, alsof het me niets kon schelen dat Charlotte Goldman in een geanimeerd gesprek was gewikkeld met Jean-Claude.

'Als ik één Meditatie zou moeten kiezen waarin ik mezelf van-avond het best aan u kan beschrijven, dan zou dat Meditatie 41 zijn:

Ik ben mezelf
ik blijf wie ik ben
ik ben mezelf...'

De felroze kantjes trilden tijdens het praten langs haar armen, laag na laag wapperde in de lucht als rijen vlaggen die een staatsgreep aankondigen.

Geen wet, verbod of dwang raakt mij
De toekomst is wat men nitwit...

Nitwit! Ik stopte midden in de Meditatie en keek om me heen. Had ik net 'nitwit' gezegd terwijl ik 'niet weet' bedoelde? En zo ja, had iemand dat dan opgemerkt? De vrouw van de *Evening Standard* leek even te grinniken onder het stenograferen. Er zat niets anders op, ik moest gewoon doorgaan:

De toekomst is wat men niet weet
maar één ding weet ik wel
ik ben mezelf.

Ik zweeg even toen ik bij het eind van Meditatie 41 was. Tijdens de repetities had ik doorgelezen tot Meditatie 44. Dat was een bespiegeling over het recht van vrouwen op gelijkheid en onafhankelijkheid. Maar opeens begon ik mijn eigen woorden in twijfel te trekken. Was dit nu echte onafhankelijkheid – Harriet Rose, de denker, die in haar subtiele zwarte jurkje stond te oreren over vrouwenrechten terwijl de plaatselijke nitwit haar vrouwelijkheid uitbuitte in felroze, tot groot genoegen van een mannelijk lid van het publiek aan wiens intellectuele vermogens moest worden getwijfeld? Ik was daar niet meer zo zeker van. En als het wel zo was, dan was het geen gelijkheid waar ik deel van wilde uitmaken, ongeacht wat Nana altijd over roze zei. Ik had mijn principes, en als roze het nieuwe zwart was, dan was het niet een kleur waar ik ooit vrijwillig voor zou kiezen. Ik sloeg mijn *Oneindige wijsheid* dicht en verliet de zaal. Ik wilde er niets mee bewijzen, het ging vanzelf. Op een dag zou ergens, iemand, het verschil begrijpen.

8

'**J**e had niet zo weg moeten lopen,' klaagde PR de volgende morgen bij het ontbijt. 'Die vrouw van de *Evening Standard* wilde je nog interviewen.'

'Ik ben niet echt weggelopen,' hield ik haar voor. 'Ik zat op het damestoilet.'

'Maar een uur en een kwartier! Toen je eruit kwam, waren alle gasten vertrokken.'

'Ik had een heleboel jus d'orange gedronken,' antwoordde ik niet erg overtuigend. 'Heb ik trouwens iets gemist?'

Het was een vraag die me al op de lippen brandde vanaf het moment dat mijn moeder ons van de London Portrait Academy naar huis had gereden en ik net had gedaan of ik op de achterbank lag te slapen. Zodra we thuis waren, was ik naar boven naar bed verdwenen, en zij wisten wel dat ik niet gestoord wilde worden nog voordat ik het bordje met NE PAS DÉRANGER SVP aan de deurknop had opgehangen.

'Er werd veel gepraat over hoe mooi je eruitzag,' zei mijn moeder terwijl ze zichzelf een kop koffie inschonk uit de cafetière, 'en dat jouw boek er interessant uitzag.'

'Toch wed ik dat niemand een exemplaar gekocht heeft,' zei ik. 'Ze zagen er allemaal vrij krenterig uit.'

In werkelijkheid kon ik me daar nauwelijks iets van herinneren behalve dan hoe Jean-Claude en Charlotte eruit hadden gezien, maar dat ging ik mijn moeder niet vertellen.

'Wat zou je zeggen als ik je vertelde dat we uitverkocht zijn?'

Ik wist dat ze de waarheid zei, omdat ze erbij glimlachte en omdat ze er tevreden uitzag. 'Alle honderdvijftig?'

'Allemaal. Sommige mensen kochten twee exemplaren om er eentje weg te kunnen geven. Met de verkoop hebben we de avond er dik uit.'

Ik had niet moeten zeggen dat ze er krenterig uitzagen, ik vond eigenlijk dat ze wel een aardige indruk hadden gemaakt. Het was het soort mensen dat stijl en goede smaak uitstraalde – dat merkte je aan de geur van dure parfum en aftershave die toen ze weg waren in de lege zaal was blijven hangen.

'Hebben alle gasten een exemplaar gekocht?' vroeg ik. Ik ging de bovenkant van mijn gekookte ei hardhandig met mijn lepeltje te lijf.

'Nana ging over de verkoop,' antwoordde mijn moeder. 'Ik heb me meer onder de gasten gemengd.'

'Ik mag aannemen dat niemand zich heeft bemoeid met Charlotte Goldman met dat idiote roze jurkje aan?' Ik moest het weten. Het is niet goed voor je maag als je iets oppot. Mijn moeders aarzeling had iets wat me niet aanstond – ook al moest ze eerst nog een hap van haar croissant doorslikken voordat ze iets kon zeggen.

'Ze is pal na jou verdwenen,' antwoordde ze. 'Ik dacht dat ze misschien wel op zoek naar jou was gegaan.'

'Als dat zo was, zou ze me niet gevonden hebben,' zei ik. 'Ik heb de deur van het toilet op slot gedaan.'

'Ik vond dat het erg goed ging.'

Dacht ze nu echt dat ik me zo gemakkelijk liet paaien? 'En Jean-Claude dan?' drong ik aan. 'Je hebt toch wel even met hem gepraat?'

Voordat ze kon antwoorden kwam Nana de keuken binnenrennen in haar rode fluwelen peignoir. 'Je hebt het toch niet over die jongen met dat donkere haar en die blazer, hè?'

'Ik vond dat hij er wel knap uitzag,' antwoordde mijn moeder.

'Knap? Rhett Butler was knap, maar daar heeft die arme Scarlett niet zoveel aan gehad.'

'Was dat niet Scarletts eigen schuld?' opperde mijn moeder peinzend, maar Nana hoorde haar schijnbaar niet.

'Jullie hebben mijn vraag niet beantwoord.' Ik moest ze allebei weer bij de les halen.

'Hij is ook meteen na jou weggegaan,' zei mijn moeder met een blik in de richting van Nana, die wat bacon voor zichzelf stond te bakken.

We zeiden geen van allen iets terwijl Nana's bacon stond te spetteren. Ze hield ervan als hij aan beide kanten goed doorbakken was, en dan met een stuk gebakken brood 'als gezelschap' ernaast. Toen het allemaal netjes op haar bord lag, kwam ze bij ons aan de ontbijttafel zitten en keek me lang en doordringend aan. 'Wat heb je toch?' vroeg ze ten slotte. 'Aan je gezicht te zien zou je niet denken dat je gisteravond een doorslaand succes was bij je boekpresentatie. Dat alle boeken zijn uitverkocht en dat iedereen het erover had hoe fantastisch je was.'

Nana kon als geen ander iets langs haar neus weg zeggen.

'Ik denk dat het Harriet niet lekker zit dat Jean-Claude met Charlotte Goldman zat te kletsen tijdens haar speech en dat hij tegelijk met haar is weggegaan.'

Zou mijn moeder gedachten kunnen lezen? Ze had op een griezelige manier de spijker op de kop geslagen.

'En nu zit je je op te vreten over zo'n onbenul?' vroeg Nana. Ze trok haar wenkbrauwen op en keek me streng aan totdat het langzaam tot me doordrong hoe stom ik zat te doen. 'Neem maar een lekkere baconsandwich, dat lijkt me een veel beter idee.'

9

Het Hoofd Verkoop trok er op maandagmorgen halftien op uit met haar grote zwarte aktetas. Het was geen echte aktetas – eigenlijk was het een leren boodschappentas waar de hengsels af waren gehaald. Maar zo weggestopt onder Nana's arm zag het er vrij overtuigend uit. Erin zaten vijf exemplaren van mijn Meditaties, een factuurboek, en een appelflap om Nana's suikergehalte op peil te houden. Nana geloofde heilig in het belang van appelflappen. Volgens haar kwamen ze bij elke crisis van pas. Als ze hoorde dat er iemand ziek was, ging ze diegene persoonlijk een appelflap brengen, ook al moest ze er kilometers voor afleggen.

'Ze knapt wel weer op als ze eenmaal een appelflap gegeten heeft,' zei ze dan altijd. En het grappige was dat ze meestal gelijk had.

We wisten dat we haar niet 'toitoitoi' moesten naroepen toen ze onze straat uit liep in de richting van Kensington en Chelsea. Toitoitoi was een kreet die niets met Nana te maken had. Ze zou wel zorgen dat het lukte en als Kensington en Chelsea nog niet klaar waren om te vallen voor haar verkooptalenten, dan vond ze wel een andere plek waar ze dat wél waren. Toen ze verdween in het licht van de ochtendzon, in haar donkerbruine jas, met haar tulbandhoed en haar zwarte zonnebril op, wisten we dat het uren kon duren voordat we haar weer zagen. Ik had nog een poging gedaan haar over te halen om zonder hoed en zonnebril op pad te gaan, maar ze zei dat ze daarmee op Katherine Hepburn leek, en dat was ook wel een beetje zo. Ik hield haar voor dat Katherine Hepburn zich bij mijn weten nooit met de verkoop van boeken had beziggehouden, maar mijn moeder zei dat het daar niet om ging.

Het waren zenuwslopende uren voor ons alle drie. Mijn moeder en ik zaten naast de telefoon te wachten voor het geval Nana ons iets te melden had, maar de enige keer dat de telefoon ging, had iemand verkeerd gebeld. Een man aan de andere kant van de telefoon vroeg mijn moeder of ze 'Gladys' was, waarop zij antwoordde dat als dat zo was, ze onderhand haar naam wel had veranderd.

'Er is niets mis met "Gladys",' liet de man haar verontwaardigd en volgens mijn moeder op nogal overdreven toon weten. 'Mijn moeder heet Gladys.'

'Als ik uw moeder was,' antwoordde ze, 'had ik u óók het verkeerde nummer doorgegeven', en vervolgens hing ze op.

Misschien komt het wat paniekerig over, maar we waren er geen van allen aan gewend om de topzakenvrouw uit te hangen, dus belegden we een vergadering, mijn moeder en ik. We spraken af dat we naar een paar boekwinkels in de buurt zouden rijden om te zien of we Nana ergens naar buiten zagen komen.

Mijn moeder parkeerde de auto op een dubbele gele streep voor de eerste winkel die we aandeden en ik rende naar binnen. We hadden goed gegokt. Nana was naast de toonbank in een geanimeerd gesprek verwikkeld met een mannelijke inkoper naast de toonbank. Haar tas stond open en de man was de achterkant van mijn boek aan het lezen. Ik voelde me wat geruster toen ik zag dat de appelflap nog veilig in het binnenzakje van de tas zat, en tot dan toe dus nog niet nodig was geweest. Ik verstopte me achter een stapel Harry Potter-boeken voor het geval de inkoper me herkende van de foto. Ten slotte begon de man te praten. 'De schrijfster is pas veertien,' zei hij, waarna hij het boek opensloeg om een Meditatie te keuren.

'Veertien, maar met de wijsheid van een groot denker,' antwoordde Nana, terwijl ze haar factuurboek tevoorschijn haalde. 'Hoeveel kan ik er voor u noteren?'

Vanuit mijn schuilplaats keek ik met de grootste bewondering naar haar zelfvertrouwen, haar lef. Ik wilde gaan applaudisseren en roepen: 'Goed zo, Nana, goed zo!' Maar ik kon alleen maar luisteren.

'Ik weet niet zeker of het iets voor ons is,' zei hij toen hij *De oneindige wijsheid* teruggaf aan Nana. Ik pakte een exemplaar van Harry Potter van de stapel af om wat beter zicht op hem te krijgen. De man was een jaar of vijfentwintig, met lang bruin haar en een oorringetje. Ik zag hoe hij Nana van top tot teen bekeek, alsof ze toevallig in zijn winkel was verzeild geraakt, maar uit een geheel andere tijd stamde, zoiets als Doctor Who zonder de telefooncel.

'Daar komt u ook niet achter als u het niet probeert, hè?' Ze zette haar zonnebril af, zodat hij goed kon zien hoe boos ze keek. Ik begon medelijden met hem te krijgen. 'Zou ik u mogen verwijzen naar Meditatie 53?'

De man bladerde snel het boek door, zoals hem was opgedragen door deze angstaanjagende vertegenwoordigster.

'Zou u het hardop willen voorlezen?'

Ik kon zien hoe hij aarzelde – het was vast geen situatie die hij vaak meemaakte.

'Meditatie 53, zei u?'

'Die ja!' antwoordde Nana.

'"Voor schrijven is het nodig dat je iets te zeggen hebt. Voor lezen is het nodig dat je iets kunt begrijpen. Anders zijn woorden louter tekentjes op een bladzijde. Iedere grote schrijver begrijpt dat hij een grote lezer nodig heeft."'

'Bent u een grote lezer, meneer...?'

'Noem mij maar Nick.' Hij glimlachte. 'Ik vlei me met de gedachte dat ik dat inderdaad ben, mevrouw...?'

'Noem mij maar Olivia.' Nana glimlachte terug. In haar staalblauwe ogen was te zien dat ze voelde dat de overwinning nabij was.

'Olivia, noteer er voor mij om te beginnen maar vier en dan zien we wel hoe het gaat.'

'Zullen we daar een half dozijn van maken?'

Nick lachte en schudde zijn hoofd in de richting van een vrouwelijke verkoopster die stilletjes op de achtergrond had staan meeluisteren en die duidelijk onder de indruk was van de manier waarop Nana alles onder controle had.

'Vooruit dan maar, Olivia. Een half dozijn.'

Ik wachtte tot Nana de winkel uit was, voordat ik in beweging durfde te komen. De twee verkopers waren helemaal verdiept in mijn Meditaties. Met een glimlach op het gezicht waren ze lekker aan het filosoferen. Het was precies de reactie waarop ik bij mijn lezers had gehoopt: opgewonden ongeloof. Ik keek nog eens over mijn schouder toen ik de deur uit liep. Ze waren helemaal in trance – Nana had ze de weg gewezen en nu konden ze er geen genoeg van krijgen.

We reden naar huis met haar, onze heldin, en ze zat zich te verkneukelen toen ze ons haar succesverhaal tot in de kleinste details uit de doeken deed. Het bleek dat Nicks bestelling de laatste was van een lange reeks – er waren vijftig boeken besteld en bij sommige winkels dachten ze er nog over. Als het zo doorging waren er aan het eind van de week twee- of driehonderd boeken in bestelling. We vroegen ons af of we wel genoeg exemplaren hadden laten drukken.

We moesten stoppen voor een rood stoplicht en een man klopte op het raampje aan mijn moeders kant of ze de *Evening Standard* wilde kopen. Tot dat moment had ik geen moment meer aan die journaliste gedacht. Mijn moeder gaf de man een pond en zei dat hij het wisselgeld mocht houden.

'Kijk jij maar,' zei ze, en ze gooide de krant naar me op de achterbank.

'Nee, dat moet Nana doen,' antwoordde ik en gooide hem weer terug naar voren.

'Geef maar op!' zei Nana lichtelijk geïrriteerd. 'Ik snap niet waar al dit gedoe voor nodig is.'

Mijn moeder en ik wachtten vol ongeduld terwijl Nana snel de krant doorbladerde. 'Er staat een foto van jou in!' liet ze weten. 'Wat zie je er schattig uit! Ik heb nog nooit iemand gezien die zo goed zwart kan dragen als jij.'

Mijn moeder zette de auto stil en we staarden met z'n drieën naar de pagina. En toen zag ik hem – de krantenkop: DE MEDITA- TIES VAN EEN ROZENKNOP. Het was geen slechte aanhef, zij het ietwat onhandig – men zou kunnen denken dat ze het over mijn boezem had. En eronder stond een foto van mij, peinzend kijkend naar Meditatie 41. Ik las verder: 'Het veertienjarige schoolmeisje Harriet Rose vierde de presentatie van haar net uitgekomen verza- meling Meditaties op een ontvangst met champagne en jus d'orange in de London Portrait Academy.' Afgezien van de verwij- zing naar de jus d'orange – overbodig naar mijn mening – stond er nog niets rampzaligs in, dus las ik verder hardop voor: 'Ze ziet er niet alleen goed uit, ze weet je ook op een charmant naïeve manier aan het denken te zetten. Het was een onderhoudende avond, vooral toen Harriet besloot een van haar unieke Meditaties voor te lezen aan de gasten die aan haar lippen hingen:

Ik ben mezelf
ik blijf wie ik ben
ik ben mezelf
geen wet, verbod of dwang raakt mij
De toekomst is wat men niet weet
maar één ding weet ik wel
ik blijf mezelf

Ze had niet gehoord dat ik 'nitwit' zei – God bestond dus toch. Ik las verder: 'Ik wed dat iedereen die *De oneindige wijsheid van Har- riet Rose* ter hand neemt, het met een glimlach op het gezicht leest. Het enige teleurstellende aan de avond was dat er een te abrupt einde aan kwam. Harriet Rose, bedankt dat je mijn zaterdagavond kleur hebt gegeven. Eén puntje van kritiek – je moet de volgende keer langer blijven.'

Ik had wel gehoopt dat ze van mijn werk zou genieten, maar dergelijke prijzende woorden waren niet niks. Daar kwam nog bij dat ze een gepast ernstige foto van mij had gekozen. Sommige journalisten waren vermoedelijk van mening geweest dat een lachende foto van een veertienjarige passender was geweest.

'Die journaliste was niet dom,' zei Nana, en mijn moeder en ik waren het daar roerend mee eens.

10

Na de feestelijke presentatie was ik niet van plan om Jean-Claude nog eens te zien. Iemand die zo stom was om te luisteren naar wat Charlotte Goldman te beweren had terwijl ik mijn Meditaties stond voor te lezen, was het niet waard om een gedachte aan te wijden. Op dat punt was ik het eens met mijn moeder.

Mijn moeder had de gave om ingewikkelde hartsaangelegenheden te begrijpen en te vertalen in eenvoudige termen. 'Als hij belt,' zei ze, 'moet je zeggen dat hij op kan hoepelen.' Dat deed ik dus. Natuurlijk bleef hij daarna bellen. Totdat Nana de telefoon opnam.

'Ik wil alleen maar met Harriet een klein gesprekje hebben – vijf minoetjes,' smeekte hij.

'Je hebt je kans gehad, Sacha, en je hebt hem verknald. Waarom ga je niet je charmeurskuren botvieren op die suikerspin van je?' Nana was geen aanhangster van het principe dat je mensen het voordeel van de twijfel moest gunnen.

Daarna belde hij niet meer. Ik vond eigenlijk dat ze een beetje te bot tegen hem was geweest – ze had kunnen volstaan met een simpel 'ze is er niet'. Bovendien had hij waarschijnlijk geen flauw benul wat een suikerspin was.

Ik kwam tot de conclusie dat ik Jean-Claude het best zou kunnen vergeten als ik een Meditatie over hem schreef. Daardoor zou ik me beter kunnen concentreren op zijn onbeduidendheid. Jean-Claude zou gereduceerd zijn tot een van de vele Meditaties in mijn boek.

Ik ging op mijn bed zitten, haalde mijn pen uit de lus van het notitieboekje en schreef:

Ik voelde me haast zweven
ik vond je stoer en lief
je had me hoop gegeven
wat was ik toch naïef.

Hier was alles mee gezegd. Nu moest ik me gaan bekommeren op wat dringender zaken. Over twee dagen was de vakantie voorbij en moest ik weer naar school, en dat hield in dat ik Charlotte onder ogen moest komen. Nana vond dat ik een exemplaar van de *Evening Standard* mee moest nemen. 'Dan houdt ze zich wel gedeisd,' zei ze, terwijl mijn moeder vond dat ik moest zeggen dat het ordinair was om ongenodigd op het feestje van een ander te verschijnen, met name op feestjes in de London Portrait Academy, waar dus veel publiciteit bij kwam kijken.

Ik liep schoorvoetend naar mijn tafeltje, gewapend met een exemplaar van de *Evening Standard* en een hoofd stampvol met schampere opmerkingen. Het eerste uur hadden we Frans. Dat zou Charlotte leuk vinden. Dan kon ze het tenminste bijbenen.

Ik hoorde hoe haar hakken naar haar tafeltje klikten en ik rook haar geurtje toen ze langs me heen liep. 'Hallo, Harriet!' riep ze naar me vanaf haar plaats voor in de klas.

'Hallo, Charlotte.' Ik was beleefd maar afstandelijk.

'Ik heb genoten van je boek.'

Dacht ze nu echt dat ik daarin zou trappen? Dat zou me niet gebeuren. 'Dank je,' antwoordde ik, en ze wist meteen waar ze aan toe was.

'Het was een fantastische foto van je in de krant.'

Ik propte de *Evening Standard* achter mijn rug onder mijn trui en hoopte dat niemand het gezien had. 'Wat voor foto bedoel je?' vroeg ik onverschillig.

'Die in de *Evening Standard*, geloof ik.'

De rest van de klas stond nu met open mond te luisteren.

'Stond Harriet in de *Evening Standard*?' riep Jason uit. 'Waarvoor?'

'Ze heeft een boek geschreven – *De oneindige wijsheid van Harriet Rose*. Het is heel goed.'

Ik moet bekennen dat het helemaal niet volgens plan ging. De beste opmerkingen die ik in petto had gehad, waren al overbodig geworden en ik had bijna nog geen mond opengedaan. Toen kreeg ik opeens een buitengewone ingeving: 'Heb je het dan gelezen?' Ik keek haar strak aan toen ze haar antwoord formuleerde zodat ze niet in twijfel zou verkeren dat ik zou weten als ze loog.

'Nee,' zei ze.

Ik grijnsde op mijn beurt ironisch naar de rest van de klas.

'Maar Jean-Claude heeft het me voorgelezen.'

11

Mijn moeder had voor die avond een interview voor me geregeld bij de plaatselijke radiozender. Het was niet moeilijk geweest ze over te halen – ze hadden mijn naam herkend van het artikel in de *Evening Standard*.

'We willen ontzettend graag een praatje met Harriet maken,' had Angela gezegd. 'Kunt u haar vanavond naar ons toe brengen – om een uur of halfzes?'

Dus werd ik er netjes naartoe gebracht, of ik het nu leuk vond of niet. En dat vond ik niet. Ik wilde alleen maar met rust gelaten worden. Ik was vernederd, en niets wat mijn moeder op weg naar de studio's kon zeggen zou daar iets aan veranderen – hoe kon zij trouwens weten dat het Charlotte nog wel op zou breken, en zo ja, wat dan nog? Dan stonden we gewoon weer quitte. En ik verdiende het om vóór te liggen, toch?

'Denk aan Meditatie 41,' zei mijn moeder dringend toen we de parkeerplaats van de studio op reden. Maar dat was nu juist het probleem. Zoals ik in die Meditatie al had gezegd, niets kon mij veranderen. Wat de toekomst ook te bieden had, ik was altijd mezelf. Ik was geïnteresseerd in het ontwikkelen van mijn geest, niet in netwerken. Charlotte kon manipuleren dat het een lieve lust was, maar ik zou altijd dezelfde onnozele, naïeve, onwereldse persoon blijven.

'In godsnaam, Harriet, denk eens aan je vader. Het is geen sportdag vandaag. Je kunt nog altijd dat rode lint winnen!'

Dat was net het duwtje in de rug dat ik nodig had. Plotseling was ik weer Scarlett O'Hara.

'Breng me naar Angela! Ik ben er klaar voor.'

Mijn moeder gaf me een kneepje in mijn hand en ik nam me heilig voor dat ik haar niet zou teleurstellen.

Angela, mijn moeder en ik zaten vóór de uitzending wat te praten met een kop chocola als opwarmertje. Hij was bitter en lauw, en zat in een plastic bekertje en kwam uit een automaat. Angela dronk haar chocolademelk in één teug op, alsof het een medicijn was en toen ze het op had, zag ik dat er een bruine vlek als een snorretje op haar bovenlip was blijven zitten. Ik vroeg me af of ik haar erop attent moest maken, maar ik besloot het niet te doen – ik had gehoord dat mediamensen vaak nogal lichtgeraakt waren. Misschien zou ze het me later wel betaald zetten. Ik moest haar niet tegen me hebben.

'Zo, Harriet, je hebt een boek geschreven. Fantastisch!'

Ik had mijn twijfels over de oprechtheid van haar enthousiasme, nog voordat ze eraan toevoegde: 'Waar gaat het over?'

Mijn moeder nam de rol van pr-persoon aan en diepte een exemplaar van de Meditaties uit haar handtas.

'Bedankt! *De oneindige wijsheid van Harriet Rose, Een verzameling Meditaties.* Prima titel! Dus zoiets als gedichten, Harriet?'

De titel zei toch al genoeg, of niet soms?

'Het heeft eigenlijk meer weg van filosofische bespiegelingen,' legde ik diplomatiek uit.

'Bespiegelingen – ik ben gek op dingen die met je geest te maken hebben en zo. Wat u, mevrouw Rose?'

Ik wist waar mijn moeder aan dacht omdat ik dezelfde gedachte had: godzijdank is Nana er niet bij!

'Je mag wel Mia zeggen,' antwoordde mijn moeder.

'Zoals in Mia Farrow?'

Angela vond zichzelf buitengewoon geestig, totdat ik eroverheen kwam met: 'Nee, zoals in "Mamma Mia".'

'"Mamma Mia"!' Angela gilde het uit van het lachen. 'Die is goed, Harriet!'

Nu we allemaal zo goed met elkaar konden opschieten, leek de tijd aangebroken om te beginnen met de opname, dus verkasten we naar een andere ruimte die vol stond met geluidsapparatuur en microfoons. We konden met het interview beginnen.

'Vanavond is bij ons te gast de veertienjarige Harriet Rose, schrijfster van *De oneindige wijsheid van Harriet Rose, Een verzameling Meditaties*, dat nu in een gebonden uitgave in de winkels ligt. Hi, Harriet!'

'Hallo.'

'Vertel eens wat over je Meditaties – je noemt ze psychologische bespiegelingen.'

'Filosofische.' Ik kon haar geen elementaire fout laten maken zonder die te corrigeren, ook al zou ze me dat niet in dank afnemen. Dat risico moest ik dan maar nemen.

'Je bent een echte professor, hè?'

Het was een toon die ik nog niet eerder bij Angela had gehoord. Opeens zag ik haar in een ander licht – wel nog steeds met hetzelfde bruine snorretje, maar in plaats van Laurel en Hardy had ze nu meer weg van Basil Fawlty. Omdat ik moest denken aan mijn belofte aan mezelf toen we op weg naar de studio's waren, antwoordde ik: 'Nee, professoren vragen geld voor spreekbeurten.'

Het was het begin van een nieuwe Harriet Rose – pittig, assertief, een meisje dat de hele wereld aan kon. Scarlett, je zou trots op me zijn geweest!

Omdat ze zich geen diepgaande discussie kon permitteren over de precieze verschillen tussen psychologie en filosofie, had Angela hier geen antwoord op, dus sneed ze, geheel voorspelbaar, een ander onderwerp aan. 'Het boek wordt uitgegeven bij Miandol – die naam is mij onbekend.' Ze trok een gezicht à la Charlotte en ik vermoedde dat ze de naam echt had opgezocht.

'Dat klopt. Zoals je weet heet mijn moeder Mia en Ol is een afkorting van Olivia – de naam van mijn grootmoeder. Ze hebben het boek ter gelegenheid van mijn verjaardag uitgegeven. Het was het mooiste cadeau dat ik ooit heb gehad.'

Het was duidelijk aan haar manier van doen te zien dat Angela dacht dat ze mijn achilleshiel had gevonden. 'Dat is een prachtig verhaal, Harriet. Wat zul jij blij zijn geweest toen je het zag.'

De dag tevoren, toen ik nog jonger was en naïever, zou ik niets achter haar woorden hebben gezocht en zou ik hebben gedacht dat ik dat mens verkeerd beoordeeld had. Maar vandaag – vandaag was de dag na gisteren, en ik wist wat ik aan haar had. 'Ik was heel blij,' zei ik, en zweeg.

'Vooral omdat het vermoedelijk al was afgewezen door een heleboel reguliere uitgevers.'

Dus daar zat ze aan te denken. 'Nou, nee.'

Ik wachtte zo lang dat ze in de gaten kreeg dat ik aarzelde. 'Nee? Bedoel je dat geen enkele uitgever jouw Meditaties heeft gezien?'

'Geen enkele. Totdat mijn Meditaties werden uitgegeven waren mijn moeder en Nana de enige mensen die ze gezien of gehoord hadden, en nu worden ze overal in het land in de boekhandels verkocht, met alleen maar mijn moeder als publiciteitsagente en Nana als Hoofd Verkoop. Dat zegt wel wat over het boek, nietwaar?'

Angela vond dat het tijd werd om de nieuwste plaat van Robbie Williams te draaien, en dat deed ze, met de woorden: 'Hier is iemand die *echt* talent heeft.'

Maar daar trokken mijn moeder en ik ons niets van aan. Geen publiciteitsgoeroe had voor betere publiciteit kunnen zorgen.

12

'**W**at een grappig idee voor een cadeau.'
Het was de reactie die ik had verwacht, maar niet van een van mijn leraren.

'Hoeveel zijn ervan gedrukt?'

'Duizend,' antwoordde ik, terwijl Miss Mason het boek terug op mijn tafeltje legde zonder een enkele Meditatie te hebben gelezen.

'Duizend? Wat ga je daar allemaal mee doen?' vroeg ze. Haar hals kleurde rood tot aan haar borst.

'Ze gaat ze verkopen,' lachte Jason. 'Tijdens signeersessies in het hele land!'

'Liggen ze al bij Waterstone's voor twee voor de prijs van één?' deed Miles een duit in het zakje.

'Nee,' antwoordde ik langs mijn neus weg. 'Ze verkopen ze voor de volle prijs – voor dertien negenennegentig.' Waarop ik liet volgen: 'Maar ik kan wel kijken of ik er voor jou eentje met korting kan krijgen als je dat niet kunt betalen.'

Ik kon bijna niet geloven dat dat mijn woorden waren die als kanonskogels uit mijn mond rolden en die de tegenstanders met gemak plat kregen.

'Ik heb hem nog niet op Amazon.com gezien,' kaatste Miles terug, met een sluwe blik op Jason.

'Gewoon blijven kijken,' zei ik, en ik vroeg me af of ik ooit aan Nana zou kunnen uitleggen hoe het internet in elkaar zat. 'Dat komt nog wel.'

'In de klas wordt er niets verkocht, Harriet!' kondigde Miss Mason gepikeerd aan.

'Dan verkoop ik ze wel buiten tijdens de pauze,' antwoordde ik doodgemoedereerd.

Ik verkocht dertig exemplaren in één uur, wat me bewust maakte van het belang van de juiste publiciteit. Tegen tweeën was ik gewend aan het signeren van boeken. Het geheim was dat je overal hetzelfde in moest schrijven, anders duurde het te lang en liep je het risico dat je in je haast iets opschreef waar je later spijt van kreeg. Dus schreef ik: *Met de allerbeste wensen, Harriet,* met een schuine streep onder mijn naam voor de duidelijkheid.

Ik wou dat ik mijn vader een gesigneerd exemplaar had kunnen geven. Wat zou hij trots op me zijn geweest. Hij had bewondering voor de dingen die ik schreef – hij zei dat het mijn spirituele kant liet zien. 'Kent u mijn dochter al, de schrijfster?' Hij zou op die woorden hebben geoefend waar mijn moeder en ik bij waren om ons aan het lachen te maken. En we zouden hebben gelachen, wij drieën, gelachen en gehuild. Daarna zou hij het boek hebben gelezen, langzaam, grondig, tot hij ieder woord dat ik had geschreven uit zijn hoofd kende, af en toe stoppend om een favoriete Meditatie hardop te lezen, totdat hij bij de laatste bladzijde was. Daarna zou hij het boek hebben dichtgeslagen, hij zou de tranen uit zijn ogen hebben geveegd en hij zou gezegd hebben...

Maar wat zou hij gezegd hebben? Daar kwam ik niet uit. Ik kon me niet eens meer herinneren wat hij had gezegd als hij trots was op iets wat ik had gedaan. En hij *was* trots op me geweest. Dat wist ik. Ik pijnigde mijn hersens om me al die keren te herinneren dat ik hem met trots had vervuld. Daar was die keer dat ik het beste proefwerk Latijn van de klas had gemaakt, en toen ik de schoolprijs voor Engels had gekregen na mijn eerste jaar op de middelbare school, en toen ik Mark op zijn nummer had gezet, de grootste pestkop van de klas, die de arme Alice had zitten jennen, omdat ze puistjes had en een beugel droeg en te dik was om bij gymnastiek over het paard te komen. Dan was er nog de tijd dat mijn vader ziek was en dat ik keihard was blijven studeren voor mijn proefwerken, zodat hij niet zou denken dat het zijn schuld was als ik slechtere resultaten haalde in de klas. En die keer toen hij al bijna dood was. Mijn moeder en ik stonden naast zijn bed en hij had zich naar ons toe gedraaid met het infuus met de morfine in zijn linkerarm en hij had onze handen vastgepakt en had gezegd: 'Wat heb ik toch geboft.'

'Ik weet niet waar je bent, maar ik blijf van verre van je houden,' had ik in Meditatie 34 geschreven nadat hij was gestorven. Ik wilde weten waar hij was. Eerst had ik nog gedacht dat hij mij wel een boodschap zou sturen om te vertellen hoe het daar was, op die plaats waar hij naartoe was gegaan, waar niemand iets van afweet. Het maakte een egoïstische indruk om mij niet even te laten weten dat hij veilig was aangekomen. Wat was er mis met een simpel: 'Met mij gaat het goed en ik wou dat je hier was'? Natuurlijk was een ansichtkaart onmogelijk, maar zijn stem was al voldoende geweest, één zinnetje maar. Misschien ook niet letterlijk met die woorden – misschien wou hij wel helemaal niet dat ik er was, het was vast rustiger zonder mij en hij hoopte waarschijnlijk dat ik nog een poosje hier zou blijven. Maar iets dergelijks. Of als woorden niet mogelijk waren een teken – niet een V-teken, zoals hij aan mijn moeder liet zien toen ze op de Old Brompton Road per ongeluk door een rood licht reed, net toen hij wilde oversteken en hij niet in de gaten had dat zij het was, maar een speciaal teken dat alleen ik, en misschien mijn moeder, zou herkennen. Maar er kwam niets en als dat wel zo was, heb ik het gemist. Hij was nooit erg mededeelzaam geweest – waarom zou hij nu opeens anders zijn? Er was natuurlijk altijd nog de mogelijkheid dat hij nergens meer was. Dat zou zeker de reden kunnen zijn van zijn zwijgen. Maar dat vond ik toch geen bevredigende verklaring, en daar was ik wel naar op zoek. Ik zou gewoon moeten accepteren dat er dingen waren die we niet konden verklaren, zoals waarom Engeland niet wereldkampioen voetbal kon worden, terwijl ze toch met 5-1 van Duitsland hadden gewonnen. Misschien lijkt dit wel een onbenullige analogie, maar zo gaat dat nu eenmaal met analogieën – tenminste bij filosofen. Breng het probleem terug tot de meest eenvoudige termen, en kijk dan wat er voor je overblijft. Filosofen hebben dat gedaan met hazen, schild-padden, pijlen, zandhopen, hersens in vaten, zelfs met raven. Dus waarom zou je niet hetzelfde mogen doen met het Engelse voetbal-elftal? Er waren zelfs mensen die echt dachten dat David Beckham God was. En hoeveel spelers zitten er in een voetbalelftal? Twaalf, daar heb je het al! Of elf? Hoe het ook zij, waar het echt op aankomt is het principe, zonder dat je verzandt in allerlei pietluttigheden.

'Je denkt te veel,' zei Nana altijd tegen mij als ze zag dat ik in ge-peins was verzonken. Dan ging ze altijd een liedje zingen om me aan het lachen te maken. Het leven met Nana was net een lange musical – geen enkele situatie was te somber voor een liedje. Soms begreep ze zelf de betekenis van een liedje niet eens: ze hoefde maar een woord te horen dat haar aan een lied deed denken en hup, daar ging ze.

Misschien had ze gelijk en dacht ik inderdaad te veel. Maar dat was toch nog altijd beter dan te veel te praten zoals Jason. Hij wist nooit wanneer hij moest ophouden. Hoe komt het, zoals ik me had afgevraagd in Meditatie 50, dat degenen die het minst te zeggen hebben, altijd het meeste zeggen? Ik had een keer gelezen over een Griekse filosoof, Kratylos, die zo gedesillusioneerd was geraakt over de nutteloosheid van taal als middel om gedachten over te brengen dat hij had besloten om niet meer te praten en in plaats daarvan met zijn pink te wiebelen als iemand iets tegen hem zei. Ik zou wel eens willen weten waarom hij zijn pink had gekozen – waarschijnlijk als symbool van de nietigheid van de dingen. Alleen een filosoof zou dat begrijpen.

Aan het eind van de middag signeerde ik nog een laatste boek en zette toen koers naar het schoolhek. Het was mijn favoriete tijd van de dag – pal voor het avondeten en *De Zwakste Schakel*. Ik wandelde de vrijheid tegemoet, met mijn beide benen stevig op de grond, in diep gepeins verzonken. Was mijn vader nog steeds bij me? Kon hij mijn gedachten horen? Waarom praatte Jason zo hard?

Het eerste wat ik zag waren de lichten – fel flikkerende lichten vergezeld door klikgeluiden aan de andere kant van het hek. Toen ik dichterbij kwam, werd het geluid sterker, en niet alleen vanwege de nabijheid. En het leek net of de lichten steeds sneller flikkerden. Was het een droombeeld? Had ik die middag niet genoeg chocola gegeten? Was dit het teken waarop ik had gehoopt?

'Harriet! Hierheen!'

Mijn naam! Was dat een stem die mijn naam riep?

'Harriet Rose!'

Ik had me niet vergist. Daar was het weer. Toen ik vlug naar het halfopen hek liep, voelde ik in mijn hart dat er iets speciaals te gebeuren stond – dat er iets bovennatuurlijks op komst was, dat er elk moment een boodschapper kon komen.

'Harriet! Kan ik even met je praten? Hier sta ik – van de *Kensington and Chelsea Messenger*.'

Ik had wel eens gehoord van Gabriël, en van Michaël, en van Rafaël, maar de boodschapper uit Kensington en Chelsea was nieuw voor me. Kon het zijn dat ik een beetje achterliep, in hemelse termen gesproken?

'Harriet! Lach eens!'

Ik deed wat me werd gevraagd – wat had ik anders kunnen doen? – en het was net alsof de hemel begon te schitteren, alsof er een majesteitelijke gloed precies boven ons schoolhek hing, en tegen die achtergrond stond Harriet Rose met een engelachtige glimlach te stralen in afwachting van een wonder.

'Wie is daar?' vroeg ik, en ik richtte me tot het licht.

'We zijn van de pers, Harriet. Mogen we je een paar vragen stellen?'

Misschien was het de schok, of misschien de teleurstelling, maar ik stond met mijn mond vol tanden. Vraag na vraag werd door de pers op mij afgevuurd, en ik stond daar, zwijgend, en probeerde een scherpe of intelligente opmerking te bedenken. Maar er kwam niets uit mijn mond. Geen woord. Dus tilde ik mijn rechterhand op tot voor mijn mond en wiebelde met mijn pink.

13

Het was de foto die in alle kranten stond, elk met een eigen kop: Harriet Rose en haar wiebelpink. Ik vond de kop van de *Kensington and Chelsea Messenger* het leukst:

HARRIET HEEFT GEEN SIKKEPINK LAST VAN
MENSELIJK OPZICHT

Toen het veertienjarige schoolmeisje Harriet Rose werd gevraagd naar haar plotselinge beroemdheid sinds de publicatie van haar boek *De oneindige wijsheid van Harriet Rose*, had de raadselachtige schrijfster maar één antwoord – ze wiebelde met haar pink. Iedereen die meer over haar gedachten te weten wil komen, zal er 13.99 pond voor op tafel moeten leggen. Nick Brady, een inkoper van Kensington Books waar de ingebonden versie van *De oneindige wijsheid van Harriet Rose* al in de eerste week op de lijst van de honderd bestverkochte hardcovers staat, zei: 'Ik denk dat het succes van het boek is gelegen in het individuele karakter ervan – er was een grote geest voor nodig om het te schrijven, maar een even grote geest om het te begrijpen, om een van Harriets Meditaties vrij te interpreteren. We kunnen het boek van harte aanbevelen.' Goed zo, Harriet. Misschien kan er de volgende keer echt gezwaaid worden.

De *Hammersmith Daily* was lang niet zo vleiend, maar ja, wat kun je verwachten van een buurt die alleen maar bekend is vanwege een fly-over. Boven het artikel stond: EEN ROOS, MAAR DAN ANDERS, en daarna volgde de suggestie dat het succes van mijn Meditaties alleen maar te danken was aan het feit dat ze waren geschreven door een schoolmeisje en waren uitgegeven door haar moeder en grootmoeder. Niet zozeer de inhoud als wel dit unieke concept was de oorzaak van de populariteit, was hun wat onduidelijke poging tot verklaring, maar wat er letterlijk stond was: 'Als je het boek leest vraag je je af of het niet allemaal te danken is aan de inspanningen van haar moeder en oma en niet zozeer aan die van haarzelf – elk schoolmeisje had het kunnen doen, en dat is een feit, niet een Meditatie. Je kunt naar hartenlust met je pink wiebelen, Harriet, maar bij ons gaan de duimen naar beneden.'

Maar het artikel dat me het meest dwarszat, stond in de *Pimlico Press*. Opnieuw met dezelfde foto, maar ditmaal was de toon wat ernstiger:

HARRIET MET DE MOND VOL TANDEN

Toen Harriet werd gevraagd iets te vertellen over haar pas gepubliceerde boek, *De oneindige wijsheid van Harriet Rose*, had ze niets te zeggen. Het veertienjarige schoolmeisje was alleen maar in staat om met haar pink naar de camera's te wiebelen. Haar tengere schoolvriendinnetje, Charlotte Goldman, legt uit: 'Harriet is erg op zichzelf – heel verlegen eigenlijk. Tijdens de filosofieles werd ons verteld over een oude filosoof die de hele tijd met zijn pink naar mensen wenkte, in plaats van met ze te praten, en Harriet heeft waarschijnlijk gedacht dat zij wel hetzelfde kon doen. Bij dat soort dingen is ze heel gemakkelijk te beïnvloeden, maar diep in haar hart is ze eigenlijk erg aardig.' Misschien zou Harriet iets moeten opsteken van haar vriendinnetje in plaats van zichzelf zo serieus te nemen.

Gemakkelijk te beïnvloeden? Had Charlotte Goldman gezegd dat ik gemakkelijk te beïnvloeden was? Charlotte Goldman, die zelf niet wist op wie ze het liefst wilde lijken, op Charlotte Church of op Charlotte Brontë, afhankelijk van het tijdschrift waarin ze net had zitten lezen? En wat wist zij over Kratylos? Het verbaast me dat ze niet dacht dat het iets te maken had met de menselijke anatomie. Ze moest bij de journalisten zijn blijven hangen toen ik weg was, in de hoop dat ze met haar fletse gezicht in de krant zou komen – voor zo'n kans zou ze hun zelfs haar onderbroek hebben laten zien.

'Maar wat schiet ze ermee op?' zei mijn moeder. 'De enige reden waarom ze überhaupt met haar hebben gesproken is omdat ze iets meer over jou te weten wilden komen.'

Ze had gelijk, natuurlijk. Ik was degene over wie ze wat meer wilden weten – ik was de raadselachtige Harriet Rose, terwijl zij alleen maar een 'tenger vriendinnetje' was. Dat was nog eens neerbuigend!

We besloten een rood leren album voor de krantenknipsels te kopen. Op de voorpagina zetten we de twee versies van de sportdagfoto naast elkaar – die van de boekomslag met alleen mijn hoofd erop en die waarop ik er helemaal op stond, in mijn zak. Ik kreeg een brok in mijn keel toen ik ze zo naast elkaar zag staan. De twee versies van Harriet Rose, schrijfster van *De oneindige wijsheid van Harriet Rose*.

Mijn moeder had een stel foto's gemaakt tijdens de feestelijke presentatie. Ze was een goede fotografe en ze had de meeste gasten op de foto weten te krijgen terwijl ze stonden te praten of luisterden naar mijn korte speech. Maar ik was wel verbaasd dat er eentje van Charlotte Goldman bij was. Mijn moeder probeerde vlug de bladzijde om te slaan, maar ze kon hem niet voor mij verbergen. Zelfs met een half hoofd zag ik nog dat zij het was.

'Snapt ze niet dat ze voor gek loopt in dat stomme roze jurkje?' vroeg Nana, en ze scheurde haar uit de foto, waardoor er een grote groep gasten overbleef met een gat in het midden.

'Ik dacht dat je van roze hield, Nana,' zei ik terwijl ik de resten van de foto opraapte en in mijn zak stopte.

'Niet bij iemand met haar kleur haar. Ze ziet eruit als de Pink Panther.'

Toen ik de gescheurde foto later in de afzondering van mijn slaapkamer nog eens goed bekeek, kon ik Jean-Claude heel duidelijk onderscheiden, vooral toen ik een vergrootglas vlak bij zijn gezicht hield. Ik moet toegeven dat hij er in zijn donkerblauwe blazer met het lichtblauwe overhemd heel knap uitzag – ik had hem alleen nog maar in een zwembroek en in een spijkerbroek gezien. Klaarblijkelijk had hij voor mijn speciale avond extra zijn best gedaan – tenzij hij gewoon had gedacht dat er een heleboel vrouwen zouden zijn. Dat is de pest met teleurstellingen: je wordt er gewoon veel cynischer van.

Hij had me vast wel in een van de plaatselijke kranten gezien – hij woonde in South Kensington, de wijk van de *Kensington and Chelsea Messenger*. Hij had op z'n minst toch wel een briefje kunnen schrijven om me te feliciteren met mijn succes. En daar ik er met mijn neus op was gedrukt dat hij het boek had gelezen, had hij kunnen volstaan met een simpel '*bien fait*'. Ik bleef me afvragen hoe hij zich die avond nu echt had gedragen. De waarheid was dat ik dat niet wist. Hij had mijn Meditaties voorgelezen aan Charlotte, als ik haar moest geloven, maar in welke omstandigheden? Misschien had ze na het feest wel samen met hem op de bus staan wachten – je stond soms uren te wachten op lijn 70. Of misschien was bij het weggaan de lift in de London Portrait Academy wel blijven steken. Dat behoorde allemaal tot de mogelijkheden.

Ik begon langzamerhand te lijken op een romantisch slachtoffer uit een van die artikelen in een vrouwentijdschrift: 'Weet je zeker dat het *echt* zijn schuld was? Honderd manieren om te testen of jijzelf ervoor hebt gezorgd dat hij jou heeft gedumpt. Een score van onder de twintig: je hoeft jezelf niets kwalijk te nemen; twintig tot vijftig: je had waarschijnlijk wel wat meer begrip voor hem kunnen opbrengen; en boven de vijftig: die arme jongen had geen keus – probeer hem de volgende keer (als er een volgende keer is) wat meer complimenten te geven.' Ze hadden mijn moeder hun artikelen moeten laten schrijven – een simpel 'rot op' bespaart je op de lange termijn heel wat hartzeer. Daar hadden Engelse vrouwen al generaties lang in uitgeblonken – ging *Pride and Prejudice* daar eigenlijk ook niet over? Zeg hem wat je denkt en wacht dan af hoe hij reageert. Als hij terugkomt, is hij misschien wel een tweede kans waard. Komt hij niet terug, nou ja, mij een biet, meneer Darcy! Het enige wat je in tijdschriften leest, is hoe je hem moet krijgen, hoe je hem moet afpakken, hoe je hem moet houden, hoe je hem moet verleiden, hoe je hem moet manipuleren, hoe je hem moet terugkrijgen, hoe je met hem moet trouwen, hoe je van hem kunt scheiden, en hoe je hem ervoor moet laten boeten. Wanneer zie je ooit iets staan over hoe je van hem moet houden? Wilde niemand meer weten hoe je je fier en waardig moest gedragen? Waarom zou iemand een man willen afpakken, manipuleren, verleiden, of trouwen die haar niet volledig is toegedaan, met al haar zwakheden, en niet iemand die alleen maar op advies van anderen kan krijgen wat ze wil? Harriet Rose zou dat niet willen.

Als Jean-Claude me echt wilde leren kennen zoals hij had beweerd, dan was hij nu aan zet om dingen te weten te komen. Hij wist al wel wat over mij via mijn Meditaties, wat al een stuk meer was dan wat ik over hem wist. Als ik er eens goed over nadacht had hij me erg weinig over zichzelf verteld. Het enige wat hij me had verteld was dat hij in het eindexamenjaar zat op een school in Londen. Ik wist niet eens wat zijn achternaam was.

14

Één keer per trimester maakte onze klas een uitstapje naar een belangrijke plek in Londen. We mochten een voorstel doen, maar de plek moest wel 'van cultureel belang' zijn, of 'sociologisch interessant'. Ik had geopperd dat Harrods aan beide criteria voldeed, maar Miss Foster zei dat ik controversieel bezig was.

Misschien klinkt het wat dom, maar ik wist niet helemaal zeker wat 'controversieel' betekende, dus zocht ik het op in mijn zakwoordenboek dat ik altijd in mijn handtas had zitten. Er stond 'aanleiding gevend tot een controverse'. Voor de zekerheid zocht ik 'controverse' op. Er stond: 'heftig meningsverschil'. Miss Foster dacht dat ik belust was op een heftig meningsverschil omdat ik had voorgesteld dat Harrods sociologisch en cultureel interessant zou kunnen zijn. Ik vond het helemaal niet controversieel dat Harrods volgens mij een ideale plek was voor het bestuderen van de hogere kringen uit de samenleving (ze verkochten er nota bene Chanel) en van maatschappelijke problemen (was dat niet de reden waarom ze rugzakken verboden hebben?) En wat dat culturele aspect betreft – verbreden of ontwikkelen van het intellect, smaak enz.' – ik had een paar van mijn beste Meditaties geschreven tijdens een lunch in hun tapasrestaurant in het souterrain.

Ik kwam tot de conclusie dat Miss Foster het verkeerde woord had gebruikt – wat heel wel mogelijk was gezien het feit dat ze aardrijkskundelerares was – of dat ze zelf controversieel bezig was door mij van hetzelfde te beschuldigen. Ik stopte mijn woordenboek weer behendig in mijn handtas en zei: 'Ik snap eerlijk gezegd niet waarom het controversiëler is om Harrods voor te stellen dan de Princess Diana Memorial Fountain', wat het voorstel van Miss Foster was geweest.

Tot mijn verbazing kreeg ik de unanieme steun van mijn klasgenoten, die er geen van allen bijzonder veel zin in hadden om wat rond te lopen bij een waterig tuinarrangement waar het stikte van de toeristen, als ze ook lekker konden genieten van een opkikkertje van kiwi en passievruchten in het van airco voorziene restaurant op de eerste verdieping van Harrods. Miss Foster, die stiekem ook wel wat voor mijn idee voelde, gaf toe.

En zo kwam het dat klas 3B zomaar door de straten van South Kensington in de richting van Knightsbridge liep, op zoek naar zaken van cultureel of sociologisch belang. Miss Foster en Charlotte liepen voorop. Ik kon ze horen tetteren over de diverse streken van Frankrijk en de grote hoeveelheid Fransen die in South Kensington woonden. Miss Foster zei gekscherend dat het ook wel bekend stond als 'Sud de Kensington', wat Charlotte zo grappig vond dat ze bijna niet meer bijkwam van het lachen. Waarom, was voor iedereen een raadsel, behalve voor haarzelf en voor Miss Foster.

Ik bleef het liefst wat achter in de groep hangen, zodat ik ongemerkt kon observeren wat de anderen deden. Niet dat er voor mij veel te observeren viel, afgezien van Jason en Miles die het erover hadden hoe slecht Chelsea het weekend daarvoor thuis had gespeeld, en Jason, die liet zien hoe Lampard eigenlijk had moeten spelen. Over de hele linie waren we een rustige groep – zelfs Charlotte maakte die dag een gelaten indruk. Ik schreef het toe aan de vrees dat ze misschien niet genoeg sunblock op haar lelieblanke gezichtje had gesmeerd. Maar ik vergiste me. Ze zat ergens anders mee. Ze hield net zo lang haar tempo in tot ik haar inhaalde, en toen nam ze me terzijde en fluisterde in mijn oor: 'Is dat niet Jean-Claude daar aan de overkant van de straat?'

Eerst dacht ik dat ze me voor de gek hield, dus deed ik net of mijn neus bloedde en zette de pas erin, in de hoop dat ze van haar sandalen met hoge hakken zou vallen. Maar op de een of andere manier kon ze me bijhouden en toen zei ze: 'Ik weet het niet zeker, maar hij lijkt er wel op.'

Ze deed me opeens denken aan een mug die in mijn oor zat te zoemen en die me zou bijten als ik even niet oplette. Moest ik haar van me afslaan zoals ik dat zou doen met een bloedzuigend insect, of was het tijd om controversieel te gaan worden?

'Hoor eens, Charlotte, waarom ga je niet gewoon...'

'Hallo, Harriet, hoe gaat het?'

Zijn stem was dieper dan ik me herinnerde en zijn Franse accent was meer uitgesproken. Op Charlotte had het de uitwerking van een helder licht in een kamer die tot dusver verduisterd was geweest.

'*Bonjour, Jean-Claude*,' zei ze, alsof hij haar had aangesproken. '*Ça va?*'

Jean-Claude reageerde niet, maar hij bleef me aankijken, alsof hij me zo een antwoord wilde ontlokken.

'Het gaat prima met me, dank je, Jean-Claude,' zei ik ten slotte met mijn beste Elizabeth Bennett-stem. Ik hoopte maar dat de intonatie zelfs een buitenlander bekend zou voorkomen.

'Ik wilde je nog bedanken voor je feest – ik heb ervan genoten.'

'Geen dank,' antwoordde ik en voegde er toen aan toe: 'Ken je Charlotte nog?'

'Ja, natuurlijk. Hallo, Charlotte.'

Ik had kunnen zweren dat haar aanwezigheid hem irriteerde – dat hij zelfs wilde zeggen: 'Ga weg en laat ons met rust.' Maar misschien had ik me daarin vergist. Ik was geen deskundige als het om zaken van het hart ging. Dus keek ik goed hoe Charlotte reageerde, hoewel ik niet wist waar ik op moest letten totdat ze koket zei: 'Bedankt voor die avond laatst. Ik heb er echt van genoten.'

Meer bevestiging had ik niet nodig. Ik zei: 'Nou, tot ziens dan maar, Jean-Claude', draaide me met een ruk om en liep weg. Misschien was het dan wel niet 'rot op', maar meer kon ik niet opbrengen. Ik wilde omkijken om te zien of ze hun volgende afspraakje al aan het regelen waren, lachend om mijn naïviteit, maar ik deed het niet. In plaats daarvan ging ik op een bank zitten die een stukje van de weg af stond en haalde mijn notitieboekje tevoorschijn met de bedoeling om een Meditatie op te schrijven die precies verwoordde wat er op dat moment in me omging. Maar er kwam niets. Ik had last van wat in literaire kringen een writer's block wordt genoemd. Maar ik kon toch niet zomaar het boek dichtdoen met een lege pagina en mijn pen ongebruikt weer opbergen? Ik deed nog een poging, en tot mijn verbazing schreef ik de volgende regels op: 'Ik heb vandaag een heleboel geleerd op cultureel en sociologisch gebied: als je je vertrouwen stelt in een Fransman met gladde praatjes, dan is het slechts een kwestie van tijd voordat je door een mug wordt gebeten.' Nu kon ik me weer met een gerust hart bij mijn klasgenoten voegen.

'Je had hier een kwartier geleden al moeten zijn!' riep Miss Foster uit, toen ik er bijna was.

'Waarom? Is er dan wat gebeurd?' antwoordde ik vermetel. Ik had er jaren op gewacht om die woorden te kunnen gebruiken, vanaf het moment dat mijn moeder me had verteld dat ze dat tegen haar eigen leraar had gezegd als ze te laat kwam. Het probleem was dat ik, in tegenstelling tot mijn moeder, nooit ergens te laat voor was, behalve voor de ochtendbijeenkomst (en dat kwam alleen omdat zij me niet op tijd wakker maakte), dus dit was de eerste gelegenheid die zich voordeed. Ik had kunnen weten dat het niet zo gevat klonk als ik het zei. Ik had er al die jaren op moeten oefenen – ik was van nature niet zo'n extrovert type als mijn moeder.

'Is er dan wat gebeurd?' probeerde ik nog eens, en ditmaal vroeg ik het met een glimlach. Maar Miss Foster en de anderen stonden me alleen maar met verbaasde gezichten aan te kijken. Ik voelde me net een mislukte comédienne die ieder moment van het toneel gejouwd kan worden. Het was niet de reactie waarop ik had gehoopt – het had zo grappig geklonken toen mijn moeder het zei.

'Er is niets gebeurd, Harriet. We stonden gewoon op jou te wachten. Nu je je hebt verwaardigd je bij ons te voegen, kunnen we naar binnen gaan.'

Het was binnen koeler dan buiten, wat maar weer bewees dat Harrods sowieso de beste optie was geweest. Miss Foster zei dat we een halfuur later weer bij dezelfde ingang moesten zijn. Ik verdacht haar ervan dat ze rechtstreeks naar de schoonheidssalon wilde gaan om haar harige benen te laten harsen. Ik moest er straks, als we elkaar weer zagen, maar eens speciaal op letten. Maar mijn grootste zorg was waar ikzelf heen moest.

Mijn favoriete afdeling was de *designer room* op de eerste verdieping. Mijn moeder had er mijn ceintuur van Chanel gekocht als cadeautje voor mijn dertiende verjaardag, de eerste verjaardag na het overlijden van mijn vader. Ze had geweten dat hij me paste omdat ik hem de keer daarvoor dat we er samen waren geweest, had omgepast, en ze had toen gezegd dat hij me '*très chic*' stond. Maar ik had nooit gedacht dat ze hem voor me zou kopen, zelfs nog niet toen ik het tasje van Harrods openmaakte. Ik dacht dat het een adstringerende lotion voor een vette neusbrug was waar we op dezelfde dag naar hadden gekeken.

Maar vandaag was het er de dag niet voor om naar iets te gaan kijken wat ik toch niet kon kopen. Vandaag was een dag om het oude weg te doen en met het nieuwe te beginnen. En ook al was het mijn voorstel geweest om naar Harrods te gaan, daardoor bleef ik me vastklampen aan iets wat ik kende. Maar daarmee kwam je niet vooruit: er werd geen vooruitgang geboekt als je stilstond. Ik bevond me op de levensmiddelenafdeling toen ik tot mijn besluit kwam. Het was niet mijn bedoeling geweest om erheen te gaan – ik moet ernaartoe zijn getrokken door een genetisch instinct. Maar niets kon me nu meer van mijn actieplan afbrengen, zelfs niet een mevrouw met een zilveren dienblad met gratis gerookte zalm en kaviaarblini's in de aanbieding.

'Heb je dat oranje spul al geprobeerd?' vroeg Jason, zijn mond volgepropt met een op eik gerookte zalm, die zijn hele leven ongetwijfeld tegen glinsterende Schotse rivieren op was gezwommen om uiteindelijk op dat blad te belanden.

'Ik heb geen tijd, ik ben op weg naar een boekwinkel hier vlakbij,' zei ik. Mijn opmerking was niet alleen voor Jason bedoeld, maar ook voor de vrouw met het dienblad, en ik wees in de richting waarin ik vermoedde dat de zelfstandige boekwinkel zich moest bevinden.

'Waarom ga je daarheen?' vroeg Jason. 'Ik dacht dat je juist naar Harrods wilde.'

'Dat was ook zo,' legde ik uit, 'maar het leven heeft sindsdien niet stilgestaan. Dat is het hele idee van vooruitgang. Het hoofd constant naar voren gericht, mentaal en fysiek, en intussen wel het doel voor ogen houden.'

'Dat zeg ik ook altijd,' antwoordde Jason, met een oprechtheid die ik nog nooit eerder in hem had gezien.

'Echt waar, Jason?' vroeg ik. Zou ik hem met me meenemen om zijn onontwikkelde potentieel te voeden met een paar goede boeken?

'Ja. Telkens als Chelsea een uitwedstrijd speelt,' was zijn verklaring. Dat was maar goed ook. Ik moest dit alleen doen.

'Ik moet gaan,' zei ik. 'Er is vast een heleboel te bespreken in de boekwinkel en ik wil op tijd terug zijn bij Miss Foster.'

Het was niet echt een leugen. Nana had het over een kleine boekwinkel gehad in de buurt van Harrods. Ik wist dat ze er mijn eigen boek niet in voorraad hadden, want ik herinnerde me dat Nana zei dat de inkoopster kortaf tegen haar was geweest toen ze het haar wilde laten zien.

'Miandol Books?' had ze gevraagd. 'Daar heb ik nog nooit van gehoord. Zijn ze nieuw?'

'Nieuw en origineel, net als de schrijfster,' had Nana majesteitelijk geantwoord.

'Niets voor mij,' had de vrouw gezegd, waarna ze het boek aan Nana teruggaf zonder het te hebben ingezien.

Nana had haar eens goed gemonsterd en toen gezegd: 'Dat had ik kunnen weten bij zo'n kleine zelfstandige boekwinkel. Ik ga voortaan wel weer naar Piper's.' En daarop was ze vertrokken en met meer succes op weg gegaan naar Piper's in Piccadilly, 'waar ze meteen herkennen of iets kwaliteit heeft'.

Ik liet me hier niet door afschrikken en besloot dat ik het die dag zelf maar eens moest proberen. Het leven was, zoals ik in mijn Meditatie 48 speciaal beklemtoond had, te kort om te wachten tot het jou vond. Ik had geen schijnheilige Fransman nodig om me dat te leren. Waar zou de muziek van Mozart per slot van rekening zijn geweest als hij tot zijn veertiende had gewacht met componeren? Dat kan ik wel vertellen: dan hadden ze wat creativiteit betreft tien jaar achtergelopen.

Ik stapte onbevangen de boekwinkel binnen en zei tegen de juffrouw achter de kassa, die ik onmiddellijk van de beschrijving van Nana herkende aan haar bril met het zwarte montuur en de kille blik: 'Ik ben op zoek naar *De oneindige wijsheid van Harriet Rose*, maar ik kan het niet vinden. Kunt u me zeggen waar het staat?'

De vrouw drukte zonder me een blik waardig te keuren op een paar toetsen op haar computer, en zei: 'Wat is de naam van de schrijver?'

'Harriet Rose,' antwoordde ik op een toon die haar vast deed wensen dat ze de vraag niet had gesteld. 'Dat spel je H-a-r-r...'

'Ik weet wel hoe je het spelt,' viel ze me in de rede. Toen pas keek ze me aan.

'Wie is de uitgever?'

'Miandol Books,' articuleerde ik duidelijk. Ik paste er wel voor om het te spellen.

'Hoe spel je dat?' vroeg ze, en op dat moment wou ik dat Nana ons kon horen.

'Zoals het klinkt,' antwoordde ik.

Er viel even een stilte terwijl zij op nog een paar toetsen drukte en haar scherm afspeurde. Ten slotte zei ze met een tevreden grimas: 'Dat hebben we niet in voorraad.'

'Echt niet?' Ik probeerde verbaasd te klinken. 'Maar iedereen heeft het erover.'

'Nou, ik niet!' snauwde ze, en ze zette haar bril recht.

'Hoe zou u dat ook kunnen,' zei ik met een glimlach, 'als u het niet eens in voorraad heeft? Weet u waar ik het boek zou kunnen vinden?'

Ze staarde me ongeduldig aan. 'Je zou het bij Waterstone's kunnen proberen.'

Ik haalde mijn notitieboekje tevoorschijn en krabbelde er *Waterstone's* in. 'Dank u. Zou u ze misschien voor mij kunnen bellen, alstublieft? Ik heb geen zin dat hele eind te lopen als ze het toch niet hebben.'

Tot mijn verbazing pakte ze de telefoon en koos een nummer. 'Hallo, Jean,' zei ze. 'Je spreekt met Victoria van My Kind of Books. Ik heb hier een klant die op zoek is naar *De oneindige wijsheid van...* Wie zei je ook alweer dat het geschreven had?'

'De schrijfster heet Harriet Rose. Rose zoals bij de bloem,' zei ik.

'Harriet Rose. Ik neem aan dat je die niet op voorraad hebt, hè?' Ze lachte toen ze het vroeg, en op dat moment begreep ik waarom Nana een hekel aan haar had gehad.

'Je hebt het wél?' vroeg ze, vol verbazing. Ze legde een hand over het mondstuk om te vragen of ik een exemplaar apart wilde laten leggen.

'Het zou handig zijn als Jean op haar scherm kan zien welke andere filialen van Waterstone's het in voorraad hebben. Dan kan ik uitzoeken welk voor mij de dichtstbijzijnde is.' Ik wachtte geduldig met de pen en een stukje papier in de aanslag om de namen van alle filialen te noteren waarvan ik wist dat Nana daar het boek verkocht had.

'Het filiaal in Earls Court heeft er misschien nog een.'

'Maar één? vroeg ik.

'Zes,' mompelde ze met duidelijke tegenzin.

'En waar nog meer?'

Het kostte haar een kwartier om de adressen van de vierenvijftig filialen van Waterstone's die mijn boek op de plank hadden staan op te sommen, zodat ik ze kon noteren. Toen we klaar waren, bedankte ik haar voor haar hulp en gaf haar in overweging dat het misschien wel een idee voor My Kind of Books was om het voorbeeld van al die andere boekwinkels te volgen. Het ging net zo goed – ik had het niet beter kunnen plannen, al had ik er een week over gedaan – totdat ik plotseling als een donderslag bij heldere hemel een stem door de winkel hoorde roepen: 'Harriet! Jason zei dat je misschien hier was. We staan allemaal bij Harrods op je te wachten! Harriet Rose!'

Het was Miss Foster. De vrouw achter de kassa grijnsde me sarcastisch toe, als een schurk uit een James Bond-film, en ik draaide me om en liep weg.

15

Het was een merkwaardige tijd voor een rijzende ster. Hoeveel beroemdheden brengen hun dag door met ruziemaken met de rectrix, terwijl hun moeder, het hoofd PR, bezig is met de organisatie van hun eerste televisieoptreden?

Ik had de nacht ervoor niet goed geslapen. Op de een of andere manier moet ik hebben aangevoeld wat de dag daarop voor mij in petto had. Wat maakte het nu uit of ik een kwartier te laat kwam als de ochtendbijeenkomst toch al voorbij was? Het was niets nieuws – ik deed het al jaren en niemand had er ooit iets over gezegd. Ik voelde me nooit op mijn gemak in een grote groep mensen als die groep ochtendhymnen aan het zingen was. Niet dat ik iets tegen hymnen had. Zingen in het openbaar was gewoon niet mijn sterke punt. Daarom deed ik altijd net alsof. Dat had niemand in de gaten – hoe zouden ze ook? Mijn lippen gingen op en neer in de maat met die van de anderen, en het geluid dat die anderen produceerden was zo hard dat niemand in de gaten had of ik een steentje bijdroeg of niet. Het was hetzelfde met verjaardagsfeestjes. Daar had ik ook de pest aan. Al die opgefokte hysterie en geveinsde vrolijkheid die dan culmineerde in een 'Lang zal ze leven'.

Toen Miss Grout me die morgen onmiddellijk na de ochtendbijeenkomst bij zich riep, had ik geen idee wat me te wachten stond. Het begon niet ongunstig, want ze zei: 'Goedemorgen', en vroeg of ik wilde gaan zitten. Maar daarna ging het bergafwaarts.

'Ik wil een paar zaken met je bespreken, Harriet.'

Terwijl ze me toesprak, raadpleegde ze aantekeningen, maar ik zat niet zo dicht bij haar bureau dat ik die ondersteboven kon lezen. Ik schoof mijn stoel wat bij en deed een hernieuwde poging. Miss Grout keek op, zag wat ik van plan was en legde haar linkerhand ter afscherming over de bovenkant van de bladzijde. Dit was menens.

'Allereerst wil ik van jou de verzekering hebben dat je vanaf nu op tijd op school komt. Onze dag begint om negen uur, niet om kwart over negen. Dat weet je best.'

Iemand moest het haar verteld hebben. Ze zou het niet eens hebben gemerkt als ik om halftien was gearriveerd, gekleed als Elvis Presley, en haar 'Love me tender' had toegezongen. Hier zat meer achter.

'Op de tweede plaats moet je proberen wat meer mee te doen in de klas. Je cijfers zijn heel goed, maar uit de commentaren van jouw leraren blijkt dat je het prima vindt als de rest van de klas zijn zegje doet, terwijl jij rustig achterin zit – en soms zit je daar kennelijk nog bij te glimlachen ook.'

Ze sprak de laatste opmerking uit alsof ik de ultieme *faux pas* had begaan. Niets zeggen was al erg genoeg, maar er dan ook nog bij glimlachen grensde aan het opstandige. Welke staatsgreep zat ik stiekem achter mijn misplaatste glimlach uit te broeden, dat wilde ze wel eens weten. Was dat het? Was ik naar de kamer van Grout ontboden vanwege een glimlach?

'Ik zeg iets als ik iets te zeggen heb, Miss Grout.' Als zij wilde dat ik iets zei, dan zou ik dat doen – uiteraard om haar te plezieren. 'Als een algemeen principe geldt voor mij dat ik niet van grote groepen mensen hou. Dat heeft waarschijnlijk te maken met het feit dat ik enig kind ben en enig kleinkind. Ik hoef eigenlijk nooit echt om aandacht te vragen. Thuis krijg ik die automatisch. Daardoor ben ik anders dan, zeg maar, Jason Smart. Zoals u waarschijnlijk weet – of misschien ook niet – heeft Jason drie broers, een is jonger dan hij en twee zijn ouder. Jason praat aan één stuk door en dan bedoel ik niet gewoon normaal praten, maar hard luidruchtig praten, meestal vergezeld van demonstratieve armgebaren. Daar kan hij niets aan doen – daar is hij aan gewend. Maar hem ontbiedt u niet in uw kamer na de ochtendbijeenkomst om te vragen waarom hij zo véél praat.' Ik zweeg, dacht na en voegde er toen een verzoenend 'Miss Grout' aan toe.

'Nou ja,' zei ze ten slotte, alsof ze naar adem snakte na een rugbytackle. 'Heb je soms nog meer op je hart of kunnen we verdergaan?'

Er was dus nog meer. Dat had ik wel vermoed, gezien de hoeveelheid aantekeningen en de serie vraagtekens en uitroeptekens aan het eind.

'Alleen Kant nog,' zei ik.

Miss Grout zag er wat verhit uit toen ze opkeek van haar aantekeningen. 'Wat zei je daar, Harriet?'

'Kant,' herhaalde ik, ditmaal wat harder. Niemand had me ooit verteld dat Miss Grout hardhorend was. Ik deed nog een poging: 'Immanuel Kant, de grote Duitse filosoof.'

'O, ja, natuurlijk.' Ze maakte een opgeluchte indruk, alsof er weer een obstakel uit de weg was geruimd. Ze had waarschijnlijk nog nooit van Kant gehoord.

'Hij is nooit weg geweest uit Königsberg, de stad waar hij was geboren. Hij was erg op zichzelf, was geen man voor kletspraatjes, maar hij heeft enkele van de meest fascinerende 'Kritieken' op papier gezet die de westerse wereld ooit heeft gekend.'

'Dus jij denkt dat je... een groot filosoof bent, hè?' zei ze meesmuilend. Ze hief haar pen, klaar voor het begin van het eigenlijke gevecht. 'Mooi, daarmee komen we bij de laatste kwestie, de kwestie van jouw boek – jouw Meditaties.'

Dacht ze soms dat ik niet meer wist waar mijn boek over ging?

'Hoezo?' vroeg ik. Was ze misschien uit op een gratis exemplaar voor de schoolbibliotheek?

'Er hebben journalisten voor het schoolhek gestaan.'

'Ze hebben in hun krant over me geschreven,' zei ik trots. 'En ik ben op de radio geweest.'

'Zo.'

Dat was het. Alleen maar 'zo' en een heleboel gekrabbel op papier. Toen, volkomen onverwacht, net toen we het wat beter met elkaar konden vinden: 'Wat wil je nu eigenlijk precies bewerkstelligen, Harriet?'

Op die vraag was ik niet voorbereid, dus bleef ik zitten zonder iets te zeggen en glimlachte.

'Zie je wel!' riep ze opgewonden uit, en ze wees met een beschuldigende vinger naar mijn mond. 'Dat is nu precies waar ik het net over had. Waarom kun je mijn vraag niet beantwoorden?'

Maar wat wilde ik eigenlijk bewerkstelligen? Bij die vraag had ik nog geen moment stilgestaan. Dat had wel gemoeten. Hij was belangrijk, niet alleen voor mij, maar voor mijn lezers. Deze vrouw was intelligenter dan ik had gedacht.

'Dat is een interessante vraag,' zei ik zacht en ik dacht na over een antwoord, niet alleen voor Miss Grout, maar ook voor mezelf. 'Ik denk dat ik een blijvende bijdrage wil leveren aan de wereld, ook voor als ik er niet meer ben.'

'En waarom zou je dat willen?' vroeg ze, alsof ze nog nooit van zoiets had gehoord.

'Het schrijven van boeken is minder pijnlijk dan het baren van baby's,' zei ik bij wijze van grapje, maar aan haar gezicht te zien kon ze het niet waarderen.

'Jij wilt dus beroemd worden?' Haar toon suggereerde nu iets van: 'Aha, had ik het niet gedacht!'

Het was de schuld van Miss Marlowe. Ik wist dat ik bij haar in de klas nooit had moeten toegeven dat ik ooit nog eens beroemd zou willen zijn. Nu zouden ze geen van allen begrijpen wat mij motiveerde. 'Ik wil dat ze later nog aan me denken – dat is niet hetzelfde. Hebt u nooit in de herinnering willen blijven voortleven om iets wat ertoe doet, Miss Grout?' informeerde ik, nu we toch in een filosofische discussie verzeild waren geraakt. 'Iets anders dan leiding geven aan een kleine school en straffen uitdelen?'

Miss Grout legde haar pen neer en vouwde haar armen over elkaar over haar zware boezem. 'En jij denkt echt dat de Meditaties van Harriet Rose nog jaren en jaren in de herinnering zullen voortleven?'

Het was duidelijk aan haar gezicht te zien dat die gedachte nog nooit bij haar was opgekomen. Nu waren we echt vooruitgang aan het boeken. Opeens zag ze haar leerling in een ander licht.

'Als ik in staat ben om ook maar één individu met mijn Meditaties te beïnvloeden – het kan zijn dat een lezer een dilemma vanuit een andere invalshoek bekijkt of over iets nadenkt waar hij nog nooit aan gedacht heeft, of dat hij glimlacht of een traan plengt – dan heb ik al iets bereikt wat heel belangrijk voor mij is. Dat probeer ik te bewerkstelligen, Miss Grout, om uw oorspronkelijke vraag wat vollediger te beantwoorden.'

Nu kon ze teruggaan naar Miss Marlowe en mijn doelstellingen aan haar uitleggen, en zij op haar beurt zou het ook begrijpen.

'Harriet – het is een boek met tienergedachten, samengesteld door een tiener en uitgegeven door haar moeder en haar grootmoeder. We moeten het wel in het juiste perspectief blijven zien!'

'Dank u wel, Miss Grout,' zei ik met een stralende glimlach. Eindelijk begon het tot haar door te dringen hoeveel ik al had bereikt.

Verdere woorden waren overbodig tussen Miss Grout en mij: we begrepen elkaar en we konden verder. Ze hoefde me niet te vragen om haar kamer te verlaten en ik hoefde haar niet te vragen of ik weg mocht. Ik stond zonder iets te zeggen op, knikte een keer, uit beleefdheid, en ging naar mijn klaslokaal. Later op de dag zette ik een gewatteerde envelop bij de deur van haar werkkamer neer met een exemplaar van mijn Meditaties erin. Ik had er een briefje bij gedaan waarop stond: *Voor Miss Grout, die begrijpt wat ik probeer te bewerkstelligen.* Dat zou ze leuk vinden!

Mijn gesprek met Miss Grout had niet op een beter tijdstip kunnen plaatsvinden. Het was een repetitie voor het hoofdnummer. Het bereidde me voor op mijn tv-optreden van die avond.

Met 'Het Gezicht van Londen' werd door het programma *London Live* aan getalenteerde jonge mensen de opwindende kans geboden mee te dingen naar die prestigieuze titel. PR had er 's morgens op de televisie over gehoord toen ze even van haar drukke werkzaamheden zat bij te komen met een kop koffie en een croissant. Net als iedere andere succesvolle publiciteitsagent had mijn moeder meteen de telefoon gepakt en na een serie irritante gesprekjes met een receptioniste die niet in staat bleek om te begrijpen dat het programma een grote kans liet lopen als ze haar niet doorverbond met de persoon die erover ging, kreeg ze eindelijk Bill aan de lijn. Even later had ze hem er al van overtuigd dat als ze op zoek waren naar mensen die mee gingen dingen naar de titel 'Het Gezicht van Londen' – ambitieuze, ondernemende, gemotiveerde jonge mensen – hij zo snel mogelijk een gesprek moest zien te regelen met Harriet Rose, de denkende puber.

Ze had een kopie van het artikel uit de *Evening Standard* naar Bill toe gefaxt en hij had haar gebeld dat hij mij 'voorlopig' wel voor het programma wilde filmen. Het moest ons grootste succes tot dan toe worden, en dat alles dankzij mijn ingenieuze moeder en haar onnavolgbare overredingskracht. Als Bill ons eenmaal had gezien, zou ik niet veel langer meer 'voorlopig' zijn.

Om halfzeven 's avonds meldde hij zich met zijn apparatuur bij ons thuis. Ik had amper tijd gehad om mijn schooluniform te verwisselen voor een heupspijkerbroek en een zwart T-shirt met 'waarom?' in witte letters op mijn borst. Het juiste image was verschrikkelijk belangrijk in de media. Ik moest overkomen als scherp, intellectueel uitdagend en gefocust op mijn eerste tv-optreden voor het volk. Het woordje 'waarom?' zou daarvoor zorgen voordat ik een mond had opengedaan, zoals we aan Nana moesten uitleggen. Ze had dat T-shirt nooit helemaal zien zitten. Ze zei dat het een stomme indruk maakte, dat de mensen zouden denken dat ik niets begreep. 'Wat heeft "WAAROM?" nou voor zin als niemand weet wat de vraag is? Je zou meer hebben gehad aan "DAAROM". Dan kregen de mensen in ieder geval de indruk dat je het antwoord had.'

Godzijdank stond mijn moeder achter me. Anders zou ik voor de camera hebben gestaan in een rode Schotse trui die Nana voor me had gebreid toen ik twaalf was. 'Je moet rood dragen. Rood valt altijd op – vooral met een leuke rode band om je mooie haren.'

'"Waarom?" duidt op een onderzoekende geest,' legde mijn moeder uit. 'Harriet heeft altijd vragen gesteld, dat weet je.'

'Dat doen filosofen nu eenmaal, Nana,' zei ik.

Het haalde niets uit. Nana was geen abstract denker. 'Je had een plaatje van een appelflap op je voorkant moeten hebben,' zei ze, toen ze de slaapkamer uit liep, terwijl mijn moeder en ik aan de 'WAAROM?' zaten te trekken zodat het woordje mooi recht zat. Als ik een boezem had gehad zoals Celia Moore in klas 4A zou het lang niet dezelfde impact hebben gehad. Mijn kleine platte 'WAAROM?', dat heel licht omhoog kwam bij de 'w' en de 'm' deed de boodschap overkomen – niet overdreven, met een subtiele toespeling op de grotere dingen die gingen komen.

Mijn moeder schonk een glas wijn in voor Bill en zijn assistent, terwijl zij de camera en de donzige microfoon in gereedheid brachten. Zij had het voordeel dat ze al eerder met Bill had gesproken, dus zij konden meteen goed met elkaar overweg. Ik dacht dat ze hem wel door zou hebben, toen hij aan kwam zetten met zijn voorspelbare 'Jij bent vast Harriets zus', maar tot mijn verbazing lachte ze alsof ze het voor de eerste keer hoorde. Vermoedelijk hoorde dat bij de taakomschrijving van een publiciteitsagent.

Ik vroeg Nana wat ze van Bill vond, toen we met z'n tweeën in de keuken een kop thee voor onszelf zetten.

'Niet lelijk, maar hij heeft onbetrouwbare ogen,' was haar mening, en dat moest ik beamen. Maar hij was onze gast en wij waren verplicht om hem gastvrij te ontvangen, zoals mijn moeder naar voren bracht toen ik weigerde de keuken uit te komen. Sommige mensen zouden misschien denken dat het plankenkoorts was, maar dat was het niet alleen. Nana bracht het beter onder woorden dan ik ooit zou kunnen: 'Ik vertrouw hem niet, Mia. Zijn ogen staan te dicht bij elkaar.'

'Maar jullie kunnen toch niet de hele avond met z'n tweeën in de keuken blijven zitten. Bill is helemaal hiernaartoe gekomen om Harriet te interviewen. Wat moet ik in vredesnaam tegen hem zeggen?'

'Zo te horen kun je je prima zonder ons redden,' antwoordde Nana. 'Je bedenkt wel iets.'

Maar onze muiterij duurde niet lang. Om preciezer te zijn, net zo lang als het duurde dat mijn moeder terugging naar de charmes van Bill, en Nana en ik onze lachbui hadden gesmoord.

'Straks hoort hij ons nog,' smeekte ik terwijl ik met de rug van mijn hand mijn tranen wegveegde. 'Ik moet met hem praten! Ik ben nog steeds alleen maar "voorlopig".'

'Waarom?' lachte Nana, en ze wees naar mijn T-shirt.

'Daarom!' antwoordde ik, en ik legde mijn hand over het woord heen.

Toen ik terugging naar de zitkamer, reageerde Bill met een 'Aha, de schrijfster keert weer!' toen ik mezelf op de sofa liet zakken met mijn gezicht naar de camera.

'Bent u aan het filmen?' vroeg ik achterdochtig – ik nam geen enkel risico.

'Nog niet,' antwoordde Bill, maar ik was er niet gerust op.

'Hoe kan ik zien of het wel zo is?' Hij moest weten met wie hij van doen had.

'Dat zeg ik wel,' zei hij. 'En dan gaat er een rood lichtje aan.'

Ik zag dat hij zijn glas al op had, en waarschijnlijk hoopte hij dat hij nog wat zou krijgen.

'Nog een glaasje, Bill?'

Ik had gedacht dat mijn moeder verstandiger was.

'Bedankt, Mia,' zei Bill, en hij stak zijn lege glas naar haar uit, zodat zij er haar favoriete Argentijnse chardonnay in kon schenken.

'Ik hou me bij thee,' zei ik streng. En toen wist ze genoeg.

'Dit is Harriets boek,' zei ze, en ze overhandigde hem een exemplaar.

'Wat een mooie omslag,' zei hij. 'Heb jij die ontworpen, Mia?'

'Dat heb ik inderdaad,' antwoordde ze. 'Ik schilder. Rood is altijd een van mijn lievelingskleuren geweest. Bij het goede licht zit er zo veel diepte en warmte in.'

'Net als in mijn boek.' Ze moesten even subtiel met de neus op de feiten gedrukt worden.

'Daarom hebben we het gekozen,' beaamde mijn moeder.

Bill sloeg het boek open en las een paar Meditaties. Mijn moeder en ik wachtten gespannen hoe hij zou reageren. 'Je kunt goed met woorden omgaan,' zei hij met een opgetrokken rechterwenkbrauw. 'Die vrouw van de *Evening Standard* heeft je goed getroffen.' Hij klapte mijn boek dicht en reikte het mij aan met de woorden: 'Ze had ook gelijk toen ze zei dat je knap was, net als je moeder.'

Hoe voorlopig onze filmsessie ook mocht zijn, daar trapte ik niet in. Hij was hier niet voor mijn uiterlijk. Hij ging me niet filmen omdat ik meedeed aan een wedstrijd voor fotomodellen. Als ik gekozen werd tot Gezicht van Londen, dan was dat vanwege mijn geest en anders maar helemaal niet.

'Zullen we dan maar beginnen?' vroeg hij. 'Ik kan zien dat je op hete kolen zit.'

'Waarom denkt u dat?' vroeg ik lachend.

'Je bent een klein beetje roze.' Hij wees naar mijn wangen, waarvan ik dacht dat ze keurig door mijn haren werden bedekt. Zo had ik me mijn eerste tv-optreden niet voorgesteld. Ik had gedacht dat hij een styliste bij zich zou hebben en een visagiste en misschien wel een topkapper voor mijn haren. In plaats daarvan moest mijn moeder haar eigen poederdoos voor me halen, terwijl Nana mijn haar onder een haarband probeerde te verstoppen, 'zodat de kijkers meer van je mooie gezichtje kunnen zien'.

In mijn gespannen toestand had ik totaal niet meer aan de vele kijkers gedacht. Jean-Claude zat onder het kijken vast aan de koffie met een *pain au chocolat*. Dan dompelde hij het gebakje in zijn koffie totdat de chocola begon te smelten en dan keek hij tussen de bedrijven door even op en zag mij dan zitten, helemaal zenuwachtig en roze en bijeengehouden met een kinderachtig haarbandje. 'Zijn die lampen allemaal nodig?' vroeg ik aan de assistent van Bill.

'Yep!' antwoordde hij, en ik wist dat ik beter niets meer kon vragen.

'We gaan filmen!' schreeuwde Bill, en ik staarde recht de camera in en stelde me voor dat Jean-Claude aan de andere kant zat.

'Probeer eens wat vrolijker te kijken.' Bill had er kennelijk geen notie van hoe filosofen kijken. 'Denk er maar aan dat je moeder iets lekkers voor je heeft klaargemaakt.'

Merkwaardig genoeg bleek die suggestie beter te werken dat mijn fantasie over Jean-Claude, en kort daarna zei Bill dat we konden beginnen.

Hij trok een wat serieuzer gezicht en moedigde me aan om over mezelf te vertellen en over mijn boek, alsof hij mijn antwoorden ongelooflijk interessant vond. Maar ik wist dat dat niet zo was. Hij deed dat alleen maar omdat er een camera bij was – dat zag ik aan de manier waarop hij zijn hoofd scheef hield onder het luisteren. Hij vroeg niet eens iets over mijn T-shirt, waardoor hij voor mij definitief door de mand viel. Toen we klaar waren vroeg hij of we het nog eens over konden doen, een duidelijk bewijs dat hij überhaupt niet had geluisterd. Na een stuk of vijf pogingen zei hij dat dat 'het' was en bedankte hij me dat ik het hem zo gemakkelijk had gemaakt. Ik wist niet zeker waar hij op doelde, dus keek ik naar Nana, die haar schouders optrok en toen zijn jasje ging halen.

Het programma zou de avond daarop worden uitgezonden tussen het weer en Ken Livingstone, onze burgemeester. Om zeven uur 's avonds zaten we gedrieën in angstige spanning voor de tv.

'Als ze het interview met jou niet uitzenden, moeten ze zich nodig eens laten nakijken,' was de zachtaardige poging van Nana om me gerust te stellen. De wat meer subtiele benadering van mijn moeder hield in dat ze me eraan herinnerde dat ik, gezien de omstandigheden, prima op alle vragen van Bill had geantwoord, maar dat ze net als ik niet meer zo goed wist wat die vragen waren geweest. Het klonk steeds onheilspellender – het mocht zelfs niet worden uitgesloten dat er hypnose in het spel was geweest: misschien waren ze wel helemaal niet van *London Live* geweest. Nana had iets raars in Bills ogen gezien en we hadden geen van beiden uit de keuken willen komen. We hadden moeten vragen of ze zich konden identificeren.

Naarmate de seconden wegtikten en er nog steeds niets was gezegd over 'Het Gezicht van Londen', nam onze vrees toe. Mijn moeder stelde voor dat we naar *London Live* zouden bellen om te vragen of er ene Bill bij het programma werkte, maar Nana zei dat ze konden zeggen wat ze wilden, maar dat ze na deze ervaring toch niemand vertrouwde. Toen plotseling, halverwege het programma, zat ik daar pontificaal op de sofa, als een diva uit een tijdschrift. Je kon de stem van Bill op de achtergrond horen vragen waar mijn boek over ging.

'Over allerlei dingen.'

'Waarom denk je dat het zo populair is?'

'Omdat er in de eenentwintigste eeuw nog niet eerder zoiets verschenen is.'

'Daar beweer je nogal wat!'

'Het boek beweert ook nogal wat.'

'Vertel eens, waarom denk je dat jij aanspraak kunt maken op de titel 'Het Gezicht van Londen'? Je weet natuurlijk dat de beslissing daarover aan de kijkers is.'

Ik knipperde voor het eerst tijdens het interview met mijn ogen en ik hield nu toch even mijn mond voordat ik antwoord gaf. Dat had ik eerder moeten doen – daardoor leek ik wat minder agressief. Maar ik was niet agressief. Ik mocht Bill gewoon niet. Zouden de kijkers dat in de gaten hebben? 'Ik wil een verschil maken. Ik denk dat ik een afspiegeling ben van wat Londen te bieden heeft – oud en nieuw, klassiek en modern. Marcus Aurelius en Harriet Rose. Londen heeft behoefte aan verandering en aan stilstand, aan woorden en aan zwijgen, aan Heraclitus en aan Kratylos... aan Marks & Spencer.'

'Marks & Spencer?' Ver op de achtergrond was de stem van Bill te horen, in verwarring, als een god maar dan zonder diens alwetendheid.

'Ja, Marks & Spencer,' herhaalde ik, hoewel ik geen flauw idee had wat ik daarmee bedoelde. Maar toen ik het eenmaal had gezegd, moest ik iets bedenken. Die vele duizenden kijkers mochten niet worden teleurgesteld. 'Ze bedenken steeds weer nieuwe dingen – visdipsauzen, Griekse voorafjes, Indiase hartige hapjes.' Ik denk dat ik honger had. 'Maar hoe ze ook hun best doen om te veranderen, hun aantrekkingskracht blijft fundamenteel dezelfde. Onderbroeken.'

'Onderbroeken?' Bills stem schoot een octaaf omhoog.

'Iedere zichzelf respecterende vrouw heeft wel een onderbroek van Marks & Spencer.'

Ik had op de televisie niet over onderbroeken moeten beginnen.

'Je had op de televisie niet over onderbroeken moeten beginnen,' zei mijn moeder.

'Waarom niet, in vredesnaam?'

'Omdat ze niets met je boek te maken hebben. Je klonk zo intelligent, zo diepzinnig, totdat je aan kwam zetten met die onderbroeken.'

'Maar Harriet heeft gelijk,' kwam Nana tussenbeide. 'Ik heb een fantastische onderbroek van Marks & Spencer. Zo'n broek die je buik platdrukt. Ik heb hem al jaren. Ik wed dat niemand dat heeft gezien.'

Mijn moeder en ik probeerden niet naar Nana's buik te kijken, maar dat was vrij zinloos toen ze het erover had gehad.

'Zie je?' zei ze, en ze liet ons haar zijkant zien in een strakke donkerrode broek van scheerwol. En we moesten het beamen.

'Ik dacht dat het kwam omdat je goede spieren hebt,' lachte mijn moeder.

'Of een geheim leven in de sportschool,' voegde ik eraan toe, en ik zag in gedachten Nana in een strak sportbroekje van latex en een strapless topje, die zich op de loopband in het zweet werkte.

Maar Nana vond ons commentaar kennelijk teleurstellend. 'Denk je nu echt dat ik me zou verlagen door te gaan staan zweten in het openbaar?' protesteerde ze.

Tegen de tijd dat we de kwestie van de sportschool uitputtend hadden besproken, hadden we een deel van het interview gemist. Dat was niet eerlijk. Ik had voorrang moeten krijgen boven de buik van Nana.

'Laten we in ieder geval nog naar de rest luisteren,' drong ik aan, en ik zette de volumeknop van de afstandsbediening wat hoger.

'En waar heb je je inspiratie vandaan gehaald voor je Meditaties?' Bills stem klonk op tv anders dan in het echt. Ik vroeg me af of dat met de mijne ook zo was, maar daar kon ik niet over oordelen. Je hoorde je eigen stem nooit zoals andere mensen dat deden. Het was een interessante gedachte over persoonlijke identiteit, en ik nam me dan ook voor om er later in mijn notitieboekje op terug te komen.

'Ik heb voor het eerste gedeelte van het boek mijn inspiratie gehaald uit de mensen om me heen. Deel een komt overeen met een partij schaak. Daarom zijn er tweeëndertig Meditaties in dat deel – een voor elk stuk op het schaakbord.'

Ik hoopte dat de kijkers konden schaken, anders zat ik in de problemen.

'Je bent kennelijk goed in schaken,' zei Bill ondertussen, en de camera was nu op hem gericht. Hij hield zijn hoofd weer scheef.

'Mijn vader heeft het me geleerd,' legde ik hem uit. 'Het boek is aan hem opgedragen. Hij is dood.'

'Wat moedig van je om dat te zeggen zonder dat je stem ging beven,' fluisterde mijn moeder. En háár stem beefde een heel klein beetje. Daarom miste ik Bills volgende vraag. Toen was ik weer in beeld, maar nu wat dichterbij. Je kon niet eens mijn 'Waarom?' meer zien.

'Mijn moeder en grootmoeder hebben de titel *De oneindige wijsheid van Harriet Rose* gekozen. Ik heb ze altijd al mijn Meditaties genoemd. Ze hebben de woorden uit mijn Meditatie 33 gehaald, waarmee deel twee begint. Dat is een meer algemeen deel, waarin dingen staan die ik recent geschreven heb. Veel ervan zou je wat genre betreft kunnen beschrijven als metafysisch en epistemologisch.'

'Hij heeft vast geen flauw benul wat dat betekent,' riep Nana. 'Ik in ieder geval niet.'

'Zou je dat een beetje aan de kijkers kunnen uitleggen?' vroeg Bill.

'Waarom kon hij niet gewoon zeggen dat hij het niet begreep?' vervolgde Nana.

'Het zijn Meditaties over de aard van het bestaan en van kennis.' Tijdens het praten had ik mijn ogen ten hemel geslagen, waar de camera's op inzoomden.

Ik was vooral in mijn nopjes met die shot. Ik maakte een bezonnen en intelligente indruk, ver verheven boven de onbenullige aspecten van het leven. Ik hoopte dat Jean-Claude het niet had gemist.

'Ze houden zich bezig met begrippen als tijd, verandering, leven, dood, identiteit, uniciteit, principes aangaande de ultieme oorzaak van werkelijkheid, en ze stellen ook vragen over de betrouwbaarheid van onze kennis. Net als mijn T-shirt is het overkoepelende thema "Waarom?".'

Toen ik eenmaal op gang was, voelde ik me kennelijk wat meer ontspannen. Bill kon er nauwelijks een woord tussen krijgen.

'Ze klinken fascinerend,' zei hij, 'en ik heb genoten van die ene die je net hebt voorgelezen.'

'Die ene die ik net heb voorgelezen?' herhaalde ik, en ik wendde me tot mijn moeder en Nana die er net zo verbaasd bij zaten.

'Dat moet dat stukje zijn geweest dat we hebben gemist vanwege die onderbroek van Nana,' opperde mijn moeder.

Het deed er niet toe. We konden altijd nog eens naar de video-opname kijken. Mijn moeder drukte op de terugspoelknop en we gingen er eens lekker voor zitten om van de herhaling te genieten. Het kleinste detail was van cruciaal belang voor een diepte-analyse.

'Stil!' zei PR, en ik was het met haar eens. Het Hoofd Verkoop werd wat al te spraakzaam voor haar eigen bestwil.

'Zitten jullie klaar?'

Mijn moeder drukte op *play* en zwijgend wachtten we op de bank, klaar om ditmaal het hele interview te horen. Maar er was geen interview. Er was geen Bill. Er was geen *London Live*. Er was alleen maar een kookprogramma.

16

Nooit eerder had iemand me bloemen gestuurd. Ik wist niet eens dat er meestal een kaartje bij zat, totdat mijn moeder vroeg: 'Van wie zijn ze?' en ik antwoordde: 'De bloemenzaak aan Fulham Road.'

'Maar wie heeft ze gestuurd? Zit er geen kaartje bij?' Mijn moeder was zo goed op de hoogte van dat soort dingen.

'Ik neem aan van wel – ik heb nog niet gekeken,' zei ik onverschillig. Maar waar werd dat kaartje normaliter in gestopt? Er was niets van te zien op het cellofaan waarin de bloemen zaten. Misschien was het wel gebruikelijk om het op een steeltje te prikken.

'Laten we ze in de vaas zetten,' zei mijn moeder. Ze was goed in bloemschikken. Dat was haar artistieke aard.

Het was een groot boeket donkerrode rozen – een dozijn. Wie stuurde er nu een dozijn rode rozen naar Harriet Rose? Dat moest een vergissing zijn. Maar precies op dat moment fladderde het kaartje naar beneden in een kleine witte envelop met mijn naam erop, *Miss Harriet Rose*. Mijn moeder en Nana keken toe toen ik de envelop openscheurde en het kaartje eruit nam:

Harriet, de Engelse Roos
Ik hou meer van je woorden dan van je zwijgen.
Kratylos

Dat was het. Geen verdere aanwijzingen. Alleen dat. Ik keek naar mijn moeder of ze een verklaring had. Zij zou er wel een verklaring voor hebben.

'Er zijn drie mogelijkheden. Ten eerste, je hebt een fan – iemand die je gisteravond op tv heeft gezien. Dat is mogelijk maar niet waarschijnlijk. Ten tweede...'

'Wat bedoel je met "niet waarschijnlijk"?'

'Ik bedoel,' legde mijn moeder, heel diplomatiek, uit, 'dat het moeilijk is je zo vlug op te sporen, en ik betwijfel of jouw gemiddelde fan weet hoe hij Kratylos moet spellen.'

'Wie is dat trouwens, die Kratylos?' vroeg Nana, terwijl ze een rozenstengel agressief op zijn plaats zette.

'Een oude Griekse filosoof,' legde ik uit.

'Dan zouden ze hem moeten castreren! Bloemen sturen aan jonge meisjes! Wat is zijn telefoonnummer?'

'Hij is dood, Nana.' Ik probeerde mijn lachen in te houden.

'Dood? Dat verbaast me niets.'

'Of ten tweede,' – mijn moeder begon wat ongeduldig te worden – 'iemand die Kratylos heet, heeft naar het programma zitten kijken.'

'Ik wist het wel!' viel Nana haar weer in de rede. 'Dat soort mensen gaat niet zo een-twee-drie dood.'

'Of ten derde,' – ik wist instinctief dat ze de meest waarschijnlijke mogelijkheid voor het laatst bewaarde – 'ze zijn van iemand die jou kent en bewondert.'

Mijn moeder was niet alleen artistiek en wereldwijs, ze was een genie. Waarom had ik daar niet aan gedacht? De verwijzing naar 'Engelse', de kennis van filosofie, de afkeer van mijn zwijgen, de waardering voor mijn woorden, het was duidelijk! Jean-Claude had de bloemen gestuurd. 'Dat dacht ik ook al,' zei ik, met mijn neus in de rozen in de hoop dat mijn moeder en Nana niet zouden zien dat ik bloosde. 'Wat moet ik ermee doen?' vroeg ik aarzelend.

'Dat mag jij beslissen,' zei mijn moeder. 'Het zijn jouw bloemen.'

Ze had gelijk. Het waren inderdaad mijn bloemen. Het zou eeuwig zonde zijn om me af te reageren op die arme, onschuldige rozen door ze in de vuilnisbak te gooien, wat uiteraard het eerste was dat bij me opkwam. Bovendien vergiste ik me misschien wel. Misschien had iemand anders ze wel gestuurd, iemand die eerzamer was dan een schijnheilige Fransman – geen wonder dat hij twee voornamen had. 'Ik laat mijn gedachten erover gaan, maar voorlopig hou ik ze maar,' zei ik op een toon die er geen twijfel over liet bestaan dat de discussie gesloten was.

Dus bleef het boeket Engelse rozen in een lichtblauwe vaas op de eettafel staan. De Engelse rozen van Harriet Rose. Ik dacht eraan dat ik waarschijnlijk de rest van mijn leven geen andere bloemen dan rozen zou krijgen. Waarom had mijn vader niet Diamond kunnen heten? Dan had ik kleine pakjes gekregen met etiketjes waarop stond: *Harriet Diamond – een juweel van een meisje.* Maar zo was het dus niet. En het had erger kunnen zijn. Hij had Chip kunnen heten.

Ik moet zeggen dat het de mooiste rode rozen waren die ik ooit had gezien. Elke bloem stond op het punt van opengaan en de blaadjes voelden zijdeachtig aan. Er zaten takken met groen tussen, waardoor ze er wild maar ook fragiel uitzagen. Hij had ze vast zelf, speciaal voor mij, uitgekozen.

Iemand als Charlotte zou meteen hebben gebeld om hem te bedanken en ik moet toegeven dat ik dit ook overwoog – maar meer uit beleefdheid dan uit een overweldigende behoefte aan netwerken. Wat me het beste beviel aan het geschenk was dat Jean-Claude, of iemand met een even groot onderscheidingsvermogen, zich had laten beïnvloeden door iets wat ik in mijn interview had gezegd.

Als de blaadjes af gingen vallen, zou ik er een bewaren en het in een exemplaar van mijn *Oneindige wijsheid* drogen. Het was mijn manier om te zeggen: 'Goed gedaan, Harriet. Bis!' Het eerste hoofdstuk van wat was voorbestemd een fascinerend leven te worden was af. Geloofde ik dat echt? Misschien niet, maar het cadeau werd er nog veel spannender door.

Toen ik vanuit mijn slaapkamerraam zag dat er nog een boeket werd bezorgd, schoot ik snel een witte badjas aan om mijn nacht-hemd met Mickey Mouse erop te verbergen en rende naar beneden om de deur open te doen. Mijn moeder was me al voor. Het was een groter boeket dan het eerste, een bos rode, oranje en gele bloe-men, variërend in vorm en omvang, die met een groot rood lint bij elkaar werden gehouden. Ik was onder de indruk. Jean-Claude had stijl. En hij was er niet de man naar om zich zonder slag of stoot af te laten poeieren. Het begon ernaar uit te zien dat een simpel 'dank je wel' onvermijdelijk was. Ik wist dit keer waar ik naar het kaartje moest zoeken.

'Ik zal maar eerst op het kaartje kijken van wie ze zijn,' zei ik met het *savoir-faire* van een prima donna, en ik scheurde het witte en-velopje open: *Het was fijn je te ontmoeten. Bedankt voor je warme gastvrijheid. Bill.*

Bill? Waarom stuurde Bill mij bloemen? De enige gastvrijheid die ik hem had betoond was dat ik hem een kop thee had aangege-ven van het dienblad van Nana, toen hij zijn wijn op had.

'Wat aardig van hem,' zei mijn moeder, en ze nam het kaartje uit mijn hand, 'maar ze zijn niet zo mooi als die van jou.' Ze liep weg met het boeket in haar armen, terwijl ik de vloer afzocht naar het witte envelopje.

Mevrouw Mia Rose: een man had bloemen aan mijn moeder ge-stuurd.

Ik hielp haar bij het schikken van de bloemen in drie grote va-zen. Bij een nadere inspectie ontdekte ik dat er geen rozen bij wa-ren; het was alleen maar een flinke bos goedkopere, vrij ordinaire bloemen, zoals tulpen en gladiolen. Ik had meteen moeten weten dat ze niet van Jean-Claude waren. Alleen een idioot als Bill zou gladiolen sturen. Feitelijk was het een hele opluchting dat ze niet voor mij waren. We droegen de drie vazen de zitkamer in en zetten ze zo onopvallend mogelijk neer. Maar dat was niet gemakkelijk. Onze zitkamer, die er altijd elegant en verfijnd had uitgezien, zag er nu uit als de kleedkamer van een travestiet. Mijn dozijn rode rozen stond op de achtergrond klaar als een regiment soldaten die op het punt stonden een einde te maken aan een straatrelletje. Ik wist niet waar ik moest kijken.

Nana dacht er precies zo over. 'Wat moet dit allemaal voorstellen?' kon ze nog net uitbrengen toen ze de zitkamer binnen kwam lopen. 'Is er iemand dood?'

'Bill heeft ons bloemen gestuurd,' zei mijn moeder tegen haar.

'Niet ons,' corrigeerde ik. 'Jou. Hij heeft jou bloemen gestuurd.'

'Nou ja, ze waren voor ons allemaal bedoeld.'

Dacht ze dat we niet goed snik waren?

'Hoedt u voor de Grieken die met geschenken aan komen zetten,' zei Nana.

'Bill is geen Griek, Nana. Dat was Kratylos.' Nana had niet het voordeel gehad van een klassieke opleiding.

'Voor dat type moet je uitkijken,' zei ze tegen mijn moeder, en ik vroeg me af of het misschien verstandiger was als Nana de pr overnam.

'Ze zijn om haar te bedanken voor haar warme gastvrijheid.' Het was belangrijk dat Nana volledig op de hoogte was.

'Ik zei toch dat je hem geen glas wijn aan moest bieden. Thee en koekjes, dat is het enige wat die types begrijpen.'

Nana had gelijk. De chardonnay had Bill duidelijk een verkeerde indruk gegeven.

Niemand had de moeite genomen te bedenken wat voor impact dit alles op mij zou hebben. Een gesprek over het gevaar van het aanmoedigen van een onbetrouwbaar ogende tv-producer door het ondoordacht aanbieden van chardonnay was nauwelijks wat je op de vroege ochtend verwachtte te horen van je moeder en je grootmoeder. Veertien was een moeilijke leeftijd in een doorsnee familie – het was die dag precies een jaar geleden dat ik tot mijn schrik voor het eerst ongesteld was geworden en dat ik me moest zien te redden met maandverband met vleugeltjes zonder degelijke instructies. Hield mijn familie dan helemaal geen rekening met mijn gevoelens? Waar ging dat heen? Een moeder die met mannen uitging terwijl Nana en ik opbleven tot ze op een redelijke tijd thuiskwam? Hier zou ik niet aan moeten worden blootgesteld. Het deed afbreuk aan haar positie als moeder. Ik moest iets zeggen. Ik wendde me vastberaden tot mijn moeder en zei: 'Zou je mijn ontbijt niet eens gaan klaarmaken?'

Ze begreep het. Ik kon het zien aan de manier waarop ze jam op mijn stuk toast smeerde zonder te vragen of ik liever pindakaas wilde. We begrepen elkaar zonder woorden. Kratylos had met zijn pink gewiebeld en alles was weer bij het oude.

17

De winnaar van de wedstrijd om de titel 'Het Gezicht van Londen' zou donderdagavond om zeven uur bekendgemaakt worden. Omdat mijn moeder het verkeerde kanaal had opgenomen, wisten we niet wat voor nummer we moesten bellen om onze stem uit te brengen. Bill had het ons kunnen vertellen, maar Nana en ik vonden het geen goed idee om weer contact met hem op te nemen. Op school hadden de dag na het programma in totaal vier mensen me verteld dat ze op me gestemd hadden – Celia Moore, die een klas hoger zat dan ik en die meestal verstandiger was dan de meesten, Jason Smart, zijn oudere broer Philip en meneer Shaw, de natuurkundeleraar. Zijn stem verbaasde me het meest. Hij probeerde me waarschijnlijk in de richting van de letteren te sturen.

Celia zei dat ze mijn T-shirt mooi had gevonden en dat ik volgens haar de vragen briljant had beantwoord. 'Je was echt cool,' had ze letterlijk gezegd. Ik mocht Celia Moore wel. Ik zou haar een gesigneerd exemplaar van mijn boek geven. Zij zou het in ieder geval begrijpen. Niemand anders op school had er met een woord over gerept dat hij of zij me op de televisie had gezien, hoewel ik kon merken dat een heleboel me wel hadden gezien aan de manier waarop ze stonden te fluisteren en te ginnegappen als ik langsliep.

Mijn moeder zei dat het een goed teken was – het betekende dat ik het buitengewoon goed moest hebben gedaan – maar Nana zei dat ik de volgende keer naar ze toe moest gaan om te vragen of ze een foto met handtekening wilden hebben. Ik heb er lang en diep over nagedacht en ben toen tot de conclusie gekomen dat ik een hele lichte voorkeur had voor de reactie van mijn moeder, hoewel ik die van Nana achter de hand hield voor een eventuele noodsituatie.

Maar wat het stemmenverloop betreft zag het er niet veelbelovend uit. Zelfs de solozanger die vroeger in een klassieke jongensgroep had gezeten, zou meer dan vier stemmen krijgen van de andere leden van de groep. Natuurlijk was Bill er ook nog. Hij zou waarschijnlijk op mij stemmen, alleen al om mijn moeder nog eens te zien. Ja, van Bill was ik vrij zeker, hoe meer ik erover nadacht. Ik denk dat mijn moeder hem daarom die wijn had aangeboden. Ze was niet zomaar een publiciteitsagente. Kijk maar naar wat ze allemaal al had bereikt: artikelen in kranten, optredens voor radio en tv, het was vast alleen nog maar een kwestie van tijd, voordat ik de grote man zelf ontmoette, Parky. Dat zou Nana leuk vinden. Ze had altijd een zwak plekje voor Parky gehad, ook al had hij geen acte de présence gegeven bij de feestelijke presentatie van mijn boek. Maar dat was niet het belangrijkste. We hadden eerst nog even te maken met de wedstrijd om de titel 'Het Gezicht van Londen' en de prijs van tienduizend pond die de winnaar vrij mocht besteden.

Waaraan zou ik het geld besteden als ik zou winnen, wilde een onderzoeker die Jackie heette weten toen ze belde op de avond voordat de uitslag bekend werd gemaakt. Het was een moeilijke vraag om te beantwoorden, met een mond vol pizza quattro stagioni en een ansjovisgraatje tussen mijn tanden. Jackie vroeg of haar telefoontje ongelegen kwam, maar als een echte beroeps zei ik dat ik net een quattro stagioni op had en dat ze juist uiterst gelegen belde.

'O, ik ben gek op Vivaldi!' riep ze uit.

'Die heb ik nog nooit geprobeerd,' antwoordde ik.

Wat zou ik met tienduizend pond doen? Ik zou graag hebben gezegd dat ik het geld aan een goed doel ging schenken, maar ik wilde niet klinken als een deelneemster aan de Miss World-verkiezing en dus zei ik: 'Ik wil er niet over nadenken voor het geval ik niet win.' Wat waar was. Nana noemde zoiets 'het noodlot tarten', iets wat ze ook altijd zei wanneer we plannen maakten wat we gingen doen als mijn vader weer beter was.

Jackie wenste me succes met de uitslag. 'Ik zal voor je duimen,' zei ze, en ze wilde net ophangen toen ik haar naar het telefoonnummer vroeg waar je je stem kon uitbrengen.

'Bedoel je dat je nog niet hebt gestemd?' Ze klonk verbaasd. Moest ik daar iets achter zoeken? Had ik al zo veel stemmen dat ze dacht dat we wel gestemd moesten hebben, of was de reden voor mijn gebrek aan stemmen opeens duidelijk? Maar voordat ik haar kon vragen hoeveel stemmen ik al had, was ze weg.

We hadden nu wel een nummer dat we konden bellen, en dat was tenminste iets. Mijn moeder belde eerst, daarna Nana, en ik stemde het laatst. We hadden besloten dat het genoeg zou zijn als we ieder één stem uitbrachten. Ik wilde niet een te gretige indruk maken en bovendien, als ik zou winnen, dan zou ik dat op een eerlijke, democratische, objectieve manier willen doen.

Ik nam dinsdag vrij van school, vanwege misselijkheid. Het was best een beetje waar – telkens als ik aan zeven uur 's avonds en aan *London Live* dacht voelde ik me misselijk. Nana maakte tussen de middag een lekkere kop kippensoep voor me klaar, maar na één lepel kon ik niet meer verder eten. 'Je voelt je vast niet lekker,' zei ze, toen ze mijn soepkop weghaalde. 'Waarom ga je niet even liggen? We roepen wel als het begint.'

Als het begint! Waarom moest ze nu per se 'als het begint' zeggen? Dat probeerde ik nu net te vergeten. 'Ik kan niet liggen, Nana,' zei ik bits. 'Ik ben veel te zenuwachtig.'

'Ga dan wat schrijven,' stelde mijn moeder voor. 'Ik heb je sinds de publicatie van je boek nog niets zien schrijven. Wordt het geen tijd om aan je volgende boek te beginnen?'

Raar genoeg was het nog niet bij me opgekomen dat er ooit andere boeken van mij zouden worden uitgegeven. Het was net alsof ik *De oneindige wijsheid van Harriet Rose* was gewórden. Wat zou ik nog meer kunnen schrijven? Mijn autobiografie? Daar was ik nog te jong voor. Misschien een roman. Ik had gehoord dat je met romans flink wat geld kon verdienen. Ik ging op mijn bed zitten en probeerde een interessante plot te bedenken, maar het enige wat in me opkwam was een verhaal over een veertienjarig meisje van wie de vader was gestorven en die was opgevoed door haar moeder en haar grootmoeder in een bescheiden huis in Kensington, van wie een boek werd uitgegeven en die in één klap succesvol werd, dit tot grote vreugde van een knappe Fransman die achter haar aan had gelopen vanaf het moment dat zij hem verward had met een dolfijn. Dat werd niks. Waarom zag ik het niet onder ogen? Ik moest wel reëel blijven. Ik was gewoon de zoveelste talentloze tiener. Ik had de stemmen van de kijkers van *London Live* niet nodig om te weten dat ik een mislukking was. Dat wist ik zelf al.

Ik stopte mijn pen weer terug in het lusje aan de zijkant van mijn notitieboekje en ging naar beneden, waar Nana in de weer was met thee en appelflappen. 'Je voelt je vast beter als je er hier eentje van op hebt,' zei ze, en ze duwde me een bordje in mijn hand. Hoe kon ik 'nee' zeggen tegen een zelfgebakken appelflap van Nana? Dat stond op één lijn met de mededeling tegen de eerwaarde vader in de Kerk van de Onnozele Kinderen dat ik niet in God geloofde. Ik moet toegeven dat ik me na mijn tweede een stuk beter begon te voelen. Ik bleek zelfs nog met mijn moeder grapjes te kunnen maken over de deelnemers aan *De Zwakste Schakel*. Voordat ik het wist was het zeven uur, en dat betekende dat *London Live* ging beginnen. We hadden ditmaal alle drie de video gecontroleerd en Nana kreeg een spreekverbod opgelegd dat gold tot het einde van het programma.

'Ik vind het een idioot idee – wij met z'n drieën op de bank, zonder iets te zeggen, net als de drie aapjes,' klaagde ze. Mijn moeder zei dat ze zich beter kon vergelijken met de wijze oude uil die in de eik woonde. Dat kwam kennelijk op een positieve manier overeen met haar zelfbeeld, want daarna zei ze niets meer.

Jackie had het ons goed verteld. De uitslag kwam pal voor het eind van het programma, toen er korte stukjes werden getoond uit de interviews met de zes deelnemers. Ik was als tweede aan de beurt na een groep amateuristische linedancers uit East Sheen die in hun eigen onderhoud hadden voorzien op een rondreis door Noord- en Zuid-Amerika waarbij ze samen een kleine honderd kilo waren afgevallen met het Atkinsdieet.

'Moet je dat mens rechts zien! Die heeft benen als boomstammen!' fluisterde Nana keihard, alsof dat niet telde als praten.

'Sst!' smeekte mijn moeder. 'Nu komt Harriet.'

Het was een clip waarin ik uit mijn Meditaties voorlas, en dat stukje hadden we de vorige keer gemist. 'Het is een drukbevolkte plek, vol geluid en praten en lachen, steeds weer anders naargelang de muren zich uitbreiden om nieuwe ideeën en overtuigingen in zich te bergen. Ik ken deze plek omdat ik mijn hele leven al binnen de grenzen ervan vertoef. Ik heb de plek gezien als hij succes had en ook als hij geen succes had en daarna opnieuw begon. Ik heb hem gevolgd tijdens de vele veranderingen van leven en dood, droefheid en vreugde. Ik ken deze plek binnenstebuiten en van alle kanten. Want deze plek die ik beschrijf is mijn geest.'

Toen ik omkeek zaten mijn moeder en Nana te huilen. Het bracht me even in verwarring. Ik had gedacht dat ik het tot dan toe helemaal niet zo slecht had gedaan. 'Ik heb mijn best gedaan,' zei ik in een poging om hun wanhoop wat te verlichten. 'En als ze het niet mooi vinden, nou, het zal me een biet wezen. Er zijn nog zat andere mensen in de wereld die het wél zullen waarderen.'

Ik weet niet precies hoe, maar het was me gelukt om hun tranen te veranderen in lachen. We waren er klaar voor!

'Misschien kan het geen kwaad als we alle drie nog één stem uitbrengen?' stelde mijn moeder met een aarzelende blik in mijn richting voor.

'Ik denk niet dat dat kwaad kan,' stemde ik in. Toen tikten we alle drie het nummer op onze mobieltjes in en drukten de volgende vijf minuten op de herhalingstoets totdat er werd aangekondigd dat de lijnen dicht waren.

'Wat gebeurt er nu?' De generatie van Nana was niet gewend aan telestemmen. In haar tijd hadden ze het nog moeten doen met een applausmeter.

'Ze tellen de stemmen bij elkaar op,' legde mijn moeder uit.

'Dan kunnen we hier wel uren zitten!' zei ze, vol afgrijzen bij het vooruitzicht de rest van de avond stilletjes op de bank te moeten zitten terwijl ze in de keuken met het avondeten bezig had kunnen zijn.

'Ze zijn er in een minuut mee klaar,' zei ik.

'Een minuut? Denk je nou echt dat zo'n uitslag betrouwbaar is? Zelfs die vrouw van dat middagprogramma op de andere zender kon niet zo vlug optellen. Het is doorgestoken kaart!'

'Nu zijn we toe aan waar we allemaal op hebben gewacht – de uitslag van onze wedstrijd om de titel "Het Gezicht van Londen".' Onder het praten maakte de vrouw de envelop open met de naam van de winnaar.

'Alleen al de naam opschrijven en die in een envelop stoppen kost zo veel tijd,' ging Nana verder. 'Denken ze dat we niet goed bij ons hoofd zijn?'

De vrouw keek naar het papiertje, zag welke naam erop stond, grijnsde en zei niets. Dat had ik al talloze keren gezien: het was een tactiek waar ze allemaal gebruik van maakten om de spanning op te laten lopen. Maar ik trapte daar niet in. Ik was geen marionet van de media die ze op die manier konden manipuleren.

Misschien begon het cynisme van Nana vat op mij te krijgen, maar ik had er genoeg van. Ik stond op om de kamer uit te gaan.

'Harriet!'

'Ja?' vroeg ik. 'Wat is er?' Ik had besloten dat ik in plaats van met 'Waarom?' me in het vervolg wat meer bezig zou houden met 'Wat?'. Je kwam er sneller mee ter zake.

'Ik zei niets,' zei mijn moeder, en ze keek naar Nana, die voor de verandering als een wijze, oude uil rustig in een hoekje zat. Toen we ons weer omdraaiden keken we recht in het gezicht van de grijnzende vrouw op *London Live*.

'Gefeliciteerd, Harriet! Een zeer terechte winnares! We verheugen ons erop jou de prijs te mogen overhandigen.'

18

De *Kensington and Chelsea Messenger* was er die avond het eerst. Ik herkende de journalist van bij het schoolhek, dus leek het wel terecht om hem binnen te laten. 'Maar je moet hem geen wijn aanbieden,' waarschuwde ik mijn moeder toen ze de voordeur opendeed.

We zaten nog maar net toen er weer werd gebeld. De *Pimlico Press* werd de deur gewezen, samen met de *Hammersmith Daily* – mijn moeder gaf hun te verstaan dat ze nooit van ze had gehoord, wat natuurlijk niet waar was: we hadden hun negatieve kritieken in ons rode leren album geplakt. Dat was haar bij al die opwinding vast ontschoten.

Wat we niet hadden verwacht, was dat de landelijke bladen ook hun opwachting maakten. Eerst de *Mail*, al snel gevolgd door de *Sun*, de *Mirror*, de *Express*, de *Telegraph*, *The Times* en de *Independent*. Er waren er zoveel dat ze met geen mogelijkheid met z'n allen in onze zitkamer pasten, dus ving mijn moeder hen bij de deur op en vroeg dan of ze wilden wachten met de woorden: 'Ik neem contact op met Harriet om te zien of ze met u wil praten.'

Het was belangrijk hoe ik de vragen van de journalist van de *Kensington and Chelsea Messenger* beantwoordde, en niet alleen omdat de krant bij Jean-Claude in de bus zou liggen. Hun journalist had grote indruk op me gemaakt vanaf het moment dat hij me buiten het schoolhek had begroet en zo'n positief artikel over me had geschreven. Hij stelde zijn vragen beleefd, op zo'n manier dat ik automatisch beleefd antwoordde. Toen hij bijvoorbeeld vond dat ik er zenuwachtig uitzag, bood hij mij een kauwgumpje aan, en toen ik uiteraard antwoordde dat ik daar geen behoefte aan had, zei hij dat het geen probleem was en stopte hij het weer terug in zijn zak.

Had ik verwacht dat ik zou winnen? Nee. Wat ging ik met het geld doen? Ik bedacht nog wel iets. Wat waren mijn plannen voor de toekomst? Doorgaan met schrijven en met het verkopen van mijn boeken. Zag ik Londen als een stad waarin nieuwe talenten werden aangemoedigd? Nu wel. Hoe zou ik Londen willen veranderen? Ik ben een filosoof, geen politicus.

Het werd pas vervelend in de portiek, want er hing daar een sfeer die je alleen maar kon beschrijven als krankzinnig. Ik telde zestien mannen en vrouwen, sommige met camera's, andere met notitieboekjes, die allemaal vochten om mijn aandacht met vragen die ik allang had beantwoord.

'Verwachtte je dat je zou winnen?' vroeg een vrouw.

'Ja,' antwoordde ik.

'Wat ga je met het geld doen?' informeerde een man.

'Uitgeven.'

'Zie je Londen als een stad waarin nieuwe talenten worden aangemoedigd?'

'Niet speciaal.'

'Hoe zou je Londen willen veranderen?'

'Ik zou alle politici vervangen door filosofen.'

Twee uur later, toen de *Guardian* kwam en de anderen waren vertrokken, werden er weer precies dezelfde vragen op me afgevuurd. Die herhaling zou iedereen, behalve misschien een accountant of een verzekeringagent, de keel uit gaan hangen. Onderhand bestonden mijn plannen voor de toekomst eruit dat ik van school af ging en een privéleraar in dienst nam, een chauffeur ging inhuren, door het hele land ging reizen om boeken te signeren, op Downing Street de premier zijn eigen gesigneerde exemplaar ging overhandigen en dat ik mezelf kandidaat zou gaan stellen voor het parlement.

'Voor welke partij?'
'Dat heb ik nog niet besloten.'
'Wat zou je veranderen?'
'De wereld.'
'Had je verwacht te winnen?'
'Dit is nog maar het begin.'

Mijn moeder en Nana hadden er genoeg van gekregen en waren naar bed gegaan. Ik kon Nana horen snurken toen ik ten slotte de voordeur dichtdeed. Mijn leven maakte uiterlijk een enorme verandering door, maar in de grond bleef alles hetzelfde – dat stond in mijn Meditatie 37. Ik ging naar mijn kamer en probeerde te slapen, maar de vragen die ze hadden gesteld bleven maar rondspoken. Mijn hoofd zat vol met 'wat' en 'hoe' en 'wanneer'. Uiteindelijk knipte ik mijn bedlampje aan, haalde mijn notitieboekje tevoorschijn en schreef:

Waarom vraag ik 'Waarom?', steeds weer?
Waarom niet: wie, wat, waar, wanneer?
Het zoek naar de mens zijn motivatie
verschaft mij boven alles inspiratie

Sinds ik kan denken wil ik wéten,
ik ben van 'Wáárom?' haast bezeten
Mijn speurtocht blijft maar zonder resultaat,
moet ik het daarom op gaan geven,
de deuren sluiten, blind gaan leven?
Dat nooit! Zolang mijn geest nog openstaat.

Voordat ik mijn lampje kon uitknippen, hoorde ik hem weer – de bel. Ongetwijfeld een journalist die er wat langer over had gedaan om het verhaal op te pikken. Dit was echt te gek. Zelfs een aantrekkelijke veertienjarige had haar schoonheidsslaapje nodig.

Ik rende de trap af en gluurde door het kijkgaatje, maar het was te donker om de journalist te kunnen zien. Ik zou de deur hebben opengemaakt, zover als de veiligheidsketting het toeliet, maar ik had mijn rode katoenen nachthemd met de bijpassende bedsokken aan en daarom liet ik hem op slot zitten. Niets aan te doen. Dan moest hij de volgende keer maar wat alerter te zijn.

Ik keek toe hoe hij op een brommer stapte die hij onder een lantaarn had laten staan. Ik kon hem nu duidelijk zien. Hij had een zwart-wit gestreept rugbyshirt aan en een donkerblauwe spijkerbroek, en je kon zijn zwarte haar nog zien nadat hij zijn helm op had gezet. Toen zag ik het pas: het was geen journalist die daar de straat uit reed, het was Jean-Claude.

19

De volgende dag stonden de kranten vol met mij. Ik stond zelfs op een paar voorpagina's. 'Harriet Rose, de Engelse Roos' was een populaire kreet bij de sensatiebladen, terwijl de *Independent* de voorkeur gaf aan: 'Een nieuw talent met een aloude boodschap, het Gezicht van Londen geeft het woord "Brits" een nieuwe betekenis.' In de *Mail* stond dat 'ik een potentiële ster was, maar wel een met normen en waarden, wat veel goeds beloofde voor de toekomstige jeugd van Londen'. De *Mirror* zei: 'De Londenaren hebben niet alleen met hun ogen en oren gestemd, maar ook met hun hersens.' *The Times* zag me als 'een eclectische mengeling van zelfvertrouwen en onzekerheid, van wijsheid en naïviteit'. Ze hadden zich waarschijnlijk laten beïnvloeden door het WAAROM? op mijn T-shirt. Vreemd genoeg beschreef de *Guardian*, die zich als laatste had gemeld, me als een 'vroegwijze tiener die lijdt aan hoogmoedswaanzin', maar zoals mijn moeder altijd tegen Nana en mij zei: wie luistert er nu naar de mening van iemand die in de minderheid is?

Voor deze ene keer had mijn moeder ongelijk. De *Guardian* was kennelijk de enige krant die er op school werd gelezen. Ik had geen idee dat het zo'n populaire krant was, zelfs bij overbevoorrechte kinderen als Charlotte Goldman. Ik verwachtte toch minstens dat haar vader in *The Times* had gelezen over 'mijn zelfvertrouwen en onzekerheid, wijsheid en naïviteit', maar nee: het enige waarover ik de volgende dag steeds maar weer hoorde fluisteren en zelfs schreeuwen was 'die vroegwijze Harriet met haar hoogmoedswaanzin'. Ik begon me af te vragen of ik die andere artikelen had gedroomd, totdat eindelijk, toen de dag al bijna voorbij was, Celia Moore naar me toe kwam en zei: 'Goed zo, Harriet. Ik dacht wel dat je zou winnen. Je was beter dan de anderen.'

'Dank je wel, Celia,' zei ik. 'Vind je dat echt?"

'Absoluut,' antwoordde ze alsof ze het echt meende. 'Wat zul jij blij geweest zijn, vooral met dat artikel in *The Times*.'

'Dat was best goed, hè?' antwoordde ik op luide toon – er liepen net een paar andere leerlingen langs.

Ik wist dat Celia Moore zich niet bedreigd zou voelen. Hoe zou ze ook, met borsten zo groot als die van haar? Ik barstte bijna in tranen uit. Misschien omdat mijn normen en waarden 'veel goeds beloofden voor de toekomst van de jeugd van Londen'? Waarom liepen er toch meer meisjes als Charlotte Goldman op de wereld rond dan meisjes als Celia Moore? Maar als de rest van de school een minderheid kon geloven, dan gold dat ook voor mij: Celia Moore had gelijk. Ik was veel beter dan de rest. Ik had de overwinning verdiend.

Betekende beroemd zijn niet meer dan dit? Dat je een mikpunt voor anderen was om over te roddelen? Mijn leven zou nooit meer hetzelfde zijn. Of ik het nu leuk vond of niet, ik zou moeten wennen aan het beroemd zijn en aan het feit dat ik anders was dan de rest.

Maar de woorden van de *Guardian* bleven de rest van de dag in mijn hoofd zoemen. Die avond besloot ik om 'vroegwijs' op te zoeken in een zakwoordenboek, zodat er geen misverstand kon blijven bestaan over de precieze belediging waarvan ik het slachtoffer was. Er stond: 'Vroegwijs: voortijdig ontwikkeld of gevorderd in een vermogen of neiging'!

Dus zocht ik 'vermogen' op om zeker te weten welk deel van mij zogenaamd voortijdig ontwikkeld was.

'Vermogen: fysieke of mentale vaardigheid.'

Ik haalde mijn notitieboekje tevoorschijn en schreef de volgende Meditatie op:

Ik gebruik nooit woorden die ik niet begrijp,
Zo vermijd je misverstanden.
Zoals iemand 'vroegwijs' noemen, terwijl het woord dat je
zou moeten gebuiken 'reflectief' is.
Of denken dat iemand 'overmoedig' is, als ze tot tien moeten
tellen om niet te gaan blozen.
Of 'gevorderd' omdat ze goede literatuur verkiezen boven
dure damesbladen.
Of zeggen dat ze 'voortijdig ontwikkeld' zijn als ze nog geen
beha nodig hebben.
Ik zal mezelf zijn, hoe je me ook beschrijft.
Een buitenbeentje dat niet bang is om anders te zijn.
En wat kan het mij nou schelen als je me niet begrijpt?
Wat me wel kan schelen is dat er mensen in de wereld zijn die
ik liefheb en respecteer, die me wél begrijpen.

20

Ze stuurden een auto om me naar de studio's van *London Live* te brengen, waar ik de middag daarop – gelukkig was dat een zaterdag – de cheque zou krijgen overhandigd. Jackie had gezegd dat ik live gefilmd zou worden en dat ik de hele tijd moest glimlachen en blij kijken. Ik vroeg of ze met Bill had gepraat, en zij antwoordde dat ze wist hoe intimiderend filmcamera's konden zijn als je er niet aan gewend was. Ik zei dat dat ook gold voor mensen, maar zij lachte alleen maar alsof ik iets leuks had willen zeggen.

Mijn moeder en Nana vergezelden me. We hadden nog even overwogen of we Nana thuis zouden laten, maar zij stond erop dat mijn moeder een chaperonne nodig had. 'Mijn moeder?' zei ik. 'Het gaat hier om mij, niet om mijn moeder. Het is mijn prijsuitreiking. Dan ben ik toch degene die een chaperonne nodig heeft?' Ik denk dat ik ongesteld moest worden. Normaal gesproken zou ik meteen in de gaten hebben gehad dat Nana over Bill inzat. Maar nu was er eerst nog een stiekem knipoogje voor nodig, toen mijn moeder de andere kant op keek. Nana was in dat soort dingen heel alert. Het feit dat ze Hoofd Verkoop was, had haar nog alerter gemaakt. Ik wou dat ik me alert voelde. Ik voelde me als een lichtelijk opgezwollen tiener met zere tepels en een ondraaglijke trek in chocola, en in cheese-and-onion-chips.

Ik had mijn winnende, zwarte T-shirt met WAAROM? weer aan gewild omdat me dat logisch leek, maar mijn moeder zei dat ik iets anders aan moest trekken. 'Jouw karakter heeft zo veel verschillende facetten, Harriet,' zei ze. 'Waarom zou je dit keer je lieve, vrouwelijke kant niet eens laten zien?'

'Bedoel je dat ik er gisteren niet lief en vrouwelijk uitzag?' vroeg ik. Objectiviteit is altijd belangrijk voor me geweest.

'Je ziet er altijd lief en vrouwelijk uit, wat je ook aantrekt,' antwoordde ze met een glimlach.

'Waarom zei je dan "dit keer"?'

'Omdat je bij de vorige gelegenheid heel terecht de leergierige, onderzoekende, bespiegelende kant van je karakter naar voren wilde laten komen. En daar ben je in geslaagd. Dus dacht ik dat je dit keer misschien je schoonheid, je onschuld en je gratie zou willen laten uitkomen.'

Hoe had ik nou het advies van een pr-genie als mijn moeder in twijfel kunnen trekken? Natuurlijk had ze gelijk – ik was niet alleen maar een denkende adolescent. Mijn lichamelijke kant was ook belangrijk – zelfs René Descartes had beseft dat hij het probleem van lichaam *en* geest moest oplossen. 'Wat denk je van die witte linnen shorts en een wit T-shirt met daaroverheen mijn gebloemde chiffon bloes?' stelde ik voor.

'Perfect!' riep mijn moeder uit. 'En ik heb een klein cadeautje voor je gekocht dat je erbij kunt dragen. Het is bij wijze van felicitatie, Harriet, van mij – en van je vader.' Ze reikte me een klein pakje aan, verpakt in zilverpapier met een bijpassend lintje eromheen. Er zat een klein doosje in, het soort dat wil uitstralen dat omvang niet alles is.

'Dat had je niet moeten doen,' wierp ik tegen, terwijl ik het vlug openmaakte. 'Want je hebt al zo veel geld aan mijn boek uitgegeven.'

Maar toen ik het doosje openmaakte, was ik blij dat ze het wel had gedaan. Het dekseltje ging als een oesterschelp open en daar lag een platina kettinkje met daaraan een medaillon van Sint-Kristoffel. Eerlijk gezegd was ik even vergeten dat ik geen cadeautjes meer wilde hebben. 'Het is prachtig,' riep ik, en ik hield het omhoog om de inscriptie op de achterkant te kunnen lezen.

'Prachtig, net als jij,' zei mijn moeder.

Ik las de inscriptie hardop voor. Er stond: *Iemand die over je waakt*, en dat was precies wat ik wilde. Ik hield mijn haren omhoog en mijn moeder maakte hem om mijn hals vast. 'Vind je dat het vloekt bij mijn friemelkettinkje?' vroeg ik haar – zij kon het weten.

'Ik zou niet weten waarom je nu behoefte zou hebben aan een friemelkettinkje,' antwoordde ze. Maar ik hield het toch om, je kon nooit weten.

'Wat zien wij er chic uit, hè?' zei Nana toen we achter in de lange, zwarte limousine stapten. En ze had gelijk, dat was ook zo. Mijn moeder had een citroengele zijden jurk aan met een doorzichtige zijden overjas, waardoorheen je haar prachtige gebruinde armen kon zien. En Nana had haar favoriete parelmoergrijze broekpak aan en een jasje met twee rijen knopen, met eronder een frisse wit-katoenen bloes waar ze die morgen nog een halfuur op had staan strijken.

'Wat ga je zeggen?' vroeg mijn moeder, toen we gedrieën naast elkaar op de achterbank van de limousine zaten.

'Dat heb ik nog niet besloten,' antwoordde ik snibbig. Ik wist best dat ze me alleen maar een hart onder de riem wilde steken, maar ik kon er niets aan doen. Het was ook niet belangrijk – ze wist dat het kwam omdat ik zenuwachtig was.

Daarom probeerde ze het nog een keer: 'Ze gaan je vast vragen wat je met het geld gaat doen.'

'Vanzelfsprekend!' zei ik, maar ik had er nog helemaal niet aan gedacht. Dat had wel gemoeten. Jackie had het er zelfs al over gehad, voordat ik had gewonnen. Maar ik was een schrijfster – creatief en wispelturig, geen publiciteitsagent. Dus vroeg ik: 'Hoe moet ik daar volgens jou op antwoorden?'

'Wat zou je willen doen met tienduizend pond?'

Het klinkt misschien wat onnozel, maar het was nog niet helemaal tot me doorgedrongen hoeveel geld ik überhaupt had gewonnen. Ze had het niet zo bot moeten stellen. Nu voelde ik me nog veel zenuwachtiger.

'Waarom koop je geen mooie helikopter? Dat zou je vast leuk vinden.'

'Voor tienduizend pond heb je geen helikopter, Nana.'

'Nou, dan doe ik er toch de rest bij. Ik heb nog een paar duizend over van de verkoop van mijn huis.'

'Het is heel lief bedacht,' reageerde mijn moeder diplomatiek, 'maar ik denk dat een helikopter toch wat gevaarlijk is voor Harriet, en we hebben er ook geen plaats voor.'

'Je hebt waarschijnlijk gelijk,' zei Nana peinzend.

'En trouwens,' vervolgde mijn moeder, 'ik denk dat het de bedoeling is dat Harriet het geld besteedt aan iets wat haar talent ten goede komt. Iets waarmee ze het boek kan promoten bijvoorbeeld, zoals een advertentie in een krant of in een tijdschrift – of misschien een reclamespotje op tv.'

'Ik heb een idee!' onderbrak ik haar. Ze hielden meteen allebei hun mond en draaiden zich naar me toe, een aan elke kant, met gezichten die glommen van gretige verwachting.

'Wat dan, Harriet?'

Ik wist dat mijn moeder het als eerste zou vragen. Nieuwsgierigheid was een van haar karaktertrekken. Daarom las ze altijd eerst het einde van het boek om te zien hoe het afliep. Als ik ooit nog eens een roman zou schrijven, waartoe iemand me ongetwijfeld op een dag zou proberen over te halen, dan zou ik ervoor zorgen dat het eind al aan het begin kwam, alleen al om het plezier van mijn moeder niet te vergallen.

'Waarom zou ik het geld niet aan Miss Grout geven?'

'Miss Grout,' herhaalde mijn moeder. 'Bedoel je jouw Miss Grout met die wie-denk-je-wel-dat-je-bent-ogen en die jij-mag-dan-wel-jong-en-mooi-zijn-maar-ik-heb-de-macht-in-handen-mond?'

Ik zag dat mijn idee niet zo aansloeg als ik had gehoopt. 'Ik bedoelde niet dat ik het aan haar zou geven om er iets voor zichzelf voor te kopen,' lichtte ik toe.

'Nou, ik ben blij te horen dat je het geld niet over de balk gaat gooien,' zei Nana. 'Ze zou veel meer dan tienduizend pond moeten uitgeven voordat je er bij haar iets van zag.'

'Waar ik aan zat te denken,' ging ik verder – ik verhief mijn stem een beetje zodat zij wisten dat het tijd werd om weer te luisteren, 'was een schenking aan de school, iets voor bij de ingang, iets wat opvalt zodra je het hek binnengaat, een symbool van wetenschap en cultuur.'

'Wat dan bijvoorbeeld?' vroeg mijn moeder verbaasd – ze wilde altijd meteen ter zake komen.

'Een standbeeld van Harriet Rose natuurlijk. Niet iets overdrevens. Misschien van mij, zittend met een boek in mijn hand en een beschouwende uitdrukking op mijn gezicht.'

Ik moet zeggen dat ik geen lachbuien had verwacht, toen ik een demonstratie gaf van de gezichtsuitdrukking die ik in gedachten had. Ik denk dat het zenuwen waren – we kwamen in de buurt van de tv-studio's.

'Dat is niet aan ze besteed,' was het enige commentaar van mijn moeder toen we uit onze limousine stapten, als popsterren die een concert gingen geven.

'Daar heb je waarschijnlijk gelijk in,' beaamde ik. Ik zou iets anders moeten bedenken.

We werden bij de receptie opgewacht door Victor Darling in eigen persoon, iets waar ik wel even van onder de indruk was. Ik had verwacht dat hij een assistent zou sturen. Maar nee, daar was hij, met make-up en al en met een modieus pak aan.

'Jij bent Harriet Rose, hè?' zei hij, en hij stak een elegante, prachtig gemanicuurde hand uit. 'Het Gezicht van Londen. En wat een mooi gezichtje!'

Bedoelde hij dat neerbuigend? 'Hallo,' antwoordde ik, en ik gaf hem een hand. 'Dit zijn mijn moeder en mijn grootmoeder.' Ik voelde me veiliger toen ik dat eenmaal had gezegd, alsof ik deel uitmaakte van een leger en geen eenzame korporaal was.

'Aangenaam kennis te maken,' zei Victor beleefd tegen hen beiden, maar ik wist zeker dat hij langer naar mijn moeder keek – Bill had het vast over haar gehad. 'Waarom gaan we niet met z'n allen naar de Green Room om even te praten?'

Ik was wel blij met dat voorstel – in ieder geval deed hij geen poging om ons te scheiden. Dus schonk ik hem een glimlach, een heel kleintje maar, het soort waarbij je niet je tanden laat zien, en liep achter hem aan een lange gang door met een heleboel deuren, totdat we bij een helverlichte kamer kwamen met sponzige banken en leunstoelen. Binnen zag het eruit als de vertrekhal op een vliegveld.

'Wijn? Pepsi? Jus d'orange?' vroeg hij.

'Niets voor mij!' antwoordde ik abrupt. Ik had van tevoren bedacht dat ik voorzichtig moest zijn met wat ik zei. Geen drankjes voor mij in de Green Room om me aan de praat te krijgen. Voor mij alleen water, rechtstreeks uit de kraan en meteen mijn mond in, voordat iemand ermee kon knoeien.

'Weet je het zeker, Harriet?' vroeg mijn moeder. 'Je moet geen dorst krijgen – je keel droogt uit en dan kun je niets meer zeggen.'

'Zo zeker als wat,' zei ik, en ik gaf haar een flinke por in haar zij. Dat had niet nodig moeten zijn: ze had er zelf aan moeten denken om mij te beschermen zonder dat ik haar erop hoefde te wijzen.

'Mevrouw Rose? Een glaasje wijn?'

Ik kon haar nog net op tijd een blik toewerpen.

'Eh, nee, dank je, Victor. Later misschien.'

'En...?'

'Zeg maar Olivia.' Nana glimlachte lief, wat betekende dat ze hem aardig vond. Ik voelde me meteen wat beter. 'Heb je ook sarsaparilla? Dat heb ik in jaren niet meer gedronken.'

'Dat denk ik niet, Olivia, maar ik kan het voor je vragen.'

'Nee, nee, geef mij maar gewoon een lekker koel glas water uit de kraan.'

Ik wist wel dat ik op Nana kon rekenen.

Om de stilte te doorbreken vroeg ik: 'Is Bill er niet?'

'Bill? Nee, hij is onze los-vaste verslaggever.'

'Los-vast?' zei Nana. 'Dat kun je aan zijn ogen zien.'

Victor Darling proestte het uit, en daardoor kwam ik tot de conclusie dat Nana en ik ons volkomen terecht de hele tijd al zorgen over Bill hadden gemaakt.

'Jullie hebben de show toch wel eens gezien, neem ik aan?' vroeg Victor.

Ik gaf geen antwoord – ik begreep dat het een retorische vraag was.

'Er is echt niets om je zenuwachtig over te maken.'

Ik vroeg me af hoe hij wist dat ik zenuwachtig was, totdat ik merkte dat ik me stevig aan de arm van mijn moeder vastklemde. Maar die liet ik niet los.

'Het is gewoon een kort gesprekje, meer is het niet, over je leven, je interesses en wie je bent. Je bent een intelligent meisje – je kent dat soort programma's wel.'

Maar was dat zo? De laatste keer dat mij gevraagd was om in het openbaar iets te zeggen over mezelf en over mijn interesses, kon nauwelijks beschreven worden als een succes – met Charlotte Goldman in tranen en Miss Marlowe die mij een overbodig excuus probeerde te ontfutselen, alleen maar omdat ik me een paar misplaatste woorden had laten ontvallen.

'Misschien kunnen we alvast een beetje oefenen?' stelde ik voor aan Victor, die dat een 'uitstekend idee' vond. Met dit steuntje in de rug liet ik de arm van mijn moeder los en ging er wat meer ontspannen bij zitten.

'Waarom vertel je ons om te beginnen niet iets over jouw familie,' was het voorstel van Victor.

Dat was nou precies het voorzetje dat ik in de klas zo node had gemist. Maar Miss Marlowe was geen Victor Darling, ook al had ze wel net zo'n bruin snorretje. 'Ik ben enig kind,' zei ik zacht en ik voelde hoe er iets liefs, iets vrouwelijks over me heen kwam, 'en zowel mijn moeder als mijn vader was ook enig kind. Mijn moeder noemt ons *enfants uniques*. En dus ben ik ook een enig kleinkind.'

Uit mijn ooghoek zag ik hoe Nana trots naar me zat te grijnzen.

'Mijn moeder en Nana zijn mijn enige levende familieleden. Mijn vader is iets meer dan een jaar geleden gestorven en opa niet lang daarna. Mijn andere grootouders waren al dood toen ik geboren werd. Vroeger hadden we een hond als huisdier, maar ook die is doodgegaan.'

Victor zat wat ongemakkelijk op zijn stoel heen en weer te schuiven, alsof hij opeens niet meer zeker wist of hij zo'n soort gesprek wilde. 'Maar waarschijnlijk heb je wel een vriendje over wie je wilt praten?' probeerde hij hoopvol.

Had ik eigenlijk een vriendje? Het was een te complexe vraag om zomaar ter plekke te beantwoorden zonder de gelegenheid te hebben gehad om eerst rustig te reflecteren over het begrip 'vriendje'. Ik had inderdaad geloofd, terecht of onterecht, dat ik er in aanzet eentje had – een uitnodiging voor een etentje, bloemen, een telefoontje, om nog maar te zwijgen over een vrijpostige hand op mijn knie. Maar hield het woord 'vriendje' wel dat soort dingen in? Er moest toch nog wel wat meer bij te pas komen? Een verdere dimensie van nabijheid? Een wederzijdse samensmelting? En ik wist niet beter of Charlotte Goldman had het smeltpunt al gevonden.

'Niet echt,' antwoordde ik aarzelend, en ik kon zien dat Victor niet onder de indruk was van mijn antwoord.

'Maar ze heeft een heleboel bewonderaars,' deed mijn moeder een duit in het zakje, en ze gaf me een por met haar elleboog, alsof ze me nog even op gang wilde helpen.

'Dat verwondert me niets,' zei Victor instemmend. 'Zo'n aantrekkelijk meisje als jij.'

Probeerde hij met me te flirten? Daar was ik niet van gediend, ook al was Victor Darling nog zo populair. 'Ik ben op het moment eigenlijk meer geïnteresseerd in mijn schrijven dan in vriendjes,' zei ik, en ik hield mijn gezicht een heel klein beetje scheef en opzij, zodat hij ook aan mijn profiel kon zien hoe serieus ik het meende.

Victor knikte en zei toen: 'O ja, jouw schrijven.' Het was me gelukt ons gesprek op een positieve manier een meer intellectuele kant uit te sturen. 'Vertel me daar eens wat over.'

Ik had nooit graag over mijn schrijven gepraat – het was een van de redenen waarom ik mijn Meditaties in een schoenendoos had verstopt. Niet dat ik geen waardering had voor de geweldige kans die me in de schoot was geworpen door de publicatie van mijn boek. En ik moest in alle eerlijkheid toegeven dat ik mijn pas verworven status van beroemd zijn niet onprettig vond. Maar om daar nu over te moeten praten met een volslagen vreemdeling, die dat dan daarna overal in de hoofdstad ging rondbazuinen, was een totaal andere zaak.

'Ik geloof in het belang van innerlijke beschouwing,' zei ik, en om de een of andere reden zat ik tijdens het praten strak naar mijn blote knieën te kijken, 'in een ordenen van de geest, een zoektocht naar de dingen die van belang zijn, een onderzoek naar de gecompliceerdheid van het bestaan.'

Hoewel ik er toen verder het zwijgen toe deed, vervolgde ik in gedachten het pad waarop ik was begonnen – hoe ik mijn Meditaties het beste kon omschrijven, of het verstandig was melding te maken van de *Meditaties van Marcus Aurelius* en of Victor dan helemaal de draad kwijt zou zijn, en of de *Meditaties* van Descartes misschien een wat toegankelijker alternatief waren. Maar ik had niet veel tijd voor dergelijke bespiegelingen – Victor Darling was weer aan het woord: 'Ik kreeg net een briljant idee!' zei hij. 'In plaats van Harriet in haar eentje, zouden we jullie alle drie tegelijk kunnen filmen – moeder, Nana en Harriet, de drie generaties. Hoe lijkt jullie dat?'

Tot mijn stomme verbazing zette Nana haar grijs-witte fluwelen hoed af en begon haar krullen met haar vingertoppen in model te brengen. Toen zei ze: 'Hoe wil je me hebben, Victor? Opgewekt of ernstig?' Ik had geen idee waarom ze het zo naar haar zin had.

'Die Nana!' antwoordde Victor. 'En hoe zit het met moeder?'

'Wij verpesten het alleen maar,' was de verstandige reactie van mijn moeder. 'Het is een vriendelijk voorstel, Victor, maar Nana en ik zijn alleen maar hier om Harriet moreel te steunen, nietwaar, Harriet?'

Bij het noemen van mijn naam staarde mijn moeder mij strak aan en sperde haar ogen zo wijd mogelijk open, met een blik die alleen ik kon begrijpen. Ze wilde zeggen: 'In hemelsnaam, Harriet, zit daar niet te zitten alsof je veel liever thuis lekker in je pyjamaatje met een goed boek in je bed zou liggen – zeg iets tegen die man, probeer zijn aandacht vast te houden.' Het was precies de blik die ik nodig had.

'Victor!' zei ik, een beetje harder en levendiger dan daarvoor. 'Heb je niet genoeg aan Harriet Rose?'

Hij keek naar me alsof hij plotseling tot de ontdekking was gekomen wie ik was. 'Overtuig me dan maar!' antwoordde hij uitdagend.

Ik haalde diep adem en zei: 'Ik kan niet tegen mensen die niet menen wat ze zeggen.' Het was het eerste wat in mijn hoofd opkwam. Maar zoals mijn moeder altijd tegen me zei: het gaat om de manier waarop je het zegt. 'En er is iemand die ik best graag mag, maar ik weet niet wat ik moet denken van zijn bermudashort – je kunt erin omhoog kijken.' Ik had blijkbaar onbedoeld op Victors lachspieren gewerkt. 'En ik ben op hem afgeknapt bij de presentatie van mijn boek, omdat hij aandacht schonk aan een pluizenbol van een nitwit die eruitzag als een frambozenmousse.'

Victor had het niet meer. 'Ophouden, Harriet! Genoeg! Je maakt me aan het huilen en dan moet de mevrouw van de make-up mijn foundation helemaal opnieuw doen.'

'Als je huilt, zet je de sluizen van de ziel open,' zei ik. Ik zat in een flow. Het was niet eens een van mijn Meditaties. Ik had hem net bedacht.

'Goh, wat heb jij een talentvolle dochter!' zei Victor tegen mijn moeder, terwijl hij opstond en me meenam naar de make-up voor wat poeder 'zodat je niet zo glimt onder de lichten, schat!'

Het ging fantastisch. Ik was het hele programma vergeten, en ook dat ik zenuwachtig was, totdat hij eraan toevoegde: 'Daar kun je ook je haar doen.'

Mijn haar doen? Hoe zou ik in vredesnaam mijn haar moeten doen? Ik deed mijn haar nooit. Ik had het loshangen of ik stak het op als ik ging zwemmen en mijn gezicht waste. Ik wierp mijn moeder een hulpzoekende blik toe.

'Ze heeft een heleboel haar om te doen – ik kan haar beter even gaan helpen,' zei ze, terwijl Nana er wat van optilde met de woorden: 'Voel eens hoe zwaar dat is.'

Debbie, het meisje van de make-up, zei dat ik nog wat foundation op mijn neus en voorhoofd nodig had om me 'mooi glad' te maken. Nana bracht naar voren dat ik van nature al mooi glad was, maar Debbie hoorde haar kennelijk niet. Vliegensvlug bracht ze de make-up aan met een vochtig sponsje, dat Nana eerst had willen controleren of het niet vies was, terwijl ik in de spiegel toekeek. Niemand had ooit eerder mijn make-up gedaan. Ik hield er eigenlijk niet van. Ik wou dat het voorbij was. Mijn ogen gingen ervan tranen. En ik vond Debbie ook niet aardig.

'Hoe heette je ook alweer?' vroeg ze met een pieperig, onintelligent stemmetje. 'Hilary, toch, hè?'

'Harriet,' antwoordde mijn moeder in mijn plaats. 'Harriet Rose. Jullie zijn aan elkaar voorgesteld – je hebt zeker aan Victors wijn gezeten.' Toen lachte mijn moeder alsof ze een grapje maakte. Maar dat was niet zo. Zij vond Debbie ook niet aardig.

'Heb je geprobeerd een boek te schrijven of zoiets?'

'Ik heb een boek geschreven, ja,' zei ik, en ik keek in de spiegel hoe ik eruitzag als ik praatte.

'Ik ben ook met een boek bezig,' antwoordde Debbie. 'Het is een drama.'

'Zeg dat wel,' zei mijn moeder.

Nana trok een grimas en kwam naast me zitten, toen Debbie

ging kijken of ze een nieuwe borstel voor de poeder kon vinden. 'Duffe trut!' lachte Nana. 'Te stom om haar eigen naam te schrijven.'

Toen Debbie klaar was met mijn make-up en mijn moeder mijn haar had gedaan, kwam Victor Darling terug om ons mee te nemen naar de studio. 'Je ziet er mooi uit, Harriet,' zei hij, waar Debbie nog bij stond.

'We glommen een klein beetje, hè?' piepte Debbie.

'Als een diamant!' reageerde Nana, en Debbie verdween in een wolk van haarlak en nagellakdampen.

De studio was heet en felverlicht en eng. De camera's waren veel groter dan die van Bill en ze bewogen zich als robots op kleine wieltjes over de vloer. De regisseur heette Phil. Hij was jonger dan ik had verwacht. Ik mocht Phil wel. Hij deed zijn best om me op mijn gemak te stellen en hij rook naar een lekkere, kruidige aftershave. 'We gaan een paar keer oefenen, Harriet, totdat je je lekker voelt,' zei hij.

'Dat kan wel even duren,' antwoordde ik. 'Hoeveel tijd heb je?'

Je kon het niet echt flirten noemen, ik probeerde mijn zenuwen kwijt te raken.

'Je doet het vast prima,' stelde hij me gerust. 'Je moet gewoon jezelf zijn.'

Mezelf zijn? Dat was mijn Meditatie 41. Hij moest die gelezen hebben. 'Ik ben mezelf,' zei ik, met een veelbetekenende glimlach die Phil wel zou herkennen. 'Ik blijf wie ik ben, ik ben mezelf, geen wet, verbod of dwang raakt mij. De toekomst is dat wat men niet weet...' Ik liet een pauze vallen om Phil de kans te geven het citaat af te maken, maar dat deed hij niet. In plaats daarvan keek hij naar een cameraman – en fronste zijn wenkbrauwen.

Ik voelde hoe ik knalrood werd en weer begon te glimmen – ik was bang dat Phil Debbie erbij zou halen, dus deed ik wat ik mezelf had aangeleerd als ik voelde dat ik ging blozen: ik deed mijn ogen dicht en telde tot tien.

'Gaat het?' hoorde ik Phil zeggen, maar ik kon niet antwoorden, want ik was pas bij zes.

'Laat iemand in godsnaam een stoel voor Harriet halen. Ze valt flauw!'

Ik was bij tien en deed mijn ogen open. Om mij heen stonden drie bezorgde cameramannen, Nana en een vrouw die ik nog nooit had gezien. Ik deed mijn ogen weer dicht.

Ze loodsten me naar de sofa van Victor, waarop hij elke avond plaatsneemt. Maar het was nog geen zeven uur, het was tien voor zeven. Over tien minuten zouden we live de lucht in gaan en ik had nog niet eens geoefend wat ik zou gaan zeggen. 'Er is echt niets met me aan de hand!' zei ik, maar Phil wilde per se dat ik een vol glas spuitwater opdronk, en ik hou helemaal niet van spuitwater. Ik word altijd duizelig van de luchtbelletjes en ik was al duizelig.

Iemand zei iets tegen me. Ik kon in de verte een stem horen. Ik moest me concentreren. Misschien was het wel belangrijk. Instructies. Aanwijzingen. De cheque.

'Wat zei u?' vroeg ik zo kalm mogelijk.

'Dat we er nu bijna klaar voor zijn.' Het was Phil.

'Zeg maar gewoon wat ik moet doen,' zei ik. Ik probeerde sterk en zelfverzekerd over te komen. 'En waar.'

'Het enige wat je moet doen is naar die coulissen toe lopen en je dan omdraaien en dan door de studio teruglopen naar Victor toe – je weet wie Victor is, hè?'

Natuurlijk wist ik wie Victor was. Ik had een van mijn Meditaties voor Phil opgezegd vanwege een simpel misverstand, maar dat gaf hem nog niet het recht om neerbuigend te doen. 'Ja, natuurlijk,' antwoordde ik een beetje kortaf.

'Dan gaat Victor je feliciteren met de overwinning in de Gezicht van Londen-wedstrijd.'

'Ik weet wel wat ik gewonnen heb!' zei ik lachend. Phils houding begon me op mijn zenuwen te werken, en van zijn aftershave werd ik misselijk.

'Dan geeft hij je de cheque en dan vraagt hij wat je met al dat geld gaat doen.'

'Prima!' zei ik enthousiast. 'Kom maar op!'

Ze telden af naar één, terwijl Victor in de camera staarde zonder een wimper te bewegen en ik in de coulissen stond waar mijn moeder en Nana me in de arm knepen en me bemoedigend toeknikten. Toen hoorde ik zijn stem, en 'Harriet Rose', en 'het Gezicht van Londen', en 'veertien jaar', en 'haar boek'. Het was tijd. Iemand gaf me een zacht duwtje in de rug. Dit was mijn moment.

Ik liep langzaam de studio door, voorzichtig om niet uit te glijden, in de richting van Victor Darling, die daar stond met een uitgestoken rechterhand en met een cheque in de linker. Mijn cheque. Voor tienduizend pond. Rechtstreeks op televisie. Uitgezonden naar de hele hoofdstad van Engeland. Waarschijnlijk zat de koningin te kijken, met prins Philip, en hun corgi's. Ik bleef staan bij de uitgestoken hand en schudde hem. Tot nu toe was alles nog goed gegaan.

'Gefeliciteerd, Harriet! Je hebt de overwinning verdiend.'

Het was precies zoals Phil had beschreven. Toen gingen we op de sofa zitten, precies zoals hij had gezegd, alleen wat dichter bij elkaar dan ik had verwacht.

'En je weet wat ik je nu ga vragen, hè?'

Als hij weer over vriendjes begon, zou ik weglopen. Ik keek hem uitdagend aan en vroeg: 'Nee. Wat dan?'

'Nou, je bent een erg talentvolle, knappe jongedame, Harriet. Het zou leuk zijn je wat beter te leren kennen.'

Wat een lef! Ze waren vast allemaal hetzelfde, die los-vaste journalisten. 'Ik maak geen afspraakjes met oudere mannen,' antwoordde ik streng en ik wierp een blik in de coulissen, waar Nana goedkeurend naar me knikte.

Victor lachte, keek quasi gegeneerd, alsof ik de vraag verkeerd begrepen had, en zei: 'Dan zul je misschien opgelucht zijn als je hoort dat ik je wilde vragen of je ons een van de winnende Meditaties wilt laten horen – als dat tenminste niet telt als een afspraakje!'

Ik gaf hem het voordeel van de twijfel en glimlachte. Hij reikte me een exemplaar van mijn Meditaties aan en ik deed een schietgebedje dat het zou openvallen bij eentje die door de beugel kon – eentje waar mijn vader trots op zou zijn geweest.

'Meditatie 35,' zei ik, en ik begon te lezen:

Ooit kreeg ik geen prijs na het winnen
oneerlijk is 't leven, dat bleek
ze maakten een ander tot winnaar
ik zei niets maar was wel van streek.

Ik smaakte het zoet van de zege
ik verdronk in de roes van succes
ik genoot van het falen van and'ren
ik ging voor de tien, niet de zes.

Maar nu, nu ze mijn zege vieren
vertrouw ik toch niet wat men zegt
want winnen dat is soms verliezen
de lat ligt zo hoog als je 'm legt.

Vermeld je plaats één niet luidruchtig,
wie tweede is heeft al gefaald,
wij zien bij de Grote Finale
pas of het zich uit heeft betaald.

Ik deed mijn boek dicht, zodat Victor zou weten dat ik klaar was. Ik was blij dat ik bij het einde was, niet omdat ik wat ik had geschreven niet mooi vond, maar omdat ik bang was dat mijn stem ging bibberen. Ik had zo gewild dat het goed klonk. De hele tijd onder het lezen had ik moeten denken aan mijn zakloopwedstrijd en aan mijn vader, en aan wat het winnen van deze wedstrijd nu echt voor mij en voor mijn publiciteitsteam betekende. Het boek had niet op een meer passende pagina kunnen openvallen, zelfs niet als een helpende hand me daarheen had geleid.

Phil had zo dicht op mijn gezicht ingezoomd dat ik bang was dat ik nog iets moest zeggen. Maar ik had mijn zegje gedaan en ik was nooit goed geweest in gebabbel. Gelukkig schoot Victor me te hulp. 'Het lijkt bijna ongepast om je hierna nog te feliciteren – dat doet wat afbreuk aan, zeg maar, de eer om jou je cheque te overhandigen.'

'Het spijt me,' antwoordde ik bezorgd. 'Ik kan wel een andere voorlezen als je wilt – er zitten aan het eind ook een paar grappige bij.'

'Nee, nee,' zei Victor. 'Het was heel mooi – een les voor ons allemaal.'

Ik hoopte dat hij het niet sarcastisch bedoelde. Ik dacht van niet, want hij kneep tijdens het praten heel zachtjes in mijn arm.

'En wat ga je doen met het prijzengeld? Kun je ons dat al verklappen?'

Ja, wat ging ik er eigenlijk mee doen? Daar hadden we nog geen besluit over genomen. Ik moest iets zeggen, maar wat wilde ik met al dat geld gaan doen? Wat betekende het echt voor me? Het was een prijs voor een boek dat ik geschreven had, maar dat altijd in het laatje van mijn nachtkastje was blijven liggen als mijn publiciteitsteam, Miandol Books, zich er niet mee had bemoeid. Mijn moeder en Nana. De drie generaties, zoals Victor ons had genoemd toen hij had voorgesteld dat ook zij gefilmd zouden worden. En wat had ik gezegd? Had ik dat idee toegejuicht? Had ik de gelegenheid te baat genomen om de twee mensen die me liever waren dan wie ook op de hele wereld te laten zien hoeveel ze voor me betekenden? Wat was ik voor dochter en kleindochter, al waren mijn Meditaties nog zo diepzinnig? Eentje die zo verstrikt was in haar eigen belangrijkheid dat ze degenen die er in haar leven het meest toe deden verwaarloosde. Maar dat zou niet nog eens gebeuren.

'Ik ga het geven aan mijn uitgever – Miandol Books. Je hebt ze zojuist ontmoet, mijn moeder en Nana. Vind je het goed als ze bij ons komen zitten?' Voordat hij kon antwoorden, zat ik al naar hen te wenken om bij ons op de sofa te komen zitten. Mijn moeder leek wat te aarzelen, totdat Nana haar bij de arm pakte en haar meenam de vloer op. Victor Darling was de perfecte gastheer; hij stond op om hen te begroeten toen ze dichterbij kwamen. De sofa was lang genoeg voor ons allemaal, vooral nadat Victor Nana zover had gekregen dat ze haar grote zwarte boodschappentas op de grond zette. Hoe kon hij weten dat er een half dozijn exemplaren van mijn Meditaties in zaten voor het geval we ondertussen een belangrijk persoon tegenkwamen, iemand als Melvyn Bragg of Michael Parkinson? Niet dat Victor niet belangrijk was op zijn eigen glimmende manier, maar zo is een Hoofd Verkoop nu eenmaal. Altijd op zoek naar een nieuwe markt voor haar indrukwekkende overredingstalenten.

'Welkom, welkom, Mia en Olivia – moeder en oma van ons aanstormende talent,' zei Victor, en het verbaasde me te ontdekken dat hij zo slim was.

'Mijn moeder en Nana hebben mijn *Oneindige wijsheid* uitgegeven,' legde ik trots uit. 'Zij zijn Miandol Books – een afkorting van Mia en Olivia.' Ik wist zeker dat ik mijn moeder zag blozen toen ik dat zei, maar misschien kwam het ook wel door de felle lampen.

Maar Nana bloosde niet. Nana was in haar element. 'Je bent een slimme man, Victor Darling, dat je in de gaten hebt hoe talentvol mijn mooie kleindochter is,' zei ze, en wierp hem een olijk glimlachje toe.

'Nou, ik moet mijn handen in de lucht steken,' zei hij met zijn handen in de lucht alsof we een demonstratie nodig hadden, 'en bekennen dat ik Harriet niet zelf heb uitgekozen. Dat hebben de Britse kiezers gedaan.'

'Maar ik weet dat je het had gedaan als je de kans had gekregen,' drong ze bij hem aan. 'Je gaat me toch niet vertellen dat je je niet een ongeluk hebt gelachen om die linedancers met die dikke benen uit...'

Voordat ze haar zin af kon maken, viel Victor haar in de rede. 'En ik heb begrepen dat jij het Hoofd Verkoop bent, Nana, en jij, Mia, gaat over marketing en de pr.'

'Dat klopt,' zei mijn moeder, en ik was opgelucht om haar stem te horen, 'hoewel we het allebei niet zo moeilijk hebben gehad – het boek spreekt voor zichzelf. Het is prachtig. Een ware afspiegeling van een onschuldige, maar wel wijze geest.'

Ik wou dat ze niet 'onschuldig' had gezegd. Stel dat Jean-Claude keek? Ik klonk net als Alice in Wonderland. Ik frunnikte wat aan mijn gebloemde chiffon bloes zodat hij verleidelijk een schouder vrijliet en zei: 'Ik ben altijd geïnteresseerd geweest in filosofie, vooral in Descartes en in zijn *Méditations*. Op een bepaalde manier is mijn boek, denk ik, een eerbetoon aan hem.' Ik draaide me om en keek tijdens het praten recht in de camera die dreigend mijn richting uit kwam. Zo, die zat.

'En je zei net dat je het prijzengeld graag aan je publiciteitsteam wilde geven,' zei Victor bij wijze van geheugensteuntje – hij had waarschijnlijk niet veel tijd meer. 'Hebt u hier al een mening over, Nana? Enig idee?'

Ik wou dat hij die vraag eerst aan mijn moeder had gesteld, of aan mij.

'Het idee van een leuke helikopter heeft me altijd enorm aangesproken,' opperde Nana.

'Waar kun je een helikopter kopen voor tienduizend pond?' lachte Victor. 'Zeg op, dan koop ik er zelf een.'

Hij had niet op die manier moeten lachen. Dat was onbeleefd. Misschien dachten de kijkers nu wel dat Nana iets doms had gezegd.

'Ik denk dat Nana een tochtje met een helikopter in gedachten had,' zei ik. 'Misschien naar het platteland of zoiets.'

'Of misschien naar zo'n chic hotel in een landhuis?' mengde

mijn moeder zich in het gesprek. 'Zo'n deftig hotel met een park eromheen?'

'Maar dan moet er wel een goed restaurant bij zijn,' voegde Nana eraan toe, en ze likte haar lippen al af bij de gedachte.

'Ja, het moet minstens een gourmet-restaurant zijn,' zei mijn moeder lachend. 'Uiteraard met een paar Michelinsterren.'

'Voor Harriet en haar team is alleen het beste goed genoeg,' stemde Nana in.

'Een zwembad zou ook leuk zijn,' zei mijn moeder dromerig.

'Maar dan wel een binnenbad,' was de voorwaarde van Nana. 'In deze tijd van het jaar stikt het van de muggen.'

'Absoluut,' beaamde PR. 'Misschien een fitnessclub met een sauna en een jacuzzi en een steamroom.'

'Ik zou ook geen nee zeggen tegen een van die voetbehandelingen,' zei Nana dromerig.

'Ik denk dat je reflexologie bedoelt,' antwoordde mijn moeder.

'Nee. Ik zat meer te denken aan chiropodie – ik heb wat last van eelt op mijn voetzolen.'

'Hebben jullie je ooit afgevraagd hoe het zou zijn om door de lucht te vliegen als een vogel tot je bij een plaats komt waar de zon altijd schijnt en ze champagne serveren, gekoeld in zilveren bokalen met lange stelen?'

Ik had alleen maar even het geluid van mijn eigen stem willen horen, zodat ik wist dat ik nog leefde. Per slot van rekening was het bedoeld als een interview met mij. Ik was het prijswinnende Gezicht van Londen, niet Nana of mijn moeder. Ik had de veelgeprezen Meditaties gecreëerd, en dat niet zonder een heleboel hard werken en toewijding en onderzoek naar de methoden van andere filosofen. Ik mocht toch zeker ook wel mijn zegje doen over hoe ik mijn prijzengeld wilde besteden?

Victor keek vragend in mijn richting en ik voelde dat het weerbericht aan de beurt was. 'Ik vrees dat ik jullie plannen even in de war moet gooien, meisjes,' zei hij.

Meisjes? Ik vond het afschuwelijk als mensen dat zeiden. Het klonk zo neerbuigend.

'Maar waar jullie ook voor kiezen, ik weet zeker dat jullie enorm zullen genieten. En nogmaals, goed gedaan, Harriet.'

De camera's lieten onze gezichten in de steek en focusten op Victor, terwijl mijn moeder, Nana en ik werden gesommeerd om van de sofa af te komen door een vrouw die zich ergens in de marge had bewogen, maar die toch kennelijk vond dat ze de leiding over alles van had.

'Volgens mij ging het goed,' fluisterde Nana toen we werden weggeleid.

'Misschien was het een idee geweest om mij een klein beetje meer zeggenschap te geven over wat ik ga doen met wat per slot van rekening mijn geld is,' bracht ik naar voren en daarbij wees ik naar mijn naam op de ietwat verkreukelde cheque in mijn hand. Ik zag aan hun gezichten dat ze daar tot nu toe nog niet zo aan hadden gedacht. Ze hadden zich laten meeslepen door hun opwinding, zoals je dat soms wel vaker ziet. En wat was daar trouwens mis mee als je het in het licht van een groot wereldplan bekeek. Het liet zien dat ze levendige, enthousiaste vrouwen waren die konden genieten, ook al zat het leven niet altijd mee. Hadden we niet genoeg geleden? Hadden we het niet verdiend om ons op een koninklijke manier te laten gaan, ook al was het maar voor een weekend?

'Maar desondanks vond ik jullie ideeën fantastisch!' voegde ik eraan toe. En toen klaarden hun gezichten weer op.

21

De maandag daarop was al even opwindend. We werden de hele tijd gebeld over bestellingen door winkels die niet eens door het Hoofd Verkoop waren benaderd, maar waarvan de eigenaren me op *London Live* hadden gezien. En er waren nabestellingen van winkels die al waren uitverkocht en die meer moesten hebben. Nana nam de telefoon aan. We wisten altijd als het om een bestelling ging, want dan veranderde haar stem als ze zei: 'Ja, u spreekt met Miandol Books – met Olivia.' Dan gooide ze altijd een theedoek in onze richting, of iets anders dat ze toevallig bij de hand had, om ons de kamer uit te bonjouren. Natuurlijk luisterden we altijd aan de deur – voor het geval ze een vraag voor ons had – maar die had ze nooit. Ze was geweldig. Als mijn moeder of ik de telefoon aannam en het was een klant, dan wilden ze nooit met ons spreken – ze vroegen altijd naar Olivia.

Nana had als Hoofd Verkoop maar één nadeel – haar rekenvaardigheid. Die was een ramp, niet alleen de optelsommen op de facturen, die mijn moeder en ik stiekem corrigeerden als ze in bed lag, maar ook het aantal bestelde boeken klopte niet. We hadden het die morgen toevallig ontdekt. Nana zat op te scheppen over de vele boeken die ze had verkocht, en wij telden het precieze aantal op. Tot onze verbazing kwamen we tot de ontdekking dat ze meer dan duizend exemplaren had verkocht van een totaal van duizend.

'Waar dacht je dat die andere boeken vandaan moesten komen?' vroeg ik, en ik telde de aantallen nog eens op met behulp van mijn zakrekenmachine voor het geval ik me had vergist. Maar dat had ik niet. Ik blonk uit in hoofdrekenen. Het was mijn sterke punt, na Engels, filosofie en het lichaam-geestprobleem.

'Ik snap niet waarom jullie je zo opwinden,' zei Nana onverschillig. 'Het is leuk te weten dat ze het willen hebben.'

'We moeten er een stel bij laten drukken,' zei mijn moeder in een poging de sfeer wat te verbeteren.

'Wat gaan we tegen de inkopers zeggen?' vroeg ik. 'Het afgelopen uur is er aan één stuk door gebeld.'

'Nana bedenkt wel iets, hè?' zei mijn moeder hoopvol, en ze wendde zich tot Nana, die druk ramen aan het lappen was.

Nana begon altijd ramen te lappen als ze ergens over inzat. En de kracht die ze botvierde op de ruiten van de zitkamer deden me vrezen dat er nog meer was dat ze ons niet had verteld. 'Hoeveel boeken hebben we nog die we kunnen opsturen?' vroeg ik.

Nana pakte nog een stofdoek en begon met twee handen te poetsen.

'Nana?' zei ik nog eens, voor het geval ze me niet had gehoord. Maar dat had ze wel.

'Geen een,' mompelde Nana tegen haar glanzend schone ruit.

'Geen een?' herhaalde ik.

Nana hield op met poetsen, draaide zich toen om en keek me recht aan. 'Ik heb alle boeken die we nog overhadden al weggestuurd!' zei ze, met de trots van een leeuwin die haar welpen beschermt.

'Waarom heb je dat niet tegen ons gezegd? Je had geen bestellingen op mogen blijven nemen nu we niets meer in voorraad hebben. Het kost weken om het te laten herdrukken,' zei mijn moeder.

'Ik kon niet met al die aardige mensen praten aan de telefoon en ze dan teleurstellen, niet als ze Harriets mooie boek wilden kopen met haar naam op de voorkant en haar prachtige foto.'

'Begrijp ik het nu goed? Je hebt die ongeveer achthonderd boeken al verzonden die over waren na de presentatie en de verkoop op school. Dat betekent dat we er, inclusief de bestellingen van vanmorgen, ongeveer negenhonderd tekortkomen!'

Nana lachte ondeugend. 'Ik weet het – ik ben een verschrikkelijk mens, hè?'

'Nana! Het kost duizenden ponden om al die exemplaren te drukken, ook al zijn er een heleboel besteld. Waar dacht je het geld voor het drukken vandaan te halen?'

'Nou ja, geld is er toch om uit te geven?' was de filosofische reactie van Nana.

'We moeten ze nu onmiddellijk bijbestellen,' besloot mijn moeder.

Het klonk als een verstandig idee, totdat Nana schaapachtig zei: 'Dat heb ik al gedaan.'

Na een tijdje werd duidelijk dat ze nog eens duizend exemplaren van mijn mooie boek had bijbesteld. We belegden een noodvergadering van de raad van bestuur. Ik werd gekozen tot accountmanager en Nana kreeg de leiding over de klantenservice. Ze had er vijfendertig telefoontjes voor nodig met stroopsmeerderij en positieve verhalen om de inkopers met de gedachte vertrouwd te maken dat er een lichte vertraging was opgetreden, maar dat ze hun boeken zeer binnenkort in huis zouden hebben. Oké, we hadden dus geen boeken meer over. Daar kwam het op neer.

'Alleen die van onszelf,' bevestigde mijn moeder.

'En de mijne verkoop ik voor geen geld,' was de bijdrage van Nana, die tranen in de ogen kreeg toen ze onder ogen probeerde te zien wat ze precies had aangericht.

'En je weet zeker dat er niet nog meer bestellingen zijn waar je ons niets over hebt verteld?'

'Dat zweer ik op de ziel van Fred Astaire.'

'Dan moesten we het totaalbedrag van wat we tot dusver hebben verdiend maar eens gaan uitrekenen,' stelde PR voor, wat sterk bijdroeg aan de verbetering van het humeur van het Hoofd Verkoop.

Ik haalde mijn zakrekenmachientje weer tevoorschijn en maakte een paar sommetjes.

Toen ik mijn berekeningen aan hen doorgaf, hapten ze getweeën naar adem. Toen pakte Nana een zakdoekje en veegden we onze ogen af. We konden met recht trots op onszelf zijn.

'Daar moet op gedronken worden!' riep mijn moeder.

Ze kwam de keuken uit rennen met een fles champagne en drie glazen. 'Laten we een toost uitbrengen,' zei ze. 'Op Harriet!'

'Nee, op papa,' antwoordde ik.

We hieven ons glas en Nana zei: 'Ik weet niet waar je bent, maar ik blijf van verre van je houden – Meditatie 34, nietwaar?'

'Ik wist niet dat je het boek ook echt gelezen had, Nana,' zei ik verbaasd.

'Gelezen? Ik zou alle Meditaties uit mijn hoofd kunnen opzeggen als je het me zou vragen!' En we konden aan haar ogen zien dat ze het meende.

Maar toen viel er een schaduw over haar gezicht, en we wisten dat ze aan de exemplaren dacht die ze had besteld zonder het ons te vertellen. Die lieve Nana, altijd zo vastbesloten, zo impulsief, zo trots.

'Het doet er niet toe, Nana,' zei ik geruststellend. 'Echt waar niet.' Maar het deed er wel toe voor Nana. Ze had het gevoel dat ze me had teleurgesteld. Hier moest een flink aantal appelflappen aan te pas komen voordat ze daaroverheen was.

'Ik heb een idee,' zei ik plotseling. 'Ik snap niet waarom ik er niet eerder aan gedacht heb. We kunnen mijn prijzengeld in die herdruk steken. En dan noemen we het een tweede druk. Dat heb je altijd bij de beste boeken. En het zal van de eerste druk een echt collector's item maken. Mensen zullen erom vechten op het internet.'

'Maar jij vond het een goed idee om het geld te besteden aan een luxevakantie, iets speciaals, iets wat je nooit zou vergeten.'

'Ik krijg het uiteindelijk wel terug als de facturen zijn betaald,' antwoordde ik heldhaftig. 'Dan kunnen altijd nog op vakantie gaan.'

Maar mijn moeder bleef weifelen, en Nana zei dat ze al was begonnen met pakken.

'Dan zul je alles weer uit moeten pakken,' antwoordde ik.

We hadden zo nog uren door kunnen gaan als de telefoon niet gegaan was.

'Dat is vast weer een bestelling,' zei mijn moeder, terwijl ze naar de telefoon rende om op te nemen. 'Ik neem hem wel.'

Ik kon aan haar stem horen dat het geen bestelling was – ik hoorde opluchting en niet zozeer de bezorgdheid die ik had verwacht. En ze bleef maar 'geweldig' zeggen en 'fantastisch'. Daardoor sloot ik de mogelijkheid uit dat het Jean-Claude was – bij hem zou ze eerder woorden hebben gebruikt als 'niet beschikbaar' en 'ongelegen'.

Nana en ik luisterden vanaf de sofa in de hoop dat we iets op zouden vangen, maar dat gebeurde niet. Uiteindelijk legde ze de hoorn neer en zei: 'Dat was Jackie van de tv-studio's.'

'Naar jouw manier van praten te oordelen klonk het net alsof we indruk op hen gemaakt hebben,' zei ik.

'Dat hebben we ook wel, denk ik,' antwoordde ze, 'maar daarvoor belde ze niet.'

'Je wilt toch niet zeggen dat ze ons nog een keer in hun programma willen hebben?' opperde Nana, die erg haar best deed om rustig te blijven.

'Ze belde om te zeggen dat iemand ons in de show had gezien en nu met ons in contact wil komen.'

'Zie je wel! Ik zei toch dat we goed waren!' riep Nana. 'Wie was het? Een filmregisseur? Steven Spielberg?'

'Iemand die Christopher Small heet.'

'Nooit van gehoord,' zei Nana, die haar hoopvolle gedachtegang nog niet wilde opgeven.

'Het is een hotelier,' lichtte mijn moeder toe. Voor Nana was het een enorme domper, maar ik vond het juist heel hoopgevend.

'Hij is toch niet de eigenaar van een chic hotel in een parkachtige omgeving met een binnenzwembad en een gourmet-restaurant, hè?' vroeg ik.

'Met twee Michelinsterren,' antwoordde mijn moeder opgewonden, 'en we hoeven geen cent te betalen. Hij en zijn vrouw Fiona willen dat wij dit weekend bij hen te gast zijn. Het enige wat ze ervoor terug willen hebben, zijn een paar fotosessies met mijn verbijsterend mooie en intelligente dochter, waarmee ze reclame kunnen maken voor hun hotel. Het Gezicht van Londen komt naar het platteland vergezeld door haar publiciteitsteam. Wat zeggen jullie daarvan? Wat vind jij, Harriet?'

'Sturen ze een helikopter om ons op te halen?'

'We moeten voor ons eigen vervoer zorgen,' antwoordde mijn moeder.

'Dan gaan we dat doen,' zei ik, en ik wist al bijna meteen hoe. 'Laat dat maar aan mij over.'

22

'Ik heb je zaterdagavond met je moeder en je grootmoeder op de televisie gezien.' Als Charlotte Goldman zich verkneukelde, keek ze je nooit aan. 'Wat zul jij je gegeneerd hebben.'

Ik trok mijn rechterwenkbrauw op om aan te geven hoe verbaasd ik was. 'Gegeneerd?' vroeg ik. 'Waarom zou ik me in vredesnaam moeten generen?'

'Ik bedoelde alleen dat ik je erg dapper vind om er zo mee op tv te komen en dan ook nog aan te kondigen dat je ze met je mee op vakantie neemt.'

'Ga je nog steeds op vakantie met je oma?' Jason blonk uit in het stompzinnig napraten van wat andere mensen hadden gezegd, alsof hij het zelf had bedacht – hij wilde later advocaat worden.

'Waarom niet? Ik geniet van het gezelschap van mijn grootmoeder. Ze is geestiger dan jij!'

Ooit zou ik Jasons opmerking genegeerd hebben, maar nu had ik me voorgenomen om te zeggen waar het op staat. Waarom niet? Wat kon het mij schelen als ze me dat kwalijk namen? Ik was hier om wat te leren, niet om aan te pappen met losers als Jason Smart.

'Je moet niet zo gemeen tegen Harriet doen. Wat kan zij eraan doen dat ze met niemand anders op vakantie kan.'

Wat was ze toch doorzichtig – had niemand van de anderen in de gaten hoe doorzichtig Charlotte Goldman was?'

'Je bent zo verdomd doorzichtig, Charlotte,' zei ik, en ik ging recht tegenover haar staan. Lafaards hebben de pest aan een directe confrontatie – het doet ze denken aan alles wat ze niet zijn (Meditatie 52).

'Ik bedoelde er niets mee – ik wou gewoon aardig zijn, meer niet.' Toen ze dat zei, liet ze haar stem bibberen en keek toen om zich heen om de reacties van de anderen te peilen.

'Trouwens, hoezo is Charlotte doorzichtig?' vroeg Jason, die gauw de gelegenheid te baat nam om de aandacht van zijn eigen opmerking af te leiden.

'Daar moet je zelf maar achter zien te komen, Jason. Zo moeilijk kan het niet zijn, zelfs voor jou niet.'

'Je denkt zeker dat je beroemd bent, alleen maar omdat je op radio en tv bent geweest en in de kranten hebt gestaan?' ging Jason verder. Hij begon steeds harder te praten, omdat hij meende dat hij het gelijk aan zijn kant had.

'Hoort dat er niet bij als je beroemd bent? Dat je op de televisie komt en op de radio en in de krant?' vroeg ik.

'Ja, maar...'

'Maar je vindt het niet leuk dat ik het ben. Dat kun je niet hebben, hè?' vroeg ik. Ik voelde hoe het bloed naar mijn hoofd stroomde. Ik hoopte dat niemand het zag en dacht dat ik me geneerde. Ik geneerde me niet. Ik was woedend. 'En jij ook niet, hè, Charlotte Goldman?'

'Ik denk dat ze ongesteld moet worden.' Charlotte lag plat op haar tafeltje te gniffelen.

Ze had gelijk. Ik moest inderdaad ongesteld worden. Maar hoe wist ze dat? Het was griezelig. 'En jij bent vast een heks!' antwoordde ik, net toen Madame du Bois de klas binnenkwam voor onze Franse les.

Eén keer per week kregen we de opdracht om in het Frans een opstel te schrijven over een onderwerp naar eigen keuze, op voorwaarde dat het iets met Frankrijk te maken had, en dan moest een van ons zijn of haar opstel hardop voorlezen in de klas. Vóór de komst van Charlotte, vroeg Madame du Bois regelmatig aan mij of ik mijn opstel wilde voorlezen, maar nu vroeg Madame het liever aan haar. Volgens mijn moeder kwam dat door een overdreven soort patriottisme, maar Nana zei dat Madame zich daar zelf mee in de vingers sneed.

De achterkant van het hoofd van Charlotte had iets irritants, vooral als ze er zoals nu mee knikte. Het knikken betekende dat ze heel erg over haar antwoord moest nadenken en dat ze druk bezig was met het construeren van knap geformuleerde Franse zinnetjes waarmee ze haar Frans getinte ervaring beschreef. Ik kon me wel voorstellen wat ze aan het opschrijven was: mijn veelbewogen bezoek aan de fitnessclub van de moeder van Harriet en hoe ze de Franse Jean-Claude had ontmoet. Allemaal verteld op haar manier natuurlijk – die onhandige Harriet en haar aanstellerige duikavontuur, die arme Harriet met haar bloedende lip, de hoffelijke Jean-Claude die zich het lot van Harriet aantrok en haar uitnodigde om als vijfde wiel aan de wagen te fungeren op een afspraakje met zijn landgenote.

Ze kon nu ieder moment worden gevraagd om haar opstel voor te lezen aan de rest van de klas. Madame du Bois zou haar dan feliciteren met haar welsprekendheid en haar uitgebreide woordenschat, terwijl wij met de rest van de klas probeerden te reconstrueren waar ze het over had gehad. Niet omdat je het niet in het Engels kon vertalen, maar meer omdat ze zo snel praatte. Ze liet de woorden over elkaar heen buitelen, alsof ze groenten stond te verkopen op een Franse markt. Ik wou dat Madame du Bois er af en toe aan dacht dat er ook nog anderen in de klas zaten. Charlotte Goldman nam schijnbaar bij alle dingen die met Frans te maken hadden een bevoorrechte positie in.

'Charlotte,' riep Madame du Bois toen we onze pen neerlegden in afwachting van wat er komen ging. '*Vous êtes prête?*'

Maar ik was ook '*prête*'. In feite was ik al een hele poos '*prête*'. Plotseling schoten me de woorden van Miss Grout weer te binnen: 'Je vindt het prima als de rest van de klas zijn zegje doet terwijl jij rustig achterin zit – en soms zit je daar kennelijk nog bij te glimlachen ook.'

'Madame du Bois!' Ik sprak op de toon van iemand die zich al veel te lang heeft koest moeten houden. '*Je suis prête aussi.*'

Ik voelde hoe dertig paar verbijsterde ogen me zaten aan te gapen. Ze dachten waarschijnlijk dat ik leed aan de gevolgen van een zonnesteek of van een klap op mijn hoofd. Hadden ze het wel goed gehoord? Had Harriet Rose zich vrijwillig gemeld om in een vreemde taal iets te zeggen in de klas, terwijl er al iemand anders voor was gevraagd? Harriet Rose die altijd op de vraag: 'Zou je je aan de nieuwe leerlingen willen voorstellen?' antwoordde met: 'Nee, eigenlijk niet.'

Madame du Bois gaf aan dat ik verder mocht gaan, met een gezicht waarop aarzeling en ongeloof te zien waren. Het was precies die afwezigheid van stimulans die ik nodig had. Ik stond op en begon vol overgave aan de voordracht van mijn goedgeschreven Franse opstel – hoe ik jarig was geweest, hoe ik de half Franse Charlotte had gevraagd met me mee te gaan naar de fitnessclub van mijn moeder, hoe een onbenullig geplaatst bordje met 'Defect' erop tot mijn ongeluk had geleid, hoe een Fransman, Jean-Claude, me te hulp was geschoten, hoe we met z'n drieën in een Frans restaurant hadden gegeten, hoe ik aan het eind van de avond Jean-Claude had uitgenodigd voor de feestelijke presentatie van mijn boek in de London Portrait Academy, hoe hij me naderhand verscheidene malen had gebeld. Ik vond dat een passend einde van mijn betoog, alleen al vanwege het literaire effect. Als beroepsschrijfster had ik geleerd dat wat je weglaat soms belangrijker kan zijn dan wat je erin stopt. Maar toch was dit het hele verhaal. Zelfs iemand als Charlotte had zich niet welsprekender kunnen uitdrukken.

Toen ik klaar was, ging ik zitten. Ik was niet uit geweest op applaus, maar ik had gehoopt dat mijn inspanningen niet onbeloond zouden blijven, tenminste wat Madame du Bois betreft. Ik had mezelf aan deze mensen blootgegeven. Ik had in een klas gezeten met Charlotte Goldman erin, en ik had bekend dat ik een *liaison dangereuse* had met een Fransman die zij druk bezig was in haar netten te verstrikken. Wat had ik in hemelsnaam nog meer kunnen doen?

'Zo, dat was allemaal heel interessant, Harriet,' zei Madame du Bois ten slotte, 'maar het was eigenlijk de bedoeling dat je een opstel schreef over de oplossing van Descartes van het lichaam-geestprobleem. Heb je aan het begin van de les niet geluisterd? Het is maandag. Dan doen we Franse filosofie.'

Het was de ironie ten top dat ik alles wist over het lichaamgeestprobleem bij Descartes – ik had meer moeite met dat probleem bij mezelf.

'Pech gehad, Harriet,' fluisterde Charlotte toen ze aan het eind van de les langs me heen liep. En toen ik naar een passend antwoord zocht, voegde ze er nog aan toe: 'Ik wist niet dat Jean-Claude je echt had gebeld – dat had je me moeten vertellen.'

Zoals zij de naam van Jean-Claude uitsprak, leek het net alsof ze er voor de spiegel in haar slaapkamer op had zitten oefenen.

'Waarom zou ik het jou verteld moeten hebben?' vroeg ik haar in alle onschuld.

Ze haalde haar schouders op en zei: 'Je hebt gelijk – dat hoefde je ook niet. Maar hij had het me toch wel kunnen vertellen.'

Hoe ik ook achter het woordje 'waarom' stond, ik ging het nu niet gebruiken. Dus volstond ik met: 'Misschien dacht hij dat het je niets aanging.'

Ze leek wat van haar stuk gebracht door mijn botte antwoord. Deze openheid paste niet in haar wereldje van kleinerende opmerkingen en achterbakse streken. Heel even dacht ik dat ze weer haar toevlucht zou nemen tot de tranentactiek, maar als dat al zo was, bedacht ze zich toen ze zag dat geen van de anderen in de buurt was, en zei ze toen maar: 'Ik denk dat Jean-Claude dat zelf wel kan beslissen, hè?'

'Je hebt gelijk,' antwoordde ik, haar woorden van daarnet naapend. 'Dat is ook zo.' Ik haalde mijn schouders op, liep door, maar zei toch nog vlug: 'Net zoals Jean-Claude ook zelf moest beslissen dat hij mij een dozijn rode rozen stuurde.'

Ik had het nog niet gezegd of ik had er al spijt van. Ik moest me niet op de kast laten jagen door zo'n nitwit als zij. Maar zelfs God ergerde zich wel eens – waarom zou er anders een stroomstoring zijn geweest op de dag van de prijsuitreikingen midden tijdens de misselijkmakende speech van Felicity Wainwright waarin ze iedereen bedankte? Stel dat Jean-Claude me die rode rozen helemaal niet had gestuurd? Stel dat er iemand anders was die mijn woorden verkoos boven mijn zwijgen? Iemand die een van die artikelen in de plaatselijke kranten had gelezen waarin ik in verband werd gebracht met Kratylos? Misschien was het wel de journalist van de *Kensington and Chelsea Messenger* zelf. Per slot van rekening had hij me wat van zijn kauwgum aangeboden.

Ik wilde niet meer naar school. Ze hadden wat tegen me sinds ik beroemd was geworden. Ik kon niet huichelen, want zoals ik had beklemtoond in Meditatie 36: 'Het heeft geen zin jezelf voor de gek te houden, want jezelf voor de gek houden is gekte in het kwadraat.'

Het was een onderwerp waar ik nodig met mijn moeder over moest praten, en wanneer kon ik dat beter doen dan de volgende morgen toen ze me ontbijt op bed bracht, omdat ik me niet goed genoeg voelde om naar school te gaan?

'Ik wil niet meer terug naar school.'

'Waarom niet?'

'Ze mogen me niet meer nu ik beroemd ben.'

'Als je aan Roem en Ramp het hoofd biedt, en deze twee bedriegers om het even vindt...'

De woorden klonken bekend, maar omdat het nog heel vroeg op de morgen was, kon ik niet meteen plaatsen uit welke Meditatie ze kwamen. Dus gokte ik en maakte het citaat af met: 'Dan heb je veel meer lol.'

Het klonk niet slecht, maar ik was er niet zeker van, totdat mijn moeder verderging met: 'Dan ben je een man, mijn zoon.'

Mijn zoon? Ik dacht dat ze mijn werk beter kende. Maar ik ging haar niet verbeteren. Zelfs Shakespeare wordt wel eens fout geciteerd. Dus zei ik niets en ging verder met mijn ontbijt.

'Croissants en warme chocola – je lievelingskostje!' zei ze trots.

Maar de croissant smaakte Frans. En ik wilde niet worden herinnerd aan de Fransen. Eerlijk gezegd zou ik er het allerliefst nooit meer aan hoeven te denken. 'Zie jij er iets fouts aan dat jij en Nana met mij op vakantie gaan?'

'Als je maar belooft dat we van jou niet te vroeg naar bed hoeven,' antwoordde ze glimlachend. 'Waarom vraag je dat?'

'O, iets wat Charlotte Goldman gisteren tegen me zei,' zei ik toen mijn moeder de slaapkamergordijnen opentrok.

'Bedoel je dat het haar zomaar is gelukt een hele zin uit haar mond te krijgen?' Ze lachte.

Daarna voelde ik me een stuk beter, en al snel zat ik opgewekt mijn croissant in mijn warme chocola te dopen, op de Franse manier.

Mijn moeder kwam op de rand van mijn bed zitten. Ik zag aan haar gezicht dat ze erop wachtte tot ik nog iets zei. Maar ik wist niet hoe ik moest uitleggen waar ik aan dacht. Dus zei ik maar niets. Ten slotte verbrak zij de stilte: 'Weet je, je zult eraan moeten wennen dat je allerlei soorten reacties krijgt als je een beroemd schrijfster wilt worden. Niemand wordt door iedereen goed gevonden. Je verwacht toch ook niet dat Mickey Mouse overweg kan met het werk van Dostojevski?'

Mijn moeder kon alles altijd zo goed in het juiste perspectief plaatsen. Ik besloot ter plekke dat ik nooit meer mijn nachthemd met Mickey Mouse erop aan zou doen. Misschien zou ik het wel wassen en strijken en het dan bij wijze van kerstcadeau aan Charlotte Goldman geven.

23

Ik had de taxi gevraagd om ons op te halen op vrijdag om vier uur 's middags. We hadden de avond tevoren al gepakt. Nana's koffer was het zwaarst. Volgens haar kwam dat omdat ze grotere, en ook meer kledingstukken nodig had. Ze was van ons drieën de grootste, voorlopig tenminste, en blijkbaar had zij meer last van de kou dan wij. 'Niets is erger,' legde ze ons uit, 'dan het schouwspel van maffe oude vrouwen die rondlopen met al dat blote vlees.'

Mijn moeder dacht dat ze dan maar beter nog even in Nana's koffer kon kijken 'om te zien of je niets bent vergeten'. Ik weet niet waar mijn moeder het dacht te stouwen als dat het geval was. Toen we de blikken met koekjes, vruchtencake en earl grey-thee hadden verwijderd, was de koffer al een stuk lichter.

'Waarom heb je zo veel zakdoeken ingepakt, Nana?' vroeg ik terwijl mijn moeder weer een stapeltje wegborg.

'Die heb je op het platteland nodig om ermee naar al die vliegen en andere insecten te slaan die je daar hebt,' zei ze, en ze legde er weer een stuk of zeven terug. Haar verlangen naar zakdoeken was niets nieuws. Ze waren altijd onmisbaar voor Nana geweest – grote witte katoenen zakdoeken met een blauwe O in de hoek. Niemand kon het huis verlaten zonder haar vraag: 'Heb je een zakdoek bij je?' En als het antwoord 'nee' luidde, moesten we wachten tot zij er een had gehaald. Ik gebruikte ze nooit. Ze bleven altijd in de mouw zitten waar zij ze in had gestopt. Maar ze vond het een geruststellende gedachte dat de zakdoek er was – voor het geval dat.

'Geef mij er een paar, Nana,' zei ik, en ik pakte er een stelletje. 'Ik stop ze wel in mijn tas.'

'Ik hoop niet dat je je hoedenspeld bent vergeten,' zei Nana terwijl ze me haar zakdoeken aanreikte. Nana wilde me nergens heen laten gaan zonder een hoedenspeld. 'Vergeet je hoedenspeld niet!' zei ze altijd, en haar ogen lieten er geen enkel misverstand over bestaan wat ik ermee moest doen en waar het in moest, mocht het gevreesde noodgeval zich voordoen. Er zou een moedig lid van het andere geslacht voor nodig zijn om de hoedenspeld van Nana te slim af te zijn. Ze had nooit onthuld of hij ooit gebruikt was voor iets anders dan voor het vastzetten van de bruine slappe rand van de hoed waaruit ze hem had gehaald toen ik een jaar of tien, elf was, maar ik begreep van mijn moeder dat haar een soortgelijk exemplaar was toevertrouwd toen ze ongeveer zo oud was als ik. Ik had een keer gevraagd of het een oude Schotse gewoonte was om te allen tijde een hoedenspeld bij je te hebben, maar Nana had een ongewoon streng en fel gezicht opgezet en gezegd: 'Doe niet zo stom, Harriet!' En toen wist ik dat ik er niet meer naar moest vragen.

Maar ik was niet stom – ik wist wanneer ik de woede van Nana uit de weg moest gaan, dus zei ik: 'Hij zit al in mijn koffer.'

Hoewel mijn koffer niet zo zwaar was als die van Nana, had het pakken me veel meer tijd gekost. Uiteraard was mijn moeder me te hulp geschoten. Het was van cruciaal belang dat ik voorbereid was op elk soort fotosessie die Christopher en Fiona Small voor mij in petto hadden. Je kon nooit weten wie die foto's onder ogen zouden krijgen. Wie weet werd Harriet Rose binnenkort wel een merknaam. Dus zochten we zorgvuldig allerlei soorten badpakken en bikini's bij elkaar, en mijn moeder leende me een paar van haar sarongs. We dachten dat dat wel genoeg was voor de foto's bij het zwembad. En we deden er een paar spijkerboeken en shorts voor de buitenfoto's bij. Dan zag ik er als een echte tiener uit. Lekker nonchalant en zo. Gympen mochten uiteraard ook niet ontbreken, en die zouden goed van pas komen als ze me op de tennisbaan wilden fotograferen. Met mijn witte zonneklep achterstevoren natuurlijk. Dan moesten we misschien nog rekening houden met avondkleding in het restaurant met de Michelinsterren. Niet iets wat te volwassen oogde, alleen maar mijn zwarte met rode jurk van de feestelijke presentatie en een lange witte jurk die een schouder bloot liet, waarvan mijn vader had gezegd dat ik ermee op een Griekse godin leek. Mijn moeder stelde voor dat ik ook een paar van haar pashmina's meenam – ze zouden wat kleur geven aan de foto's en zo nodig kon je er een sportief kledingstuk mee omtoveren tot een wat nettere outfit. Mijn moeder had volgens mij ook wel een styliste kunnen zijn of een modeontwerpster als ze had gewild – ze wist alles over die slimme snufjes die zo belangrijk zijn voor mensen, die zoals ik, in het middelpunt van de belangstelling staan. En dat was het wel zo'n beetje – behalve dan nog een stelletje T-shirts en mijn blauwe Emma Hope-schoenen met de lovertjes. Dat liet alleen nog de vraag open wat ik aan moest om bij aankomst al meteen een verpletterende indruk te maken. Het was geen moeilijke beslissing – daar had ik de hulp van mijn moeder niet bij nodig. Ik koos mijn beste gebleekte heupspijkerbroek met de zilveren sterretjes rondom de zakken, een eenvoudig wit T-shirt en de zilveren en zwarte ceintuur van Chanel.

'Perfect!' riep mijn moeder uit toen ze me de trap af zag komen. 'Dat had ik zelf niet beter kunnen uitkiezen.' Toen haalde ze een zachtblauwe pashmina voor me voor het geval het later wat zou afkoelen. Ik had geen idee wat ze voor zichzelf had gepakt, omdat ze daar in een mum van tijd mee klaar was geweest, maar ik wist dat ik op haar goede smaak kon vertrouwen. En dat was dat. We waren klaar voor het Tegfold Hall Hotel. Nu maar hopen dat het Tegfold Hall Hotel ook klaar voor ons was.

Ik stond erop om zelf de deur open te maken voor de taxichauffeur. Het was belangrijk voor me dat ík alleen verantwoordelijk was voor de reisplannen.

'Hoe lang doen we er nog over?' vroeg mijn moeder aan onze chauffeur, toen we ongeveer een kwartier onderweg waren.

'Nog een minuut of twee,' antwoordde de chauffeur. 'Het is hier meteen om de hoek.'

'Om de hoek?' riep mijn moeder verbijsterd uit. 'Ze hebben me verteld dat het hotel midden op het platteland was, omringd door golvende heuvels en dartelende schaapjes. Die zie je niet zoveel in dit deel van Londen.'

'Ik wist wel dat er een addertje onder het gras zat,' riep Nana, en ze kneep haar ogen achterdochtig dicht. 'Chauffeur, omdraaien! We gaan naar huis!'

'Let maar niet op ze,' riep ik tegen hem. 'We stappen hier uit.'

'Doe niet zo dom, Harriet,' smeekte mijn moeder. 'We gaan niet naar een hotel hier in de buurt. Dat is ons niet beloofd. Snap dat dan! Het is oplichterij!'

'Nou, wat wordt het nu, godverdomme,' gromde de chauffeur over zijn linkerschouder. 'Ik kan hier niet de hele dag blijven staan.'

Ik moest het heft in handen nemen. De situatie begon uit de hand te lopen. Een dergelijke verwarring had ik niet verwacht. 'Dit is het hotel niet, domkopjes,' legde ik op lieve toon uit. 'Het is een heliport. We vliegen naar ons hotel in onze eigen privéhelikopter. Ik heb alles geregeld. Nou, schiet eens op en stap uit. Ze wachten op ons.'

Het was moeilijk te zeggen wie van ons het meest opgewonden was. Toen ik de verrassing boekte, had ik verwacht dat ik dat zou zijn. Maar als ik naar hun gezichten keek, had ik misschien wel ongelijk gehad.

'Dus daar had je het de hele tijd aan de telefoon over als je me de kamer uit wilde hebben,' lachte mijn moeder. 'Ik dacht dat het Jean-Claude was.'

'Dat zou hij wel willen,' kwam Nana tussenbeide, 'na de manier waarop hij zich heeft gedragen met die kleine frambozentaart.'

'Zo stom is Harriet niet,' voegde mijn moeder eraan toe, toen we richting heliport liepen.

'Natuurlijk niet!' antwoordde ik – niet erg overtuigend, vreesde ik. Het was niet helemaal gelogen. Ik was niet echt van plan geweest om hem te bellen met een verontschuldiging dat ik in mijn nachthemd de deur niet voor hem had opengemaakt. Ik had er alleen maar over gedacht – totdat het me te binnen schoot dat ik zijn telefoonnummer niet had. 'Hoe dan ook,' zei ik, 'laten we aan belangrijker zaken denken. We gaan onze speciale vakantie toch niet laten verpesten door een verdwaasde Fransman?' Ik voelde me beter toen ik dat had gezegd – alsof ik een streep onder mijn handtekening had gezet – en nu had ik hun onverdeelde aandacht nodig voor deel twee van mijn verrassing. 'Daar staat onze helikopter!' schreeuwde ik, misschien een beetje erg hard. 'Daarginds! Die met mijn foto op het achterstuk!'

Mijn moeder zag het als eerste. Nana zei dat ze niets kon zien door de vreugdetranen in haar ogen.

'Het is de foto van mijn boek,' zei ik. 'Ik heb gevraagd of ze hem voor me konden vergroten en om *De oneindige wijsheid van Harriet Rose* eronder te zetten. Zo meteen zien jullie de grote zwarte letters als we wat dichterbij staan.'

En daar stond het, in trotse letters onder de foto van de zakloopwedstrijd, met mijn gezicht erop. *De oneindige wijsheid van Harriet Rose* voor het oog van de hele wereld, zelfs als we in de lucht waren, en dat waren we algauw, zodra de piloot ons had ingesnoerd.

Om dit moment compleet te maken ontbrak er nog één ding, en dat was de aanwezigheid van mijn vader, maar daar kon zelfs ik niets aan veranderen. Inderdaad, mijn prijzengeld had me een gelegenheid geboden om voor ons alle drie een ervaring te verwezenlijken die we ons hele leven zouden koesteren, maar zoals ik had benadrukt in Meditatie 60: 'De waarde van geld moet nooit verward worden met de waarde van ervaring. En hoewel het waar is dat geld vaak de gelegenheid biedt voor een ervaring, is het alleen de ervaring zelf die een intrinsieke waarde heeft – tenzij je munten verzamelt. Maar dat soort mensen telt niet.' Ik wist dat ik het aan *London Live* en aan de Britse stemmers te danken had dat ik deze gelegenheid kreeg, maar het feit dat ik deel uitmaakte van een familie als de mijne maakte het moment de moeite waard. En dat was iets wat je met al het geld van de wereld niet kon kopen.

Toen we over de Theems en de straten van Londen zoefden, wist ik dat mijn moeder er ook aan dacht dat ze wou dat mijn vader erbij had kunnen zijn. Het was precies het soort avontuur dat hij fantastisch had gevonden, maar waar hij nooit de kans voor had gehad. Niet dat zijn leven saai was geweest – verre van dat. Zoals mijn moeder vaak betoogde tegen mensen die zeiden dat het zo droevig was dat zijn leven zo kort was geweest: het was de kwaliteit van zijn bestaan die het de moeite waard maakte, niet de kwantiteit. Alles wat hij deed, deed hij met energie en enthousiasme – zelfs 's ochtends opstaan en het gras maaien. En als hij een hindernis op zijn weg tegenkwam, zag niemand anders die als een hindernis, alleen al door de manier waarop hij ermee omging. Dat was een van de eigenschappen die hem in zijn beroep zo succesvol maakten. Ik weet zeker dat hij met zijn vastberadenheid van elke carrière een succes had gemaakt. Het geval wilde dat hij dierenarts was.

Hij was zijn carrière in Edinburgh begonnen. Daar had hij mijn moeder ontmoet en was met haar getrouwd. Door de jaren heen hadden ze in allerlei verschillende streken van Groot-Brittannië gewoond – ze deelden een verlangen naar verandering in alle aspecten van het leven, behalve in dat van hun samenzijn. En hoe langer ze bij elkaar waren, hoe meer ze van elkaar hielden. Ik was daar zelf getuige van geweest, dus hoefde ik het niet ook nog van anderen te horen, hoewel dat wel gebeurde. Het was niet dat ze nooit ruzie hadden – natuurlijk hadden ze dat wel. Ze waren allebei felle, levendige Kelten. Ruzies hoorden er gewoon bij. Maar de onenigheid duurde nooit lang, en raakte nooit aan het wezen van hun band.

Naarmate de jaren verstreken en de dierenartspraktijk van mijn vader zich uitbreidde, lieten ze geen van beiden toe dat financieel succes de principes in de weg stond die ze mij hadden geleerd: een gift niet meten naar zijn financiële waarde maar naar de geest waarin het was gegeven en de gedachte achter de keuze; altijd naar de intrinsieke waarde zoeken en niet naar de winkelwaarde; dat wie we waren belangrijker was dan wat we hadden. En zo kon ik nog wel even doorgaan. Hij was er niet meer, maar zijn lessen bleven me begeleiden, zelfs toen ik in mijn eigen privéhelikopter, betaald met mijn eigen geld, op weg was naar een chic hotel op het platteland. Ik wist waarom die dingen op dat moment belangrijk waren voor ons drieën, ook al werden we misschien door anderen verkeerd beoordeeld, of benijd, of wilden ze ons onderuithalen. Ik tastte naar het Kristoffelmedaillon om mijn hals. 'Iemand die over je waakt.' Kon het zijn dat mijn vader me toch een teken had gestuurd?

Ik had niet verwacht dat het zo lawaaierig zou zijn in de helikopter. Gelukkig had Nana een paar papieren zakdoekjes in de zak van haar blazer zitten, en die moesten we van haar in onze oren proppen.

'Hoe kunnen we dan nog met elkaar praten?' vroeg ik. Zelfs als filosoof had ik af en toe een moment van praktisch denken.

'We kunnen gebarentaal gebruiken,' zei Nana. Ze stopte een oor dicht. Als ze eenmaal iets had besloten, hoefde je niet meer te proberen haar op andere gedachten te brengen. En dus stopten we alle drie onze oren dicht met de zakdoekjes en begonnen aan onze nieuwe vorm van communicatie. Ik beet de spits af – ik moest wel. Mijn moeder en Nana hadden het te druk met de slappe lach. Ik hield een denkbeeldig champagneglas in mijn linkerhand en gebruikte de rechter om net te doen of ik er champagne in schonk. Toen wees ik naar een echte zilveren champagnekoeler die voorin naast de piloot verdekt stond opgesteld. Mijn moeder begreep het onmiddellijk en boog zich voorover om de champagnefles en drie glazen te pakken. Maar ik stak twee vingers omhoog om aan te ge-

ven dat de champagne alleen voor haar en Nana was – ik had om
verse jus d'orange voor mezelf gevraagd, omdat ik moest denken
aan Meditatie 63:

Laat uiterlijke franje
niet naar je hoofd stijgen
als roze champagne.

Ik nam geen enkel risico.

Gelukkig begreep mijn moeder mijn tweevingerige gebaar –
hoewel Nana het meteen met misplaatste hilariteit nadeed.

De reis zou ongeveer drie kwartier duren was me verteld toen ik
de boeking bevestigde. En die boeking had heel wat voeten in de
aarde gehad. Je zou haast denken dat er nog nooit eerder een heli-
koptervlucht geboekt was door een veertienjarige. Als de baas van
het spul me niet op *London Live* had gezien en wist hoeveel geld ik
had gewonnen, hadden ze de boeking niet eens geaccepteerd. Nu
moest ik hem er alsnog van overtuigen dat ik de echte Harriet Rose
was door een van mijn Meditaties voor hem op te zeggen, die hij
dus prompt verkeerd begreep en uiterst amusant vond. Maar dat
kwam omdat hij niet schrijver van beroep was, maar iemand die
boekingen voor helikopters regelde.

Vanuit de lucht waren de straten van Londen bijna niet van elkaar te onderscheiden. Ik speurde naar een herkenningspunt, zoals
de Albert Hall of South Kensington, maar mijn speurtocht leverde
niets op. Ik kon niet eens zien waar mijn school lag en of we er al
overheen waren gevlogen. Wat kon mij het schelen wie me door de
lucht zag vliegen met mijn gezicht en de titel van mijn boek duidelijk herkenbaar op het staartstuk van mijn privéhelikopter? Sterker
nog, als Jean-Claude toevallig door South Kensington kuierde op
weg naar huis en als hij, peinzend over de verborgen betekenis van
een van mijn Meditaties, opkeek en mij en mijn boek boven zich
zag zweven als een leidster, dan zou me dat helemaal niet zoveel

hebben geïnteresseerd. En als hij dan meer wilde lezen in die ervaring dan een louter toevallige samenloop van omstandigheden, nou, dat moest hij dan helemaal zelf weten.

Door de bubbels van de champagne werden mijn moeder en Nana blijkbaar in een toestand van vredige euforie gewiegd: we waren nog niet halverwege of ze lagen al in diepe slaap verzonken. Ik nam de gelegenheid te baat om een paar overpeinzingen neer te krabbelen over het paradoxale van verwachting – hoe dichter we bij onze bestemming kwamen, des te langer wilde ik dat de reis duurde.

Ik werd er door de piloot op attent gemaakt dat we Tegfold Hall Hotel naderden, toen hij met zijn wijsvinger naar het landschap onder ons wees. Ik was me al een tijdje bewust van de afwezigheid van inmenging door een mensenhand; heuvels en dalen, bossen en velden strekten zich onder me uit als een gigantisch schildersdoek waarop alle nuances groen te zien waren. Toen kwam er plotseling midden in dat alles een gebouw in zicht, dat in het landschap leek genesteld – verborgen, maar toch zichtbaar, natuurlijk en toch door mensen gemaakt, uitnodigend en toch dreigend, een begin maar ook een einde.

In onze metalen vogel begonnen we te dalen, en spoorden met een mechanische precisie onze bestemming op. Ik stootte mijn moeder en Nana aan: ik wilde niet dat ze onze aankomst zouden missen. Lager, steeds lager kwamen we op de aarde af waarbij we de aandacht trokken van hotelgasten alsof zij spelden waren en wij een magneet. Welke beroemdheid kwam er zijn opwachting maken? Stond haar foto daar niet op de helikopter? Logeerde ze in het hotel? Zouden ze misschien een gesprek met haar kunnen aanknopen? Zouden ze een handtekening kunnen bemachtigen, of misschien zelfs een foto van haar met henzelf? Ik kon vanuit de lucht hun opwinding al voelen. Een moeder en haar jonge dochter zwaaiden naar ons. Een wat oudere heer hield zijn rechterhand beschermend voor zijn ogen. Een golden retriever blafte en rende in cirkeltjes rond omdat hij de verwachtingsvolle sfeer aanvoelde. Een jong stel liep met grote passen doelbewust naar het landingsplatform, in identieke donkerblauwe Barbour-regenjassen en groene rubberlaarzen. Naarmate ze dichter bij hun doel kwamen, gingen ze harder lopen. Onze piloot zei dat we moesten blijven zitten totdat de rotorwieken niet meer draaiden, waardoor wij tijd hadden om onze kleren te fatsoeneren en een borstel door ons haar te halen.

'Ik heb hier ergens mijn camera in gestopt,' zei Nana, die in haar grote zwarte boodschappentas zat te rommelen, 'maar ik kon geen flitslampjes vinden, dus ik zal buiten een kiekje van jullie moeten maken.'

'Misschien kunnen we ons het beste bij mijn digitale camera houden,' stelde mijn moeder diplomatiek voor, terwijl de piloot haar als eerste hielp uitstappen. Ik had natuurlijk als eerste moeten gaan. Achter haar wees ik haar er subtiel op dat al die mensen nu zouden kunnen denken dat zij de beroemdheid was.

'Dan ga ik wel weer naar binnen,' zei ze, en ze maakte haar arm los van de sterke hand van de piloot.

'Ja, nu is het te laat!' Ik duwde haar weer naar buiten. 'Maak er toch niet zo'n toestand van. Je trekt de verkeerde aandacht.'

Het was niet de aankomst die ik had verwacht, maar zoals ik had gezegd in Meditatie 38: 'Ergens naar uitkijken betekent dat je niet genoeg omhanden hebt.' Natuurlijk was ik in mijn boek wel wat nader ingegaan op dat principe, maar daar kwam het wel op neer.

'Hallo! Jij ben Harriet Rose, hè?' Het was de vrouw met de groene rubberlaarzen die ik vanuit de lucht had gezien. 'Ik herken je van het staartstuk. Ik ben Fiona Small.'

'Welkom in het Tegford Hall Hotel. Ik ben Christopher Small en ik herken je van *London Live*. Je bent in het echt nog knapper.'

Ik weet niet waarom, maar ik voelde meer empathie met de man dan met zijn vrouw. Zo gaat dat met indrukken – je krijgt ze snel, maar in mijn ervaring zijn ze daardoor des te betrouwbaarder.

'Aangenaam,' zei ik met een beleefde glimlach voor hen beiden. 'Mag ik u mijn moeder en mijn grootmoeder voorstellen?'

'Jullie zien er precies zo uit als in dat tv-programma,' zei Fiona tegen ons drieën.

'Dat neem ik aan, ja,' antwoordde ik. 'Het is nog maar zes dagen geleden opgenomen.'

Fiona lachte alsof ik een grapje had willen maken.

De piloot zwaaide ten afscheid en beloofde maandagmorgen om halftien weer present te zijn. Op die manier zou ik om elf uur op school kunnen zijn, en dan zou ik alleen maar een uur gym en een muziekles hebben gemist. Miss Grout had gezegd dat het goed was als ik er maar voor zorgde dat ik voldoende lichaamsbeweging kreeg in Tegfold Hall en naar wat muziek luisterde. Fiona verzekerde me dat aan beide eisen kon worden voldaan, want er was een binnen- en buitenzwembad en tijdens het thee-uurtje speelde er altijd een harpiste. Ik zou bijna niet merken dat ik niet op school was.

Toen Fiona door het veld struinde met laarzen aan die onder de modder zaten, wou ik dat ik niet mijn blauwe suède pumps aanhad met de satijnen strikjes.

'Je hebt hopelijk wel stevige wandelschoenen bij je,' merkte ze op met een blik op mijn voeten.

'Vanzelfsprekend!' zei ik lachend. Maar was dat wel zo? Ik ging na welke schoenen mijn moeder en ik zo zorgvuldig hadden uitgekozen – de rood met blauwe instappers met de lovertjes, de witte en zilveren leren sportschoenen met de veters met kwastjes, de zwarte leren sandalen met het afneembare enkelbandje. Dat beloofde niet veel goeds. Misschien moest ik de bruine gaatjesschoenen met veters van Nana lenen waar ze altijd over klaagde omdat ze 'de kanten ervan af liep'.

Fiona trok haar laarzen niet uit toen we bij het hotel aankwamen. In plaats daarvan liep ze de voorname voordeur met de zuilen binnen en dwars door de hal met de zwart-witte marmeren vloer, die zo groot was als een balzaal, en ze maalde niet om het lichtbruine spoor dat ze achterliet. Dat vond ik wel weer leuk aan Fiona. Ze was geen vrouw om zich op te winden over onbelangrijke zaken die met haar eigen uiterlijk te maken hadden. Ze wist dat wat viezigheid hier of daar geen kwaad kon. Ze was een zelfverzekerde, ontspannen, ietwat sjofele plattelandsvrouw, die onbenulligheden als klopzuigen en Cillit Bang aan haar laars lapte. En te oordelen naar haar slordige verwaaide haren, was een middagontmoeting met een kappersschaar uit Mayfair ook niet een tijdverdrijf waar ze een abonnement op had. De mensen konden zeggen wat ze wilden over plattelandsmensen, ze hadden iets wat mij wel aansprak. Ik liet de zachtblauwe pashmina van mijn schouders glijden en haalde mijn zonnebril van mijn hoofd, waar hij had gediend om mijn haren uit mijn gezicht te houden.

'Je zult je wel even willen opfrissen,' zei Fiona, 'na jullie tocht.'

'Niet speciaal,' zei ik onverschillig, want ik voelde hoe een landelijk gevoel bezit van me nam. 'Zonde van de moeite.'

Op dat moment kwam Christopher op z'n dooie gemak naar ons toe lopen, geflankeerd door mijn moeder en Nana en met zijn speelse golden retriever, die ik al vanuit de lucht had gezien. Hij kwam op me af racen alsof hij nog nooit een goed geklede vrouw had gezien – de hond bedoel ik, niet Christopher. Ik had niet verwacht dat zijn voorpoten helemaal tot op mijn nieuwe witte T-shirt zouden komen, toen hij op zijn achterpoten ging staan. In Londen waren de honden meestal kleiner en beter opgevoed.

'Jack! Af!' riep Christopher, maar Jack scheen het niet te horen. Ik nam me onmiddellijk voor dat ik Jack tijdens de fotosessie zou mijden.

'Toen we jullie drieën op *London Live* zagen, zei ik tegen Chris: "We moeten die drie hier zien te krijgen. Dat zou leuk zijn." En hier zijn jullie dan!'

Fiona praatte waarschijnlijk zo hard omdat ze eraan gewend was te communiceren van de ene kant van zo'n enorme kamer naar de andere. De salon die je door dubbele deuren met eiken panelen kon zien, was groter dan onze hele benedenverdieping. Hij was schitterend, met zachtblauw gestreept behang en een smaakvolle open haard met een rand van barok houtsnijwerk en zware zwierige zijden gordijnen die tot op de parketvloer hingen.

'Ben brengt jullie bagage naar boven.' Ben was een tamelijk grote, pukkelige jongen, niet veel ouder dan ik, die achter Christopher stond.

'Leuk, hè?' zei Fiona nog eens, alsof ze ons eraan wilde herinneren dat het de bedoeling was dat we genoten. Dat geheugensteuntje was niet nodig: we zouden best genieten als die vrouw ons daar tenminste de gelegenheid toe gaf.

Ben kreeg opdracht ons naar onze kamers te brengen. De mijne was de Churchill Suite op de eerste verdieping, die van mijn moeder was de Disraeli Suite er meteen naast, en Nana had de Wilson Suite op zolder.

'Als je wilt, kunnen we wel ruilen,' zei mijn moeder tegen Nana, toen ze zag hoe klein Nana's kamer was vergeleken met de onze. Niet dat er iets mis was met de Wilson. Eigenlijk was het best een gezellig kamertje, met roze met groen gebloemde gordijnen en een bijpassende sprei, en met het uitzicht op een kruidentuin achter het hotel. Maar vergeleken met mijn Churchill in zwart-witte artdecostijl en een kingsize hemelbed en het immense zitkamergedeelte met langs iedere muur boekenplanken van het plafond tot de vloer, leek hij een tikkeltje aan de kleine kant.

'Je zou met mij samen in de Disraeli kunnen,' vervolgde mijn moeder. 'Die is groot genoeg voor een gezin van acht personen.'

'Bedankt, maar ik ben heel tevreden met mijn kleine Wilson hierboven,' antwoordde Nana. Maar we konden aan haar gezicht zien dat ze het niet meende.

Het echtpaar Small had een rooster voor me op mijn bed achtergelaten. Het was gedrukt op papier met een schets van het hotel in de rechterbovenhoek. Er stond:

Dag 1: Vrijdag
17.30 Aankomst
18.00 Harriet en Fiona bespreken mogelijkheden voor fotosessie voor *Gleam*
thee in de lounge
20.00 Diner in Gladstone's restaurant

Dag 2: Zaterdag
10.30 tot 13.00 Fotosessie van Harriet voor *Gleam*
13.00 tot 14.00 Lichte lunch
Vanaf 14.00 ligt nog open

Dag 3: Zondag
(Het weekend begon veel langer te klinken dan waaraan ik was gewend.)
11.00 tot 12.30 Interview van Harriet met het tijdschrift *Heart of the Country*
14.00 Signeren van boek in bibliotheek
18.00 Cocktailparty voor de hotelgasten, gevolgd door een buffet bij het zwembad

Dag 4: Maandag
Vertrek

Ik las stomverbaasd wat er allemaal in stond. Ik had niet iets verwacht met zo'n grote oplage als *Gleam* – Fiona was meer bij de tijd dan ik op het eerste gezicht had gedacht. Maar daar stond tegenover dat ik nog nooit van *Heart of the Country* had gehoord. Waarschijnlijk bestond het nog niet zo lang.

Ik keek op mijn horloge. Ik had nog tien minuten om me voor te bereiden op mijn ontmoeting met Fiona om de foto's in *Gleam* te bespreken. Er was maar één ding wat ik kon doen: ik moest PR bellen.

'Ik word gefotografeerd voor het tijdschrift *Gleam*,' zei ik, en ik probeerde niet al te opgewonden te klinken. 'Fiona neemt over tien minuten alles met me door. Heb jij nog ideeën?'

'Ze zijn uit op een mooi verhaal,' waarschuwde mijn moeder. 'Je moet niets zeggen over Jean-Claude of over dat ongeluk in het zwembad.'

Daar had ik niet aan gedacht. Opeens vond ik het niet zo'n goed idee meer.

'Maar het is een fantastische kans,' ging mijn moeder verder. Ze had blijkbaar in de gaten dat ze haar beschermende instinct misschien wat overdreven had. 'De familie Small verwacht van je dat je het hotel noemt en dat je zegt dat je ontzettend geniet van je verblijf hier. Ik vind dat je het ook best over je boek mag hebben – waar het over gaat, wie je heeft beïnvloed en zo.'

'En ik ga het natuurlijk ook over mijn publiciteitsteam hebben,' zei ik.

'Dat zou ik niet doen,' zei mijn moeder. 'Dan verwachten ze een ontmoeting met ons en je weet nooit wat Nana dan gaat zeggen.'

'Je hebt waarschijnlijk gelijk,' beaamde ik – maar wist ik zelf wel wat ik ging zeggen? Dat begon ik me af te vragen.

Ik ontmoette mijn moeder en Nana zoals afgesproken voor de deur van mijn kamer.

'Zes uur, tijd om wat te eten,' zei Nana toen we de schitterende trap van Tegfold Hall af liepen, waar we bij elke trede een familieportret passeerden. Onder aan de trap stond Fiona ons op te wachten. Ze had haar spijkerbroek en rubberlaarzen verwisseld voor een goed zittende zwarte broek en een crème zijden mouwloze bloes die ze met de kraag omhoog droeg. 'Hallo, Harriet. Heb je mijn rooster gevonden? Mia, ik hoop dat jij ook komt. Misschien hebben we jouw inbreng nodig. Ik had graag dat je iemand ontmoette.' Waarschijnlijk ging het om de journalist of de fotograaf van *Gleam* om de plannen voor de volgende dag te bespreken.

Daardoor bleef er een overbodig Hoofd Verkoop achter die onderhand flink trek begon te krijgen. 'Jullie vinden mij wel in de salon als ze jullie niet meer nodig heeft,' riep Nana ons vol goede moed na.

Fiona troonde ons mee door een serie slingerende gangen. Haar zwarte leren pumps klikklakten tijdens het lopen. Ik wou dat ik mijn gympen niet had aangedaan – de rubberzolen veroorzaakten een zuigend geluid op het marmer en dat maakte niet de juiste indruk. En ik had ze alleen maar aangetrokken om Fiona op haar gemak te stellen.

We kwamen bij een soort binnenplaats en aan de overkant zag ik de overkapte ingang van de fitnessclub van het hotel. Het eerste wat me opviel was de naam die in grote rode letters op de ruiten van de ingang stond: GLEAM.

'Schop je schoenen maar uit allebei, en trek deze aan.' Ze gaf ons allebei een paar witte katoenen slippers en trok toen zelf ook een paar aan. 'Hier hebben we onze relax-arrangementen,' legde ze vol trots uit – het was duidelijk een idee van haarzelf geweest. 'Yoga- en pilatesweekenden zijn op het moment heel populair, dat weten jullie vast wel.' Maar dat wisten we niet. Wij hadden niets met pilates. We waren veel liever bij Nana gebleven om ons lekker vol te kunnen stoppen met slagroomgebakjes en scones.

'Daardoor kreeg ik het briljante idee om je hierheen te halen toen ik nog net het einde zag van jouw presentatie.'

Ik zag het gezicht van mijn moeder in een van de vele spiegels van de club – ze tastte net zozeer in het duister als ik.

'Dit is Steve, onze ontspanningsdeskundige. Hij gaat er iets meer over vertellen.'

Steve was klein en gespierd, en hij was gekleed alsof hij auditie voor *Star Trek* ging doen. 'We willen meer gasten aantrekken voor onze Gleam-behandelingsweekenden,' zei hij.

'En we zijn uit op veel belangstelling van de pers – je kent dat wel, Mia,' zei Fiona.

Mijn moeder aarzelde. 'Ik moet bekennen dat ik wel lid ben van een fitnessclub, maar dat ik er eigenlijk alleen maar heen ga om te zwemmen. Ik weet heel weinig over ontspanningstechnieken.'

'Daar hebben we Harriet dus voor.' Dat was Fiona weer. 'Ik dacht dat ze bij het zwembad haar Meditaties zou kunnen voorlezen, misschien de gasten wat helpen bij het zingen van hun mantra's, misschien ieder zijn eigen mantra geven, kortom ze de kunst van het mediteren leren. Daar smullen de kranten van – "Harriet Rose en haar bekroonde Meditaties". Hoe lijkt je dat, Harriet?'

Nana was al toe aan haar tweede eclair toen we haar vonden. Ze veegde net wat slagroom uit haar mondhoek met een groot wit servet, terwijl ze net deed alsof ze helemaal weg was van het zachte getokkel dat door een harpiste in de hoek van de salon aan de snaren werd ontlokt. 'Ik dacht dat jullie nooit meer terugkwamen!' fluisterde Nana woedend door een verzaligde glimlach heen waarmee ze nog steeds bemoedigend naar de harpiste zat te staren. 'Het is dat mijn vriendinnetje daarginds er nog zat, maar anders had ik er hier, zo de hele tijd in m'n eentje in de hotellounge, voor gek bij gezeten. En er zwermden de hele tijd mannen om me heen.'

Mijn moeder en ik keken angstig om ons heen, maar de enige man die we zagen, zat met zijn neus in een exemplaar van de *Financial Times* en met een mobieltje tegen zijn oor geplakt.

'Zwermden, echt waar!' bevestigde ze, en het leek ons het beste om haar maar niet tegen te spreken.

'We hadden hier eerder kunnen zijn,' zei ik, 'als Steve er niet was geweest.'

'Wie?' vroeg Nana.

'De ontspanningsinstructeur van het hotel.' Mijn moeder nam het over. 'Hij wilde dat Harriet hem een paar van haar technieken zou laten zien.' We lachten.

Nana keek ons verbijsterd aan. 'Doe niet zo stom,' zei ze keihard. 'Hou op met dat gegiechel en vertel me waar jullie het over hebben.'

'Fiona heeft blijkbaar de indruk gekregen,' zei mijn moeder, 'dat Harriets boek een soort handboek is om te mediteren. Ze hoopt dat Harriet de hotelgasten wat ademtechnieken kan aanleren en ze kan vertellen hoe ze zichzelf in een meditatieve trance moeten brengen.'

'En dan natuurlijk met allerlei journalisten erbij,' voegde ik eraan toe. 'Dat moet je niet vergeten.' Waarop mijn moeder en ik weer in lachen uitbarstten.

'Ik zie het grappige er niet van in,' riep Nana uit. 'Ik hoop dat jullie haar iets hebben gegeven om over te mediteren.'

De harpiste speelde nu een beetje harder. De man met het mobieltje had zijn krant weggelegd en zat naar ons te staren. Hij was ouder dan ik eerst had gedacht, met dik grijs haar en een bijpassende snor. Aan de punten ervan hingen een paar druppeltjes frambozenjam.

'Ik wist dat er iets mis was met het beoordelingsvermogen van die vrouw, zodra ik de kamer had gezien die ze mij had toebedeeld,' zei Nana. 'Laten we teruggaan naar Londen. Straks verwacht ze nog dat we in kleermakerszit op de vloer gaan zitten.' Ze kwam zo snel overeind dat ze haar servet liet vallen. Ik hoorde hoe de harpiste op de achtergrond vol overgave begon aan een vertolking van 'Yesterday'. Ze speelde het wat sneller dan ik gewend was en met een gedrevenheid die ze ook heel knap in haar gelaatsuitdrukking wist over te brengen.

'Rustig aan!' smeekte mijn moeder. 'We hebben Fiona uitgelegd dat ze het verkeerd had begrepen. Ze snapt nu precies wat filosofische meditaties zijn. Ik heb haar een exemplaar van Harriets *Oneindige wijsheid* gegeven om vanavond te bestuderen. De plaatselijke pers staat nog steeds voor morgen gepland, maar ik heb haar ervan kunnen overtuigen dat de bibliotheek een passender achtergrond is voor Harriet en haar boek dan de Gleam-fitnessclub. Ze heeft het begrepen. Laat dat maar aan PR over. Alles is onder controle.'

Een verse pot earl grey was de beste methode om Nana te kalmeren, en het duurde niet lang of ook zij kon er de humor wel van inzien.

'Zullen we ons eens gaan omkleden voor het diner?' stelde mijn moeder voor. 'Dan maken we nog een wandelingetje in de tuin om de eetlust op te wekken.'

Toen we gedrieën aanstalten maakten om weg te gaan hoorde ik een stem op de achtergrond fluisteren: 'Tot ziens, Olivia.' Het was de man met het grijze haar en de snor.

24

Ik had verwacht dat ik goed zou slapen na een vijfgangen-gourmet-diner in Gladstone's restaurant. Het was niet alleen het aantal gerechten waar je moe van werd, maar ook de hoeveelheid beslissingen dat ik had moeten nemen: water met of zonder prik, gazpacho of bouillabaisse, coquilles saint-jacques Provençales of gamba's *à la maison*, gevolgd door *filet de bœuf* met een rode wijnroux en truffel*jus* of gegrilde zeebaars geserveerd met citroenrisotto. En behalve een keuze aan sorbets om het gehemelte schoon te maken, was er ook nog een dessert, dat kennelijk de specialiteit van de befaamde toetjeschef was – *crêpes suzette* of *pot au chocolat* of frambozensoufflé of *tarte tatin*. En bij elke nieuwe gang was er de vraag hoe ik het wilde hebben en of ik er iets bij wilde. Ik kon zelfs uit allerlei broden kiezen: met ui, met zongedroogde tomaten, olijven, kruiden of walnoten. Daarna, net toen ik dacht dat er met geen mogelijkheid meer een beslissing te nemen viel, kreeg ik koffie aangeboden – filter, cappuccino, espresso of Irish coffee. Ik had het gevoel dat ik het binnen het tijdsbestek van twee uur van hotelgast tot premier had geschopt.

Het kamermeisje had het dekbed van mijn kingsize hemelbed teruggeslagen en had een pepermuntje op mijn kussen gelegd, alsof de petitfourtjes bij de koffie nog niet genoeg waren geweest. Mijn moeder sliep in de kamer naast de mijne, zoals ze nog even ter geruststelling zei toen ik haar belde om te controleren of ze wel had geflost. Maar om de een of andere reden wist ik, zodra ik mijn bedlampje had uitgeknipt (wat niet gemakkelijk was omdat het knopje, zoals ik na een hele tijd ontdekte, merkwaardig genoeg op de muur zat) dat ik geen oog dicht zou doen.

Het was hier zo veel donkerder dan in Londen, vooral met de luiken dicht. Thuis was ik gewend aan straatlantaarns en koplampen van auto's. Dit was zinloos. Ik zou op moeten staan en iets gaan doen. Wakker liggen deed me alleen maar denken aan dingen die ik liever wilde vergeten, zoals de laatste keer dat ik mijn vader levend had gezien en de eerste keer dat ik hem dood had gezien, en alle vakanties die we samen hadden gevierd en alle dagen zonder hem die nog voor me lagen. Hij had nu in de kamer naast de mijne in zijn streepjespyjama moeten liggen praten en lachen met mijn moeder, en dan zou hij drie keer op de muur kloppen als hij hun licht uitdeed.

Hij had er 's ochtends moeten zijn om mij wakker te maken voordat hij naar beneden ging om op het gazon zijn krantje te lezen terwijl mijn moeder en ik ons aankleedden voor het ontbijt. Hij had een partijtje tennis moeten voorstellen na het ontbijt en dan kwaad worden en vloeken, telkens als zijn opslag uit ging. Hij had de rekening moeten narekenen als we net wilden vertrekken en dan zijn voorhoofd moeten fronsen als hij zag dat ze geen fout hadden gemaakt.

Ik sprong uit bed en gooide de luiken open om wat licht binnen te laten. Er stond een grote vollemaan pal voor mijn raam. Het leek precies op een gezicht als je door spleetjes keek en je fantasie de vrije loop liet. Het duurde niet lang of het gezicht werd duidelijker zichtbaar – de smalle fonkelende ogen, de lange neus met de wijde neusgaten, het kuiltje in de kin, net onder de breed lachende mond. Het was er allemaal, als je maar goed genoeg keek en wist waar je naar zocht. Mijn vader bevond zich dan wel niet aan de andere kant van de muur, maar hij waakte nog steeds over me. Daar was ik opeens heel zeker van.

Ik ging aan het bureau onder het raam zitten en pakte de pen waarop TEGFOLD HALL HOTEL geschreven stond. Per slot van rekening zou hij gewild hebben dat ik dat deed. Had hij niet altijd genoten van mijn schrijven? 'Lieve papa,' schreef ik op het schrijfpapier van het hotel. 'Zijn we hier ditmaal zonder jou of ben je gebleven om ons gade te slaan alsof we acteurs waren die een tekst opzeggen die jij al kent, waarna je voor ons applaudisseert aan het eind van elke scène? Ben jij het voetlicht als wij een buiging maken? Ben jij de souffleur als wij onze tekst zijn vergeten? Stond er ergens geschreven dat je zo snel het toneel al zou verlaten?'

Ik hield op met schrijven. Nu ik klaar was wist ik niet wat ik met het vel papier moest doen. Het zag er zo zielig uit, helemaal alleen midden op het bureau, omringd door leuke ansichtkaarten van het hotel en een folder met 'Plaatsen om te bezoeken'. Hij had niet op die manier in de herinnering willen blijven voortleven, als een zielig stukje geschiedenis te midden van een heden dat doorgaat. Hij wás het heden dat doorgaat, hij wás de 'Plaatsen om te bezoeken'. En ik ook. Ik verscheurde het vel papier en gooide het in de prullenmand naast het bureau. Daarna nam ik de pen weer ter hand, koos de mooiste ansichtkaart van het hotel uit, en schreef:

Jean-Claude
Ik heb la vie en Rose gevonden –
jij ook?

25

Het ontbijt werd geserveerd in een gezellige eetzaal die uitkeek over de tuinen en de tennisbaan. Er logeerden meer gasten in het hotel dan ik me had gerealiseerd. In een hoek bij het raam was een tafel voor ons gereserveerd. Toen ik de drie stoelen zag, dacht ik heel even dat ik nog twee ouders had, en ik liet de stoel in het midden vrij voor mijn vader.

'Wil je dat ik hier ga zitten?' vroeg Nana. Ze glimlachte me hartelijk toe en voegde de daad bij het woord. En ze had gelijk. Dat wilde ik inderdaad. Het was alleen dat mijn vader er ook bij had moeten zijn.

Ik dacht dat ze niet zouden merken dat ik niets zei – ik was nooit erg spraakzaam bij het ontbijt; ik had tijd nodig om plannen te maken voor de rest van de dag.

'Gaat het, Harriet?' vroeg mijn moeder meteen toen mijn roereieren met gerookte zalm voor me stonden. Ik had nog nooit roerei met gerookte zalm gegeten – daarom had ik het gekozen. Ik wilde dat alles anders was dan bij andere vakanties. Op die manier zou ik er niet de hele tijd aan denken wie er niet bij was.

'Natuurlijk wel,' zei ik bits. 'Waarom zou het niet gaan?'

'Ik dacht dat je het volledige Engelse ontbijt zou nemen, net als ik,' zei Nana, terwijl ze haar eidooier kapotmaakte.

'Vroeger wel,' antwoordde ik, 'maar ik heb nu liever dit.' Ik weet niet waarom, maar ik had niet verwacht dat de zalm koud zou zijn, vooral niet omdat de roereieren warm waren. 'Ze hebben vergeten de zalm warm te maken!' riep ik verontwaardigd en ik keek zoekend rond of ik een ober zag.

'De kok is waarschijnlijk een buitenlander,' opperde Nana. 'Waarom ruil je niet met mij?'

Ik moet toegeven dat ik haar voorstel serieus overwoog, totdat mijn moeder uitlegde: 'Het moet koud zijn. Ik neem het wel als je het niet wilt, neem jij mijn bord maar.'

Maar ik dacht er niet aan om de nieuwe dag te beginnen met een kommetje muesli met bioyoghurt, al was die zalm nog zo koud, dus zei ik: 'Ik maakte maar een grapje – ik weet dat het koud moet worden opgediend.' Ik probeerde een lachje, maar ze trapten er geen van beiden in.

'Weet je zeker dat je nergens anders over in zit?' hield mijn moeder aan. Ik voelde me steeds minder goed. Ik had graag gewild dat deze vakantie voor ons alle drie iets bijzonders zou zijn. Dat was de reden waarom ik de helikopter had geboekt. Een verrassingspresentje van mijn prijzengeld. Het was mijn manier om te zeggen: 'Bedankt allebei voor alles wat jullie voor me hebben gedaan.' Ik wist best waarom ze al die dingen hadden gedaan – het boek, de feestelijke presentatie, de aandacht van de journalisten, de wedstrijd. Het was hun manier om te zeggen: 'Je kunt het wel, Harriet. Het leven gaat door. Je hebt je vader verloren en je weet dat wij hem ook verschrikkelijk missen, maar je hebt ons beiden nog. En samen zullen we triomferen ondanks alle tegenslagen, omdat we nu eenmaal zulke vrouwen zijn – sterke, zelfverzekerde, vastbesloten, talentvolle... bescheiden vrouwen, die door zullen gaan ongeacht wat het Lot voor ons in petto heeft.'

Maar het vervelende was dat ik me op dat moment helemaal niet zo voelde. Ik was niet zo zelfverzekerd als Nana. Ik was niet zo sterk als mijn moeder. Ik was bang voor wat het leven voor mij in petto had zonder een vader om op terug te vallen. Ja, ik had hen allebei nog. Maar stel dat ik hen ook kwijtraakte?

Toen ik naar mijn moeder keek, die van haar koffie zat te genieten en naar Nana, die op een hoekje van een brioche zat te kauwen, waarvan ze moest toegeven dat hij beter was dan het krentenbrood dat ze mee had proberen te smokkelen, trof het me als een moker-slag. Naar alle waarschijnlijkheid zou een van ons het eerst gaan. En 'gaan' was uiteraard de nuchtere, praktische manier waarmee je kon verwijzen naar het enige waar iedereen bang voor was: de dood. Hij had ons al een keertje beslopen en een lid van ons gezin onverwacht weggehaald. Wie kon zeggen of hij er niet nog eentje pakte – nu, spoedig, vandaag, morgen, de volgende week? Als oud-ste zou Nana logischerwijs het eerst aan de beurt moeten komen, en ik huiverde bij de gedachte.

'Je hebt het toch niet koud, hè?' vroeg mijn moeder. Ze had me altijd in de gaten, zelfs als ik dacht dat ze met haar gedachten bij iets anders belangrijks was, zoals eten.

'Nee, het gaat prima,' antwoordde ik.

Maar het ging niet prima. Het ging helemaal niet prima.

Stel dat Nana niet de volgende was. Stel dat het mijn moeder was. Het was bijna niet voorstelbaar. Alsof je je probeert voor te stellen dat je zwemt zonder water. Ik moest die gedachte ergens no-teren – ik kon er een mooie Meditatie van maken. Als mijn moeder het eerst ging, zou er van mij ook niet veel meer over zijn. Dan was ik een wees. Daar was ik te jong voor – wie zou me dan helpen uit-zoeken wat ik aan moest? Wie zou ervoor zorgen dat me niets over-kwam en me vertellen wat ik moest zeggen tegen Pink Panthers als Charlotte Goldman? Met wie zou ik moeten lachen om grappige situaties? Wie zou ik deelgenoot moeten maken van mijn gedach-ten? Voor wie zou ik een kaart moeten kopen met moederdag en wie moest ik verrassen met een lunch op moederdag als ze dacht dat ze boodschappen ging doen bij TESCO? Wie zou me advies ge-ven over hoe ik moest omgaan met Jean-Claude?

'Je ziet er vanmorgen een beetje pips uit, Harriet. Weet je zeker dat er niets is?'

'Ja! Dat heb ik toch al gezegd! Hou er nou eens over op!' zei ik boos. Het was niet eerlijk van haar. Ik had al zoveel aan mijn hoofd.

Misschien waren we enkel en alleen producten, ontsproten aan de verbeelding van God, klaar om te gaan als Hij niet meer aan ons dacht. Misschien zouden we doorleven als we Hem geen aanleiding gaven om niet meer aan ons te denken. Ik zou het onderwerp subtiel bij de anderen ter sprake moeten brengen, ze op de een of andere manier waarschuwen, zonder dat het te veel opviel waar ik over zat te tobben.

'Ik weet gewoon dat je ergens over in zit, Harriet. Wat is er?' vroeg mijn moeder.

Nu had ik de gelegenheid waar ik naar zocht – en al zo snel. 'Ik denk dat we allemaal tegelijk moeten gaan als we er klaar voor zijn, eerder niet. Niemand zou mogen dicteren dat het tijd voor ons is, behalve wijzelf.'

Nana keek om zich heen en vroeg toen: 'Heeft die ober lopen klagen dat we er te lang over doen?'

'Ik geloof dat Harriet het over de dood heeft,' legde mijn moeder uit.

'O, is dat alles?' zei Nana. 'Ik dacht dat het iets ergs was.'

26

De plaatselijke pers had zich verzameld in de bibliotheek toen ik daar later op de morgen naar binnen liep voor mijn fotosessie. Er waren er zeker een stuk of zes en ze hadden allemaal een camera met een lange lens bij zich. Ik had dit al eerder meegemaakt, ik wist wat ik kon verwachten: de nieuwsgierige blik in de ogen, het kritisch opnemen van het gezicht waarvoor ze gekomen waren, de gretigheid om net die foto te schieten die niemand anders had kunnen bemachtigen. Maar ik zou er gauw achter komen dat deze journalisten heel anders waren dan de persmensen in Londen. Deze jongens van de plaatselijke pers waren met heel andere dingen bezig.

'Is het geen schoonheid?' zei een ouder lid van de plaatselijke pers net toen ik de kamer binnenkwam.

'Ja, vind je zijn ogen niet prachtig?' beaamde een ander.

Ik kuchte om hun te laten weten dat ik er was. Het had niet nodig moeten zijn, maar dat was het wel.

'En hij heeft erg sterke poten,' zei een derde instemmend. 'Ik denk dat hij vaak wordt uitgelaten.'

Ik kwam die dag een heleboel te weten over de plaatselijke pers. Als je probeert te wedijveren met een golden retriever, loopt dat alleen maar uit op een teleurstelling.

'Hallo,' zei ik. 'Jullie zijn vast van de plaatselijke pers. Het spijt me dat ik jullie heb laten wachten.'

'Heb je Jack al gezien? Ik neem aan van wel,' vroeg een man die bij de open haard stond aan me zonder zijn blik af te wenden van zijn viervoetige vriend. 'Wat een apart type!'

Maar ik was ook een apart type. En om te zorgen dat ze dat goed konden zien had ik zelfs mijn roomwitte panamahoed opgezet.

De oudere man kwam krakend overeind en begon na een tijdje tegen mij te praten: 'Zet je hoed af, lieverd, dan kunnen we beginnen.'

Ik zette de panamahoed af waarop mijn moeder en ik zo ons best hadden gedaan. Hij moest namelijk precies op de goede manier schuin staan. Zonder de hoed viel er een berg haar die we er zo zorgvuldig in hadden gestopt tot op mijn schouders in een toestand van ontwapenende wanorde.

'Heeft iemand een kam voor haar?' vroeg de man, terwijl hij het kapje van zijn lens af haalde.

'Het geeft niets,' zei ik uitdagend. 'Ik haal mijn vingers er wel doorheen.'

Maar dat gebaar veroorzaakte een enorme opwinding bij Jack. Hij wilde blijkbaar dat ik met mijn vingers ook door zijn vacht ging. Binnen de kortste keren zat hij aan mijn voeten, wreef zijn lange, natte snuit tegen mijn roomwitte linnen broek en trok aan het enkelbandje van mijn zwarte leren sandaal.

'Wat een ondeugende rakker!' riep een gezette man naast het raam, die me tot dan toe nog niet was opgevallen. 'Hij wil alleen maar spelen. Gooi maar iets naar hem toe!'

Toen begon de plaatselijke pers te delibereren wat ze naar Jack toe zouden gooien. In de tussentijd probeerde ik hem los te weken van zijn merkwaardige positie rondom mijn linkerenkel.

Ik geloof dat het mijn idee was om een exemplaar van mijn boek naar hem te gooien – ten eerste omdat dat het enige voorwerp was, afgezien van mijn panamahoed, dat ik in mijn hand had, en ten tweede omdat ik het tijd vond worden om de plaatselijke pers eraan te herinneren wat ze hier eigenlijk kwamen doen. En in zekere zin, had het gooien van mijn Meditaties inderdaad het gewenste effect. Jack liet mijn enkel in de steek en racete over de prachtig gepolijste parketvloer achter mijn boek aan. Maar dat hij het aan stukken zou scheuren had ik niet voorzien. En eerlijk is eerlijk, de plaatselijke pers ook niet. Maar het was zinloos wat ze toen probeerden, namelijk om de natte bladzijden weer bij elkaar te zoeken. Want zoals ik had gezegd in Meditatie 64, die ironisch genoeg vastgeplakt zat op de natte tong van Jack: 'Onze fouten in het leven zijn als de scheuren in een vel papier – als ze eenmaal zijn gemaakt, lees je het papier nooit meer op dezelfde manier, hoe je de scheuren ook probeert te verbergen.'

'Wat zonde!' zei de gezette man, die bij het raam had gestaan, maar die nu over de resten van mijn Meditaties gebogen stond. 'Dat arme boek van jou – ik hoop dat je er nog een bij je hebt.'

Beseften deze mannen niet naast wie ze zich vooroverbogen? Hadden ze geen notie van het belang van de titel die er nu zo uitzag: *De eind hei van Harri ose*?

'Ik heb er al meer dan duizend exemplaren van verkocht,' zei ik, zo beleefd als ik onder deze omstandigheden nog kon opbrengen. 'Daarom bent u toch allemaal hier vandaag – om mij met mijn boek te fotograferen?'

'Niemand heeft mij iets over een boek gezegd,' antwoordde een lid van de plaatselijke pers. 'Heeft iemand het met jou over een boek gehad, Larry?'

Larry schudde zijn rossige hoofd, wat een waterval langs de diverse kinnen tot gevolg had, en zei: 'Ik heb alleen maar opdracht gekregen wat foto's van de Hall te maken om de familie Small te promoten. Ik dacht dat jij het fotomodel was.'

Hoe vleiend het ook was dat Larry me had verward met een fotomodel, ik had toch gehoopt, onterecht blijkbaar, dat ik in mijn voorkomen iets van een schrijfster had. Maar Larry leek opeens veel belangstelling te hebben voor de boekomslag waarvan hij de overblijfselen vasthield. 'Dus dan ben jij Harri Ose.'

'Harriet Rose, eigenlijk,' antwoordde ik. 'Je hebt mijn verzameling Meditaties in je hand.'

'Nou, wat het ook moge zijn, zo te zien heeft Jack ervan genoten. Hij zet graag zijn tanden in een goed boek, hè Jack?'

De zes mannen vonden die laatste opmerking van Larry kennelijk bijzonder grappig – zelfs Jack keek op van zijn gekauw om te zien waar al dat lawaai vandaan kwam. Dat arme onschuldige beest. Hij was zich totaal niet bewust van de vrolijkheid die zijn speelse daad onbedoeld teweeg had gebracht bij wat, als puntje bij paaltje kwam, toch het hogere soort was.

'Ik ben er klaar voor,' voelde ik me genoodzaakt naar voren te brengen. 'Ik denk niet dat het erg belangrijk is dat mijn boek op de foto's staat, als jullie het in jullie artikel er maar wel over hebben.'

Larry was, als oudste van het stel, kennelijk een soort woordvoerder voor de rest. 'Dat weet ik nog zo net niet,' mompelde hij, en hij krabde over zijn kin met een doosje met een filmrolletje. 'We moeten ons aan onze opdracht houden, hè? Anders kan iedereen wel gratis publiciteit willen hebben.'

Toen ik dankzij een armzalig opgesteld rooster op het verkeerde been was gezet en in de veronderstelling verkeerde dat ik zou worden geïnterviewd door het befaamde tijdschrift *Gleam*, had ik nooit kunnen bevroeden dat het alternatief het andere uiterste zou zijn. 'Het is goed dat jullie weten dat ik hier ben op uitnodiging van meneer en mevrouw Small, die gezien hebben hoe mij op *London Live* een prijs werd overhandigd voor mijn boek. Ik ben de winnares van de titel "Het Gezicht van Londen".'

'O, zit dat zo,' zei Larry met een zucht. 'Je komt uit Londen', alsof daarmee alles gezegd was.

'De familie Small dacht dat het een mooie reclame voor hun hotel zou zijn als jullie mij na mijn overwinning hier zouden fotograferen. De bibliotheek leek ons een voor de hand liggende plaats om te beginnen.'

Terwijl ik dit zei, liet ik mijn ogen dwalen over de boekenplanken, die stampvol stonden met oude en nieuwe klassieken. Dat was het enige wat ik ooit voor mijn boek had gewild, een kleine opening op de plank tussen Racine en Rossetti in de evolutie van het geschreven woord. Deze mannen van de pers hadden mijn aanwezigheid in deze kamer vanzelfsprekend moeten vinden, niet iets wat ik moest uitleggen: ik had er recht op om hier te zijn.

'Kom hier eens lekker aan het bureau zitten, Harriet,' was het advies van een vrij jonge man in een gebreide trui, die met zijn cameralens naar een mahoniehouten eetkamerstoel met leuningen wees die voor een antieke schrijftafel stond, 'en dan graag je gezicht naar ons toe draaien.'

Eindelijk zou de fotosessie gaan beginnen. Ik liep elegant in de richting van het bureau, waarbij ik met een boog om Jack heen liep, die midden in de kamer lag te slapen, uitgeput van alle opwinding. Ik liet mezelf elegant op de zwarte leren zitting zakken en draaide me nonchalant om naar het geflits van de zes camera's met de lange lenzen.

'Prima, schatje!' riep Larry. 'En nu een glimlach graag!'

Ik probeerde tevergeefs zijn instructies op te volgen. Ik had nooit op commando kunnen lachen. Op de een of andere manier leek het regelrecht in te druisen tegen het hele idee van glimlachen. Volgens mij moest het een onwillekeurige natuurlijke reactie op een opbeurende en plezierige gebeurtenis zijn.

En toch had ik er vertrouwen in dat naarmate de fotosessie vorderde de daad me steeds gemakkelijker af zou gaan, zoals je leert zwemmen door goed met de golven om te gaan. Dit was immers pas de eerste van de vier outfits die mijn moeder had gestreken en die ze boven op mijn bed had klaargelegd voor als ik me moest omkleden. Fotomodellen hadden ongetwijfeld ook tijd nodig om op te warmen.

'Fantastisch, Harriet,' hoorde ik Larry ergens achter de flitslampen roepen. 'Bedankt hoor, schat.'

Aangemoedigd door de dankbare reactie van Larry voelde ik me geroepen om een voorstel te doen. 'Ik zou misschien een boek kunnen lezen? Het hoeft niet per se mijn eigen boek te zijn.'

'Ga jij maar lekker lezen als je wilt,' antwoordde Larry. 'Wij zijn klaar met je.'

Ik draaide me om om mijn panamahoed te pakken, die een lid van de pers op een buste van een Romeinse keizer had gepoot, die bij het raam stond.

'Vind je niet dat die hoed hem goed staat?' lachte een van hen, alsof een keizer een gewoon mens was.

Toen ik mijn hoed van het fijnbesneden gelaat af haalde, waardoor zijn peinzende, intelligente blik zichtbaar werd, hoopte ik maar dat het niet Marcus Aurelius was.

'Je gaat nu zeker weer terug naar Londen?' vroeg Larry toen hij zijn jack dichtritste.

'Onze helikopter komt ons maandagmorgen ophalen,' flapte ik eruit – ik had er per slot van rekening vijfduizend pond voor betaald. Het was jammer geweest als ik deze kans niet had gegrepen.

'Heb je dat gehoord, Ted? Ze gaat nota bene per helikopter terug naar Londen.'

'Dan zal het boek het wel goed doen,' zei Ted.

Dat was het zinnetje waarop ik had zitten wachten.

'De eerste druk is al uitverkocht,' zei ik met een tevreden glimlachje. 'Ze zijn op dit moment bezig met een tweede druk om aan de vraag te voldoen. Ik verwacht dat jullie het binnenkort ook hier in de plaatselijke boekwinkel zullen zien liggen, als het wat meer bekend is – mijn gezicht en de titel van mijn boek staan op het staartstuk van de helikopter.' Toen tikte ik met mijn wijsvinger tegen mijn rechterslaap – hopelijk was dat de goede kant van de hersens – en zei: 'Je moet slim zijn in de uitgeversbusiness. Het heeft geen zin alleen maar achterover te leunen en te hopen dat ze je boek zullen kopen.'

Het was niet mijn bedoeling geweest om zoveel te zeggen. De woorden moeten zich in mij hebben opgehoopt als bubbels in een fles champagne. Tegen de tijd dat ik was uitgesproken stond de plaatselijke pers startklaar, jassen aan, zilverkleurige camerakoffers in de hand.

'Goed zo, schat,' zei Larry, en in het voorbijgaan gaf hij me met zijn vrije hand een klopje op mijn hoofd. 'We hebben geboft dat je nog wat tijd voor ons vrij kon maken.'

'Harriet Rose,' zei ik tegen mezelf, 'je bent het nog niet verleerd.'

27

In de brochure van Gleam stond dat het een verkwikkende ervaring was om beurtelings in een *hot* en een *cold tub* te stappen, maar Nana zei dat je dan gegarandeerd een verkoudheid opliep. Maar na een morgen met Jack en de lange lenzen was ik bereid dat risico te lopen, ook al gold dat niet voor Nana.

'Blijven jullie tweeën dan maar in het zwembad als het je niets lijkt,' zei ik, terwijl ik naar de *hot tub* liep. 'Ik kan wel een oppeppertje gebruiken.'

Behalve wij was er niemand in het zwembad, anders hadden we Nana nooit zover gekregen om erin te gaan. Ik had toch al de wacht moeten houden bij de deur terwijl mijn moeder haar hielp bij het aantrekken van haar zwempak.

Ik had Nana nog nooit eerder in badpak gezien – ik wist niet eens dat ze er eentje had, totdat ze me een zwart-wit gestreept exemplaar liet zien met een wit plooirokje en een bijpassende witte bloem op het schouderbandje. 'Ik heb het maar één keer aangehad,' zei ze, en ze aaide er zachtjes overheen alsof het een vriend was die ze in geen jaren had gezien. 'Opa heeft hem voor mij gekocht toen we in 1985 met tante Evelyn en oom Johnny naar het strand gingen. Ik herinner het me nog omdat het onze zilveren bruiloft was.'

Ze haalde niet vaak herinneringen aan mijn grootvader op. Het was waarschijnlijk te pijnlijk om aan hem te denken, dus moest het wel een bijzondere gelegenheid zijn geweest.

'Ik droeg er een grote strooien flaphoed bij. Tante Evelyn zei dat ik op Lauren Bacall leek, maar opa zei dat ik veel knapper was. Ik wist niet dat ik het nog had,' vervolgde ze. 'Ik hoop dat het me nog past.'

Dat deed het, heel goed zelfs. Dat zei ik tegen haar toen zij en mijn moeder met me meeliepen naar het zwembad.

'Wat zien we er mooi uit, hè?' zei Nana tegen mijn moeder en mij, en wij konden dat alleen maar beamen.

Maar toen ze bij de rand van het zwembad stond, had Nana zich bedacht. Je kon van een vrouw van in de zeventig niet meer verwachten dat ze voor het eerst ging zwemmen, zei ze. Ze kon wel een hartaanval in het water krijgen, en dan was er natuurlijk ook geen ziekenwagen in de buurt, waar je sowieso altijd een uur op moest wachten. Haar enkels konden wel opzwellen en dan deden haar gewrichten het niet meer, en ze was niet van plan om te vertrouwen op een stelletje badmeesters die haar dan in de schoolslagpositie aan wal trokken. 'Ik ga er niet in,' voegde ze eraan toe. 'Je weet nooit wie er nog meer in is geweest. Op mijn leeftijd ga ik geen risico's meer lopen.'

'Het is maar een zwembad, Nana,' smeekte ik. Maar het had geen zin. Nana's besluit stond vast.

'Ik ga hier wel op dit lekkere ligbed de krant liggen lezen,' zei ze.

'Maar we zijn hier om te zwemmen,' drong mijn moeder aan. 'Harriet wilde dat het iets bijzonders werd, dat we voor het eerst samen zouden gaan zwemmen. Kom nou, laat ons je rugslag eens zien.'

'Ik heb gezegd dat ik er niet in ging en daarmee basta,' snauwde Nana. Ik geloof niet dat ze goed had geslapen in de Wilson.

'Verdomme, als jij er niet in gaat, ga ik ook niet!' riep mijn moeder uit, met een heimelijk knipoogje in mijn richting.

Toen ging ze op het ligbed tegenover dat van Nana zitten en sloeg haar armen over elkaar. Ze leken net een stelletje boksers die elkaar vanuit hun hoek aan zaten te staren, en die zwijgend elkaars gezicht afspeurden op zoek naar een teken van zwakheid. Twee paar felblauwe ogen en een strijd tussen opvliegende temperamenten die ik al zo vaak met elkaar in de clinch had zien liggen. Het was moeilijk te voorspellen wie er zou winnen; het was een spannende strijd. Volgens mij was mijn moeder lichtelijk in het voordeel, omdat ik wist hoeveel geduld ze kon opbrengen als ze per se iets wilde. Ik herkende de signalen – de samengeperste lippen, de doordringende blik, de opengesperde neusgaten. Ik had meegemaakt dat ze zich uren opsloot in haar studio als ze een portret moest afmaken waar ze niet tevreden over was. Ook al ging het maar over een minuscuul detail, ze hield niet op tot het precies goed was. Als ze een opdracht had, werkte ze weken aan een doek om het dan weer uit te vegen en zo nodig opnieuw te beginnen.

Ik was dus verbaasd dat zij als eerste in beweging kwam. Ze haalde haar armen van elkaar, reikte naar een cocktailprikkertje dat nog in een leeg glas stond, zwaaide ermee in het rond alsof het een zwaard was en zei tegen Nana: 'Hier is een duel op z'n plaats!' Het werkte. Nana zag er de grappige kant van in en gierend van het lachen lieten ze zich allebei in het zwembad zakken.

Hoewel het beschreven werd als een hot tub, was het water in feite lauw. Ik liet me achterover zakken met mijn hoofd tegen de houten rand en bepeinsde het empirische belang van contrasten: zonder de hot tub zou de koude niet zo koud aanvoelen, en als ik eenmaal in de koude was geweest, zou deze zelfde hot tub opeens veel heter aanvoelen, terwijl er ondertussen niets aan was veranderd. Wat mij weer bij de volgende vraag bracht: als ik niet had verwacht voor het tijdschrift *Gleam* te worden gefotografeerd, zou de fotosessie met de plaatselijke pers me dan ook zo saai hebben toegeschenen? En doorredenerend was het best mogelijk dat na de saaie fotosessie met de plaatselijke pers mijn interview de dag daarop met het kennelijk wat wereldser *Heart of the Country* veel bevredigender zou zijn.

Eenmaal aan deze filosofische ontdekkingstocht begonnen, leek de weg eindeloos: als ik bijvoorbeeld niet was gezegend met een onderzoekende, intellectuele geest, zouden de oppervlakkige gedachten die alle kanten op gaan dan ook zo banaal hebben geleken? Zou zonder de duffe voorspelbaarheid van mensen als Jason Smart, de gecultiveerde filosofische wereldwijsheid van Jean-Claude even scherpzinnig hebben geleken? Als ik mijn vader niet op zo tragische wijze had verloren, zou het geluk van mijn moeder en Nana dan ook zoveel voor me hebben betekend?

Toen ik uit de hot tub klom en in de koude stapte, beloofde ik mezelf één ding: als ik ooit weer eens in de put zat vanwege het *cold tubberige* van het leven, dan zou ik me herinneren hoe warm de hot tub daarna had aangevoeld.

'En, voel je je verkwikt?' vroeg mijn moeder, toen ik me naast het zwembad bij haar en Nana voegde. Ze zaten van hun non-alcoholische cocktails te nippen, een attentie van de familie Small.

'Ik kan de hele wereld aan,' zei ik lachend, en ik pakte mijn glas. Het was een loze kreet, ik had het niet letterlijk bedoeld. Maar zo is het lot, zoals ik al had gezegd in Meditatie 65: 'Het luistert naar elk woord dat je zegt, gaat dan achteroverzitten en kijkt toe hoe die woorden worden beproefd.'

Mijn test was 'Sonia Worthington', zoals ze zich aan ons voorstelde toen ze het zwembad binnenkwam. We hadden niet om dat voorstellen gevraagd, maar Sonia had erop gestaan – het was haar manier om uit te vinden wie wij waren.

'We hebben jullie gisteren zien arriveren in jullie helikopter...' zei ze. Ondertussen keek ze ons onderzoekend aan om erachter te komen waarom we beroemd waren. Met 'wij' verwees ze kennelijk naar zichzelf en naar een meisje van een jaar of elf, dat zich probeerde te verstoppen achter de rug van haar moeder. Dat was geen moeilijke opdracht: de rug was gekleed in verschillende lagen van geplooide zwarte overrokken en gehuld in een rode zwemband, '... en herkenden je gezicht. Maar we konden het niet thuisbrengen.'

'Dan hebt u vast mijn laatste film gezien,' antwoordde mijn moeder lachend.

Helaas deelde Sonia mijn moeders gevoel voor humor niet. 'Ik dacht al dat u er als een actrice uitzag,' antwoordde ze opgewonden. 'U hebt dat afstandelijke over u.' Sonia liet zichzelf en haar rubberen zwemband op de rand van het zwembad zakken, waar ze ging zitten met haar voeten bungelend in het water.

'Eigenlijk is mijn dochter degene die beroemd is,' biechtte mijn moeder op.

'Aangenaam,' zei ik beleefd en stak Sonia mijn hand toe. Mijn rechterhand, waarmee ik mijn succesvolle boek had geschreven. 'Ik ben Harriet Rose.'

Sonia wendde zich hulpzoekend tot haar dochter, die nu naast haar stond. 'Harriet Rose, Sophie!' gilde ze. Haar stem galmde door het zwembad alsof Sophie zich in het volgende dorp bevond. 'Wie is dat?'

Sophie haalde haar smalle, witte schoudertjes op en sprong erin.

'Wat een gespetter voor zo'n klein ding,' riep Nana, terwijl ze het water van haar geërgerde gezicht veegde. Maar Sophie was onder water verdwenen en zette als een kikkervisje koers naar het diepe gedeelte.

'Zou ik misschien een handtekening van je mogen hebben, Harriet?'

Het was de eerste keer dat ik die woorden hoorde en ik zou ze nooit vergeten. Het probleem was dat hoewel er toevallig een ballpoint op ons bijzettafeltje lag, Sonia niet iets had waarop ik kon schrijven.

'Weet je wat?' zei Sonia ten slotte. 'Zet je handtekening maar op mijn zwemband.'

Omdat ik de kans niet wilde laten lopen om mijn allereerste handtekening te zetten, stemde ik in met haar wat bizarre verzoek en schreef in prachtige krulletters *Harriet Rose* over de hele zwemband. Het was een hele grote band, dus kon ik er ook nog *met mijn beste wensen* bij schrijven. Sonia was er uiteraard heel blij mee, en ik stiekem ook.

'Ik begin me weer iets te herinneren,' zei ze, me strak aankijkend met iets van herkenning in haar ogen. 'Jij hebt die wedstrijd gewonnen op de televisie, hè?'

Mijn eerste handtekening en mijn eerste fan. Het was een moment om van te genieten.

'Dat ben ik, ja!' zei ik, en ik gooide mijn haren naar achteren over mijn schouder zodat ze mijn gezicht wat beter kon zien.

'Ik zou op je hebben gestemd, maar ik was net een cake aan het bakken.'

'Nou ja, ze heeft toch gewonnen,' zei mijn moeder troostend.

'En dat was dik verdiend, wat die afschuwelijke juryleden er ook over zeiden.'

Ik keek naar mijn moeder en Nana. Ze zaten er net zo verbijsterd bij als ik.

'Ik ga je plaat kopen, Harriet,' zei Sonia. 'Je hebt een hele mooie stem, hoor.'

'U vergist u,' zei mijn moeder snel. 'Harriet is geen zangeres. Ze is de schrijfster van *De oneindige wijsheid van Harriet Rose*. Ze is het Gezicht van Londen.'

Ik had nog niet aan mezelf gedacht als 'de' schrijfster. 'Een' schrijfster was al fantastisch genoeg voor me geweest. De woorden van mijn moeder zetten de hele ervaring met Sonia in het juiste perspectief. Het kon me niets schelen wie Sonia dacht dat ik was, ook al was het een zangeres in een talentenjacht. Wat belangrijk was, was dat *ik* wist wie ik was en mijn moeder en Nana ook. Ik was 'de' schrijfster, 'de' Harriet Rose.

'O, wat jammer!' verzuchtte Sonia, en toen verdween ze het zwembad in, op zoek naar Sophie. Haar zwemband liet ze bij ons achter.

28

Die nacht droomde ik. Meestal herinnerde ik me mijn dromen niet, maar deze was heel levendig. Ik droomde dat ik verdronk in een reusachtige tobbe met ijskoud water. 'Help!' riep ik. 'Ik ben het, Harriet Rose. *De* Harriet Rose, bejubeld schrijfster en filosoof en winnares van 'Het Gezicht van Londen'.

Maar niemand hoorde me. Ik voelde hoe het koude water over mijn hoofd spoelde, waardoor de beige panamahoed die mijn haren omhooghield, wegdreef.

'Hierheen! Ik verdrink!' riep ik wanhopig, maar dat was niet nodig. Jack had me al gezien en kwam in de tobbe als een razende naar me toe zwemmen met een grote rode rubberen zwemband tussen zijn tanden. In een mum van tijd had hij de band over mijn hoofd gegooid en sleepte hij me naar de houten rand van de tobbe.

'Je hebt erg sterke poten, Jack,' merkte ik op, toen hij me in veiligheid bracht. 'Je wordt vast veel uitgelaten.'

'Als ik niet aan het lezen ben,' antwoordde Jack. 'Ik hou wel van een goed boek.'

Precics op dat moment dook er een helikopter naar beneden en er leunde iemand uit de open deur die een hand uitstak om mij in veiligheid te trekken. Het was een vrouw in een zwart met zilveren badpak en met een tulbandhoed op haar hoofd. 'Hier! Pak aan!' zei ze toen we eenmaal veilig en wel in de helikopter zaten, en ze reikte me een appelflap aan. 'Die zal je goeddoen.'

Toen vlogen we over de bekende straten van Londen. We gingen steeds hoger, totdat we in de buurt van een rood bakstenen gebouw kwamen. Een menigte stond van beneden naar me te wijzen en te zwaaien, en met hun monden vormden ze woorden die ik niet kon verstaan. We zweefden in de lucht en begonnen toen aan onze afdaling – het was een vrouwelijke piloot met kastanjebruine haren en met de afstandelijkheid van een actrice. Ze zette onze helikopter aan de grond en schreeuwde: 'Ik heb in mijn laatste film leren vliegen. Je hebt hem vast wel gezien – *Mamma Mia is geland.*'

Maar daar hadden we geen van beiden van gehoord, dus zei ik: 'Was het een musical? Als jij me de woorden zegt, dan zou ik hem dolgraag voor je zingen. Ik heb een prachtige zangstem.'

'Lees ons een van je Meditaties voor,' smeekte een vrouw met wie-denk-je-wel-dat-je-bent-ogen toen we weer op de grond stonden.

'Dat kan ik niet, ze zijn uitverkocht,' antwoordde ik, en ik sprong als een golden retriever uit de helikopter.

'Je kunt mijn exemplaar wel lenen,' zei een knappe Fransman met een huichelachtig gezicht. 'Ik heb hem gisteravond van de Pink Panther gekregen.'

Ik schrok wakker, half in de veronderstelling dat ik de Pink Panther naast mijn bed zou aantreffen. Het was zondagmorgen, de laatste dag van onze heerlijk rustige plattelandsretraite. Spoedig zou ik weer terug zijn in de meedogenloze drukte van Londen, ik zou weer tegen de verdrukking in moeten vechten voor succes, moeten strijden voor een gelegenheid om mijn stem te laten horen tegen een achtergrond van verkeerslawaai en ordinaire accenten.

'Moeten we terug naar Londen?' vroeg ik aan mijn moeder, die me een kapsel aanmat met kammen met glittertjes, in afwachting van mijn interview met het tijdschrift. 'Kunnen we niet hier blijven bij deze heerlijk rustige plattelandsmensen?'

'Eigenlijk hou je best van Londen.' Ze trok aan een haarlok van me. 'Je zou de spanning missen van feestjes die voor jou worden gegeven in de London Portrait Academy en afspraakjes in Franse bistro's met mensen als Jean-Claude.'

'Eén afspraakje maar,' corrigeerde ik haar. Het was belangrijk dat zij het in het juiste perspectief bleef zien. 'En we waren niet eens alleen.'

'Nou ja, zo ongeveer,' lachte mijn moeder. 'Ik had het over mensen die iets voorstellen.'

Daar had ze wel gelijk in, maar waren Jean-Claude en Charlotte het met haar eens?

'Ik heb hem een ansichtkaart van het hotel gestuurd toen we aankwamen,' bekende ik. 'Dat leek me niet meer dan eerlijk, want hij was bij ons langs geweest en ik had niet opengedaan.'

'Ik weet niet meer waarom je niet hebt opengedaan,' zei ze verstrooid. In dat opzicht was mijn moeder onvoorspelbaar – ik had op z'n minst verwacht dat ze zou reageren op de ansichtkaart.

'Ik had toen mijn rode nachthemd aan met de bijpassende bedsokken,' hielp ik haar herinneren. 'Ik dacht dat het weer een van die paparazzi was die me nadat ik gewonnen had wilden fotograferen.'

'Ik weet niet waarom je nog steeds dat nachthemd met die bedsokken draagt.' Ze fronste haar wenkbrauwen.

'Ze waren een kerstcadeautje van papa,' antwoordde ik.

Ik zag hoe haar gezicht van geamuseerd veranderde in verdrietig, en wou dat ik het niet had gezegd. Maar dat had ik wel. Er was niets meer aan te doen, behalve een ander onderwerp aansnijden.

'Waarom denk je dat hij langskwam?' vroeg ik.

'Wie?' vroeg ze, en ik wist dat ze verdiept was in haar eigen gedachten.

'Jean-Claude, natuurlijk,' zei ik vinnig, deels omdat ze me over dat kerstcadeautje had laten praten.

'Hij kwam waarschijnlijk toevallig langs,' opperde ze wat lauwtjes, alsof Jean-Claude niet haar zaak was, 'op weg naar huis.'

'Maar wij wonen in een doodlopende straat.' Ik moest haar daar wel op attenderen. 'Hoe kan hij nu gewoon "langskomen" bij een huis in een doodlopende straat?'

'Nou, misschien was hij die avond wel ergens in de buurt uit geweest,' zei ze, zonder er een seconde aan te denken hoe ik me daarbij zou voelen.

'Met wie?' vroeg ik blozend. 'Hij is nog niet zo lang in Londen. Hij kent alleen mij en... Hij kent alleen mij.'

'Daar had ik niet aan gedacht,' zei mijn moeder verontschuldigend.

Gelukkig voor haar werden we onderbroken door iets wat onder de deur van mijn slaapkamer werd geschoven. Mijn moeder was er het eerste bij.

'Het is een exemplaar van de *Morning Post*,' zei ze, 'een van de plaatselijke kranten.'

We liepen met de krant naar mijn kingsize hemelbed en spreidden hem uit op de roomwitte zijden sprei. Mijn moeder bladerde om en ik speurde intussen krantenkoppen af.

Het artikel over mij stond ergens ingeklemd tussen PLAATSELIJKE CHEF-KOK MAG KOKEN OP LUXE LIJNSCHIP en TWEEDE IN SCHOONHEIDSWEDSTRIJD HUILT: IK HAD HET MOETEN ZIJN. Gezien hun gebrek aan inspanning moest ik toegeven dat de foto er niet slecht uitzag. Eigenlijk was het een heel goede foto geweest, als de staart van Jack niet over mijn voeten had gelegen. Hij had iets natuurlijks, iets fris, zoals mijn moeder naar voren bracht. De zachte kracht van onschuld gevangen in een kader. En Larry had kennelijk ook vreselijk zijn best gedaan op de kop: LONDENSE SCHRIJFSTER BRENGT BLIKSEMBEZOEK AAN TEGFOLD HALL BIJ DE FAMILIE SMALL.

De veertienjarige schrijfster Harriet Ose is dit weekend in een privéhelikopter naar Tegfold Hall komen vliegen op uitnodiging van de bekende eigenaren Christopher en Fiona Small. Het knappe blonde schoolmeisje (zie foto) verklaarde: 'Meneer en mevrouw Small hebben op *London Live* gezien hoe mij een cheque werd overhandigd als winnares van "Het Gezicht van Londen" en toen hebben ze mij en mijn familie voor een weekend uitgenodigd.' Harriet heeft de prijs gewonnen voor haar boek *De oneindige wijsheid van Harriet Ose*.

'Hij heeft het allemaal prima bij elkaar gezet en alleen maar een R vergeten,' merkte ik op en las verder:

Het boek is een verzameling Opdrachten die Harriet zelf heeft samengesteld. Ze heeft al meer dan duizend exemplaren van de eerste druk verkocht en een tweede druk is in aantocht.

'"Een verzameling Opdrachten"!' riep mijn moeder uit. 'Het lijkt wel een cd die is opgedragen aan Elvis.'

Fiona Small zelf, de bekende eigenares, klopte op de deur van mijn slaapkamer, net toen we Larry's artikel nog eens goed hadden doorgenomen, op zoek naar nog meer fouten. Ik nam afscheid van mijn moeder en Fiona liep met me naar haar zitkamer, waar mijn interview met *Heart of the Country* zou plaatsvinden.

'Ik heb maar even een exemplaar van de *Morning Post* onder je deur door geschoven – heb je het gezien?' informeerde ze, toen we naast elkaar door de gangen liepen, eendrachtig klikklakkend – ik had ditmaal mijn blauw met rode schoenen met lovertjes aan met het lage maar elegante hakje.

'Dat heb ik, ja,' antwoordde ik.

'Ik vond het een prachtige foto van je,' zei ze, waarmee ik uiteraard instemde, 'hoewel het jammer was dat er niet meer van het hotel op stond dan de achterkant van een stoel, hoe mooi ik die stoel ook vind.' En ze liet een zenuwachtig lachje horen alsof ze nog meer op haar hart had. 'We vroegen ons af of je *Heart of the Country* niet zover kunt krijgen dat ze wat meer foto's maken – misschien buiten met de voorkant van het hotel erop, met de naam op de zuilen.'

'Ik zal mijn best doen,' zei ik. 'Laat het maar aan mij over.' Ik zag dat Fiona in de loop van een paar dagen op mij was gaan vertrouwen.

'Succes,' fluisterde ze, en toen was ze weg.

Isabel Longhurst zat, toen ik de kamer binnenkwam, in een zachtblauwe leunstoel met hoge rug met haar voeten op een bijpassend voetenbankje.

'U hoeft niet op te staan,' riep ik haar toe van de andere kant van de kamer toen ik naar haar toe liep, maar dat was ze ook niet van plan.

'Dus jij bent Harriet Rose,' zei ze tegen mijn schoenen.

Ik had zin om te zeggen: 'De linker is Harriet en de rechter is Rose,' maar ik realiseerde me dat ik geen geboren comédienne was, zoals mijn moeder me voor mijn interview nog eens onder de neus had gewreven. Het ging me beter af om ernstig en filosofisch te zijn.

'En u bent *Heart of the Country*,' zei ik.

'Isabel Longhurst,' zei ze, alsof ze zichzelf aankondigde op een debutantenbal.

Toen ik ging zitten schikte ik mijn witte jurk zorgvuldig om me heen – het was belangrijk dat er geen kreukels in kwamen voordat de foto's waren genomen.

'Charmant,' zei Isabel. Alleen dat. Niets anders. Ze zat druk te schrijven op een ruim gelinieerde blocnote. Omdat zij niet het type vrouw was dat je stoorde, zei ik ook maar niets.

Ten slotte was ze klaar om te beginnen. 'Zo, Harriet, vertel me eens wat over het boek dat je hebt geschreven – *De oneindige wijsheid van Harriet Rose*.' Isabel liet een kleine stilte vallen tussen elk woord terwijl ze mijn titel van haar aantekeningen oplas. 'Beschrijf het eens in je eigen woorden. Je hebt alle tijd.' Toen glimlachte ze, keek weer naar mijn schoenen en rolde haar zwart-witte pen tussen duim en wijsvinger.

Ik zweeg een poosje. Ik wilde niet overhaast antwoord geven. Mijn moeder had me daar nog eens extra voor gewaarschuwd. Ten slotte zei ik: 'Waarom?'

Isabel verplaatste haar blik van mijn voeten naar mijn ogen en zei: 'Omdat mijn lezers zullen moeten weten of het de moeite waard is om te lezen.'

Het was de eerste keer dat ik haar ogen zag. Ze waren klein en bruin, en als ze ergens diep over nadacht schoten ze heen en weer.

'Waarom?' vroeg ik nogmaals.

'Omdat er een ruime keuze aan boeken is, en *Heart of the Country* schrijft graag iets over boeken die eruit springen.'

Toen Isabel haar rechterbeen over haar linker sloeg, zwierden de plooien van haar lange gebloemde rok om haar enkels, waardoor zwarte leren enkellaarsjes met naaldhakken zichtbaar werden.

'Waarom?' vroeg ik opnieuw.

'Om de lezers een boek te geven waarvan ze kunnen genieten en waarover ze hun vrienden kunnen vertellen.'

Ik boog wat naar voren naar de rand van de sofa en probeerde het nog een keer: 'Waarom?'

'Omdat het belangrijk is dat ze een boek uitkiezen dat hen doet glimlachen of huilen of dat hen aan het denken zet.'

'Waarom?'

Isabel wachtte dit keer niet meer met haar antwoord. 'Het laat zien dat we leven.'

'Waarom?' Ik kon het tempo bijna niet meer bijhouden.

'Omdat het ons herinnert aan ervaringen die we zelf hebben gehad, aan mensen van wie we hebben gehouden, aan mensen aan wie we een hekel hebben gehad, aan onze prestaties, onze mislukkingen, onze doelstellingen, onze angsten.'

'Waarom?'

'Omdat het een goedgeschreven boek is – en dat is precies het soort boek waarmee *Heart of the Country* zich wil identificeren.'

Isabel zwaaide haar rechterbeen weer terug en duwde met de zool van haar laars het voetenbankje van zich af. 'Dus vertel eens, Harriet, hoe zou jij *De oneindige wijsheid van Harriet Rose* beschrijven?'

'Waarom,' zei ik voor de zoveelste keer – mijn moeder had gezegd dat ik me niet moest laten intimideren. 'Dat probeer ik u nu al vijf minuten te vertellen. Mijn verzameling Meditaties gaat over het willen weten van "waarom".'

'Waarom wat?' wilde Isabel weten, en ik bewonderde haar journalistieke vasthoudendheid.

'Waarom schrijvers de dingen anders zien dan niet-schrijvers, waarom ik me geen leven kan voorstellen waarin mijn moeder en Nana geen rol spelen, waarom winnen soms verliezen is en de lat zo hoog is als je hem legt, waarom mijn vader moest sterven, waarom ik anders over de dingen denk dan de meeste van mijn leeftijdgenoten, waarom ik niet net zo vlot of zo werelds kan zijn als mijn moeder, of zo overtuigend en vastbesloten als mijn grootmoeder, of zo slim als ik soms lijk, waarom meisjes als Celia Moore met een grote boezem zich niet zo bedreigd voelen door het succes van anderen als nitwits met een plattere voorgevel als Charlotte Goldman.'

Toen kon ik even geen ander 'waarom' meer bedenken, dus zweeg ik.

'Dat zijn een heleboel waaroms,' zei Isabel met een glimlach. Ze had nog niet geglimlacht en dat had ze wel moeten doen. Haar gezicht kreeg iets zachts en haar ogen iets warms.

'Er zijn ook een heleboel bladzijden,' antwoordde ik.

'En staan er antwoorden op die bladzijden?' vroeg ze, alsof ze er oprecht in geïnteresseerd was.

'Alleen voor degenen die ernaar op zoek zijn,' zei ik.

'Dan zal ik ernaar op zoek gaan.'

'Dan weet ik zeker dat u ze zult vinden,' antwoordde ik.

Daarna praatten we een hele tijd over mijn moeder en Nana en mijn vader. Ik had het zelfs even over Jean-Claude. Ze vroeg of ik een exemplaar van mijn Meditaties bij me had en ik legde uit dat Jack het laatste exemplaar bijna helemaal had opgegeten. Toen liet ik haar Larry's foto en het artikel in de *Morning Post* zien en zij zei dat ze dat veel beter kon. Dus liep ze met me mee naar buiten, haalde haar digitale camera tevoorschijn en zei hoe ik moest kijken en waar ik moest staan. Ze vond het zelfs goed om een foto van me te nemen naast de zuilen met TEGFOLD HALL HOTEL erop. Toen zei ze dat het haar speet, maar dat het tijd werd om op te stappen. En ze beloofde me een exemplaar van het tijdschrift op te sturen. En toen was ze weg, als een plotselinge, geurende zandstorm. *Heart of the Country*, een tijdschrift met een uiterst passende naam.

29

Ik geloof dat het Nana was die ons op het kleine probleempje wees in het rooster van Fiona, namelijk waar melding werd gemaakt van een signeersessie – we hadden geen boek meer over. De tweede druk werd pas op z'n vroegst volgende week afgeleverd. Dat had ik persoonlijk geregeld, want ik betaalde er zelf voor met mijn prijzengeld.

'Dat begrijpt Fiona wel,' zei mijn moeder tijdens een lichte lunch aan het zwembad – we hadden geen tijd voor iets zwaarders: het interview met Isabel Longhurst was bijna een uur uitgelopen en de signeersessie stond gepland voor twee uur 's middags, waardoor er nog maar een uur overbleef voor de lunch.

'Misschien kunnen we de namen noteren van de mensen die een exemplaar willen kopen en het hun toezenden als ze er zijn,' stelde PR voor.

'Maar hoe weten ze nu wat voor boek het is?' bracht ik naar voren. 'We hebben alleen mijn exemplaar nog, en dat is half opgegeten.'

'Je kunt jouw mooie gezichtje nog wel zien op de achterkant,' bracht het Hoofd Verkoop me in herinnering. 'Daarmee kun je er duizenden verkopen, als je het mij vraagt.'

Maar ik had er niet zo veel vertrouwen in als Nana – dat kwam waarschijnlijk door mijn leeftijd.

'Ik heb een idee!' riep PR uit, en ik kreeg meteen weer wat moed. 'Je zou de tekst kunnen voordragen – daar heb je geen boek voor nodig, want je kent het merendeel van je Meditaties uit je hoofd.'

Het was de perfecte oplossing, en alleen mijn moeder had zoiets kunnen bedenken.

'Of wacht eens' – ze was er helemaal in, dat voelde ik – 'waarom stellen we Fiona niet voor om het buffet en de cocktails bij het zwembad om zeven uur vanavond te combineren met de voordracht? Alle hotelgasten zijn er dan, en jij zou dan bij het zwembad kunnen voorlezen. Zoiets als "Een avond met Harriet Rose". Wat vinden jullie?'

Voordat ik kon reageren, voegde mijn moeder eraan toe: 'En zoals Nana voorstelde, noteren we dan de namen en adressen van de mensen die een exemplaar willen bestellen.' Je was pas een echt goede publiciteitsagent als je iedereen tevreden kon houden. Daarom was mijn moeder voor die taak uitverkoren, en Nana en ik niet.

Nu moesten we alleen nog Fiona van de verandering op de hoogte stellen.

'Je vader had gelijk,' zei mijn moeder, toen ik in mijn Griekse jurk uit de badkamer tevoorschijn kwam. 'Je ziet er prachtig uit.'

'Ik ben zo benieuwd hoe ze eruit zal zien naast het zwembad,' deed Nana een duit in het zakje. Ze zocht alvast naar haar witte katoenen zakdoekje dat ze in de mouw van haar blauwe zijden japon had gestopt. 'Ik wou dat haar grootvader dit kon meemaken.'

Gesteund door hun commentaar liep ik achter hen aan de brede mahoniehouten trap af, voorzichtig om niet te struikelen over de golvende zoom van de chique zwartfluwelen avondjurk van mijn moeder met de zijden plooien in de sleep. 'De perfecte afronding van een perfect weekend,' zei ik, toen we gracieus over de zwartwitte marmeren vloer liepen die ons als een bijpassend accessoire completeerde.

In een poging om de creatieve flair van mijn moeder na te bootsen had Fiona een verzameling sierkaarsen rondom het zwembad neergezet die een heerlijke wierookgeur verspreidden. Ogenblikkelijk was ik weer in de biechtstoel van de Kerk van de Onnozele

Kinderen. 'Je moet je op al je talenten concentreren.' De woorden van de eerwaarde vader weerklonken als een voorspelling in mijn hoofd. 'Dan zul je zien dat hij nog steeds bij je is.'

Ik wilde net naar Fiona toe lopen, die stond te praten met een gedistingeerde heer in een roomwit linnen pak toen mijn moeder me tegenhield. 'Voordat je begint,' fluisterde ze, 'heb je volgens mij dit nodig.' Ze plukte een grote witte roos uit een bos die naast ons stond en stak de stengel handig achter mijn linkeroor. 'Een mooie witte roos,' zei ze zacht. 'Nu ben je er helemaal klaar voor.'

Fiona had overal antieke, handgeweven kussens langs de rand van het zwembad en bij de duikplank neergelegd. De gasten bevonden zich aan beide kanten van het zwembad. Ze stonden te lachen en te praten en ze nipten van de champagne die door obers in smoking op zilveren dienbladen werd geserveerd. Binnen enkele minuten zouden hun gesprekken verstommen en zou er een verwachtingsvolle stilte voor in de plaats komen.

Ik voelde of de rozenstengel achter mijn oor nog stevig zat. Daarna schopte ik mijn witte fluwelen slippers uit, liep heldhaftig de duikplank op en zorgde ervoor dat ik niet struikelde over de handgeweven kussens. Ik kon op de achtergrond de stem van Fiona horen, die de gasten tot stilte maande. Toen kondigde ze aan dat er een voordracht ging plaatsvinden, waarna er een klaterend applaus opklonk. Wat hen betreft kon ik beginnen.

'Ik ben vanavond niet in staat om u voor te lezen uit mijn boek met Meditaties, *De oneindige wijsheid van Harriet Rose*, omdat Jack gisteren bij de persconferentie het laatste exemplaar heeft opgegeten. En voor degenen onder u die het niet weten, Jack is geen lid van de pers maar de golden retriever van Fiona en Christopher.' Ik was wat van mijn stuk gebracht toen ze inderdaad lachten – dat was zo lang uitgebleven dat ik niet goed wist hoe ik moest reageren. Ik besloot maar met ze mee te doen. Alleen klonk mijn lach veel harder dan het hunne en het hield ook langer aan.

'Ik zal beginnen met antwoord te geven op de vraag die jullie ongetwijfeld gaan stellen – waar geloof ik in en wie is Harriet Rose? Ze is niet alleen de schrijfster van *De oneindige wijsheid van Harriet Rose*, van wie jullie ongetwijfeld hebben gehoord, maar de persoon achter de Meditaties. Tot slot zal ik één Meditatie voorlezen, die niet in mijn verzameling staat omdat hij nieuw is. En wel gloednieuw, want ik heb hem pas vanmiddag geschreven.'

Ik zag hoe mijn moeder en Nana elkaar aankeken. De maan verlichtte hun gezicht alsof er een schijnwerper op stond. Ik had hen verrast, precies zoals ik had gepland.

'Zoals algemeen bekend is, heeft Heraclitus gezegd dat we niet twee keer in dezelfde rivier kunnen stappen. Alles is namelijk onderhevig aan verandering. Niets blijft hetzelfde. Als ik aan het eind van mijn praatje ben gekomen, zal ik iemand anders zijn dan degene die ermee begon. En jullie, mijn publiek, zullen ook veranderd zijn. Wij zijn ons allemaal bewust van onze eigen ontwikkeling, maar toch zoeken wij allemaal naar die aspecten in onszelf die nooit veranderen, die ons maken tot wat we zijn, die uitstijgen boven onze constante ontwikkeling.

Daarginds, naast de meneer met het zilveren dienblad luistert mijn moeder naar elk woord dat ik zeg. Naast haar doet mijn grootmoeder hetzelfde. Dochter, moeder, grootmoeder, drie schakels in een continuüm zonder onderbreking. Mijn moeder, een moeder voor mij maar een dochter voor mijn grootmoeder. Twee verschillende perspectieven gevat in hetzelfde unieke individu. Als wij veranderen van rol, wat blijft er dan hetzelfde?

Ik heb een boek geschreven, een verzameling van mijn Meditaties, waarmee ik ben begonnen toen ik twaalf jaar oud was. Het bestaat uit twee heel verschillende delen – het eerste is opgedragen aan de mensen die mijn leven ten goede en ten kwade hebben beïnvloed. Het tweede is een wat meer algemene verzameling overpeinzingen over het leven dat ik buiten mezelf en in mezelf waarneem. Deel twee zou niet mogelijk zijn geweest zonder deel een, en op zijn beurt heeft deel twee weer geleid tot de Meditatie die ik u vanavond zal voorlezen. Omdat het geen deel uitmaakt van mijn verzameling is hij niet genummerd. Daarom heb ik hem "Over metamorfose" genoemd.'

In mijn handen, die maar een heel klein beetje bibberden, hield ik een vel schrijfpapier van het hotel waarvan beide kanten bedekt waren met mijn woorden, duidelijk opgeschreven met een zwarte ballpoint.

'Metamorfose, ziet u, dat is waarin ik me vandaag bevind. Ik groei de hele tijd lichamelijk, geestelijk en spiritueel. Ik verander constant, maar blijf toch steeds dezelfde. Anders zou je niet naar me kunnen kijken en zeggen: "Daar loopt Harriet Rose, schrijfster van *De oneindige wijsheid van Harriet Rose* – die ken ik." Ik ben niet alleen maar een verzameling afzonderlijke Harriet Roses, die bij elkaar zijn gevoegd als in een boeket. Ik ben een uniek, herkenbaar individu. Hoe kan ik dat weten? Omdat ik begrijp wat belangrijk voor me is, en ook wat belangrijk voor me was en altijd zal blijven. Niet alleen wat, maar ook wie. Twee van hen zijn vanavond hier, anderen zijn weg. Weg, maar toch hier aanwezig. Allemaal maken ze deel uit van het continuüm waaruit Harriet Rose bestaat.

Alles is constant in verandering – gisteren, vandaag, morgen, geboorte, leven, dood – maar blijft toch hetzelfde. Waar zult u morgen zijn, dames en heren? Je kunt niet twee keer in dezelfde rivier stappen. Wie zult u morgen zijn, dames en heren? Alleen u kunt het zeggen.'

Ik was aan het eind gekomen van het eerste deel van mijn praatje, en daarom wachtte ik even voordat ik aan het tweede deel van mijn continuüm begon.

'Een lerares heeft me een keer gevraagd om in de klas op te staan en aan mijn klasgenoten wat over mezelf te vertellen. Ik heb die facetten beschreven die belangrijk voor me waren, de dingen die me gemaakt hebben tot wat ik ben. Daarna ging ik zitten en merkte ik dat mijn antwoord niet voldeed aan de verwachtingen van de lerares. Ik hoorde hoe de anderen hun favoriete tijdverdrijf beschreven, wat hun ouders deden, hoe oud hun broertjes en zusjes waren, waar ze woonden. Maar zei me dat echt iets over wie ze waren?

Mijn nieuwe Meditatie, "Over metamorfose", is een tweede versie van mijn antwoord op diezelfde vraag, maar ditmaal bezien vanuit een nieuw gezichtspunt. Ik hoop dat u, als u het hebt gehoord, het gevoel hebt dat ik de vraag "Wie ben ik?" naar tevredenheid heb beantwoord.'

Ik haalde diep adem en begon: 'Over Metamorfose.'

Ik heb een verzameling Meditaties geschreven omdat
reflectie belangrijk voor me is.
Ze zijn uitgegeven door mijn moeder en Nana omdat ik
belangrijk voor hen ben.
Het boek werd een succes, maar dat was niet van belang voor
me.
We hebben er met z'n drieën aan gewerkt en dat was van
belang voor me.
Ik praat nu over mijn schrijven en dat heb ik nooit eerder
gedaan.
Ik praat nu in het openbaar en dat vond ik altijd moeilijk.
Ik wil een verschil maken, ik wil dat mensen denken.
Want denken maakt ons tot mensen en mensen zetten ons
aan het denken.
Eens geloofde ik in altijd, voor het overlijden van mijn vader.
Ik geloof nog steeds in altijd, sinds het overlijden van mijn
vader.
Ik begon mijn *Oneindige wijsheid* met een opdracht aan mijn
vader.

Ik eindig deze Meditatie met een opdracht aan mijn moeder...

Is er iemand die er niet is als ik mijn pen ter hand neem, als ik spreek over wat
ik ben verloren, als ik zo lang blijf stilstaan bij "toen"?
Is er iemand die ik ben vergeten als ik bedenk wat ik moet zeggen, als ik mijn Meditaties opschrijf, als ik praat over "toen"?
Het is niet dat ik het ben vergeten, want dat is niet mogelijk.
Het is gewoon zo moeilijk om je te vertellen hoeveel je voor me betekent.
Dus heb ik deze Meditatie speciaal voor jou geschreven – mijn moeder, die ik hoogacht voor alles wat je doet.'

Ik vouwde het vel papier dubbel, hield het bij de vouw vast en liet het zachtjes op het water vallen, dat zo stil was als de stilte om me heen. Ik keek toe hoe het op het water bleef drijven als een panamahoed.

'Bedankt allemaal dat jullie hebben willen luisteren naar "Over metamorfose",' zei ik zacht – ik wilde de stilte niet verbreken.

Maar er was wel iemand die dat deed. En ze deed het met zo veel applaus en gejuich dat het genoeg was voor een heel publiek. Het was mijn moeder. Nana kon niet meedoen – ze had het te druk met haar zakdoekje. Toen begon de rest van het publiek ook te klappen – ik hoorde zelfs een man achteraan 'bis' roepen. Maar daar was ik niet op voorbereid, dus bleef ik rustig wachten tot Fiona het heft in handen nam.

'Ik weet zeker dat iedereen de voordracht van Harriet geweldig heeft gevonden,' zei ze met een vriendelijk glimlachje in mijn richting, 'ik in ieder geval wel.'

'Bravo!' riep Christopher.

'Als u een exemplaar van Harriets *Oneindige wijsheid* wilt bestellen, geef dan alstublieft uw naam en adres op bij Harriets publiciteitsteam dat daarginds staat – Mia en Olivia. Ze sturen het boek dan aan u op zodra de tweede druk klaar is. Ik hoop dat u allemaal van deze avond en van uw verblijf in Tegfold Hall Hotel hebt genoten en dat u gauw weer terugkomt.' Toen keek Fiona naar mij, en naar mijn moeder en Nana, bij wie ik was gaan staan, en zei: 'En dat geldt uiteraard ook voor jullie drieën.'

30

Ik had nog een uur om te pakken, wat misschien best lang klinkt, maar ik moest ontzettend veel laden en kasten en planken nakijken, en dan waren er ook nog al die hotelzeepjes en flesjes met badgel en shampoo die ik mee moest nemen. Ik wist dat mijn moeder en Nana beneden op me wachtten, want ze hadden bij het langskomen met die mededeling op mijn deur geklopt.

Ik was bijna klaar om te vertrekken. Ik wilde gewoon nog een ogenblik genieten van mijn Churchill Suite, de plaats waar ik mijn laatste Meditatie had geschreven. Ik had haar toch moeten bewaren in plaats van haar naar de diepten van het hotelzwembad te laten zinken. Maar dat is nu juist het wezen van een scheppende geest, net zoals een artistieke afkeer van storende elementen, en daarom liet ik de telefoon een tijdje rinkelen voordat ik opnam. Ik wist dat we eigenlijk al hadden moeten vertrekken, maar als ik bijna vijfduizend pond betaalde voor een retourtje in de helikopter, had ik toch zeker wel het recht om de piloot heel even te laten wachten?

'Ik kom er zo aan,' zei ik kortaf. Het kon me niet schelen wie er aan de telefoon was. 'Ik ben mijn gedachten aan het ordenen.'

'Dat kan dan wel even duren als je er zoveel hebt,' zei een diepe, mannelijke stem aan de andere kant van de lijn.

'Jean-Claude?' fluisterde ik, deels omdat ik nauwelijks een woord kon uitbrengen en deels om mijn gesnauw toen ik de telefoon had aangenomen te maskeren.

'Hallo, Harriet. Ik belde om te kijken of je me kon helpen.'

Als hij me nu naar het telefoonnummer van Charlotte Goldman ging vragen, zou ik ophangen.

'Waarmee?' Ik pakte een potlood om me wat zekerder te voelen.

'Ik ben op zoek naar *la vie en Rose*,' zei hij met zo'n aantrekkelijk lage stem dat hij er ongetwijfeld op had zitten oefenen. 'Waar vind ik dat?'

Het was niet eerlijk. Hij had de tijd gehad om te verzinnen wat hij zou zeggen – waarschijnlijk een uur of twee als de post redelijk op tijd was op zijn school in Kensington. 'Dus je hebt mijn kaart gekregen,' zei ik – het was eigenlijk meer een gedachte.

'Het is heel moeilijk om je te spreken te krijgen, maar dat is nu eenmaal zo bij beroemdheden. Ik heb een paar keer geprobeerd je thuis te bellen, maar je grootmoeder maakte een nogal – hoe zeg je dat? – misnoegde indruk.'

Ik wou dat ze haar opmerkingen over de suikerspin voor zich had gehouden. Per slot van rekening wist ze helemaal niet zeker of hij wat in zijn schild had gevoerd, alleen maar omdat hij tegelijk met Charlotte Goldman was vertrokken en haar uit mijn Medita-ties had voorgelezen.

'Toen heb ik bij jullie aangebeld nadat je die speciale prijs had gewonnen, maar er werd niet opengedaan.'

'Ik moet voorzichtig zijn,' legde ik uit. 'Er zijn opeens zo veel journalisten en fans.' Nou ja, Sonia en Sophie Worthington kon je toch zeker wel fans noemen?

'En ik heb je een bos bloemen gestuurd, maar ik weet niet of je die gekregen hebt.'

Dus ik had gelijk gehad. Jean-Claude was Kratylos. Er bestond dus wel een God.

'Waren die rode rozen van jou?' vroeg ik losjes. Ik wilde alleen maar weten of ik het goed had begrepen. Precisie is belangrijk voor filosofen.

'Misschien wist je niet meteen wie die "Kratylos" was?'

'Ik kon niemand bedenken die mijn woorden verkoos boven

mijn zwijgen.' Ik lachte toen ik me, misschien een beetje te precies, de woorden op zijn kaart herinnerde. 'Bedankt voor de bloemen,' zei ik.

'Bedankt voor de kaart,' antwoordde hij. Toen zwegen we allebei en ik was bang dat hij misschien al had opgehangen.

Waar ik de inspiratie vandaan haalde weet ik niet, maar ik zei: 'Eigenlijk staat mijn helikopter al op me te wachten. Ik ga zo vertrekken.'

Het was het zetje dat hij nodig had. 'Ik zou je graag nog eens zien,' zei hij, op een toon die Jason Smart in geen honderd jaar onder de knie zou hebben gekregen.

'Wanneer had je gedacht?' vroeg ik, alsof ik mijn agenda moest raadplegen.

'Over twee minuten. Zou dat gaan?' antwoordde hij. 'Ik sta beneden bij de receptie.'

Ik overwoog de mogelijkheid dat hij een grapje maakte, maar de manier waarop hij het had gezegd, had iets waardoor ik dacht dat hij de waarheid sprak. Maar ik wilde zekerheid voordat ik de moeite ging nemen om mijn spijkerbroek met lovertjes aan te trekken en mijn ceintuur van Chanel om te doen. 'Maar waarom ben je hier eigenlijk?' vroeg ik. 'Moet je niet op school zijn?'

'Ik heb vanmorgen een paar vrije studie-uren,' zei hij, 'en ik dacht dat we misschien samen konden studeren.'

'Bedoel je dat je meer dan honderd kilometer hebt gereisd alleen om *mij* te zien?' Ik had het nog niet gezegd of ik wist al dat ik niet zo verbaasd had moeten klinken.

'Ik ben impulsief,' zei hij, 'en ik heb bij het hotel nagevraagd hoe laat je vertrok voordat ik op de trein stapte.'

Ik wou dat hij was gestopt bij 'impulsief' – hij begon wel erg gretig te klinken. Of misschien ook niet. Ik kon er nog niets van zeggen.

'Hoe had ik je anders nog eens kunnen zien?'

Daar had hij gelijk in. Ik was wel een beetje ontwijkend geweest. Maar was dat nu juist niet hoe een vrouw moest zijn? Ik wilde hem net een paar suggesties doen – hij had me een serenade voor de school kunnen brengen, hij had 's avonds laat kiezelsteentjes tegen mijn slaapkamerraam kunnen gooien – toen een andere stem me al voor was: 'Verlos toch in vredesnaam die arme jongen uit zijn lijden en ga naar hem toe,' schreeuwde Nana door de telefoon, 'anders staan we hier vanavond nog.'

Ik besloot dat ik geen tijd meer had om in plaats van mijn oude, gemakkelijk zittende spijkerbroek en wijde T-shirt iets anders aan te trekken – wie weet wat Nana daarbeneden ondertussen allemaal tegen Jean-Claude stond uit te kramen?

Toen ik voor de laatste keer de trap van Tegfold Hall Hotel af liep, met de elegantie van een Scarlett O'Hara, bleef ik even op het overloopje staan naast het portret van Sir Peregrine Small, die griezelig veel weg had van William Shakespeare. Toen Jean-Claude me in het oog kreeg, sprong hij met twee treden tegelijk de trap op om me op z'n Frans met twee zoenen op beide wangen te begroeten, en om mijn reistas van me over te nemen. Iemand als Jason Smart zou hebben voorgesteld dat we erop gingen zitten en naar beneden zouden glijden.

'Sir Peregrine Small lijkt griezelig veel op Shakespeare,' zei Jean-Claude toen hij naast me stond.

'Dat vond ik ook al,' antwoordde ik. Hij liep voor me de trap af, zoals het een man betaamt voor het geval een dame valt, wat mij de gelegenheid gaf om te kijken wat hij aanhad. Ik moest wel, want goede smaak op het gebied van kleding vond ik erg belangrijk. En eerlijk is eerlijk, ik was echt onder de indruk van de smaak van Jean-Claude: een blauwe kasjmieren trui nonchalant om de schouders geslagen met de mouwen losjes aan elkaar geknoopt. En hij bewoog zich als een sportman die net een wedstrijd heeft gewonnen.

'Nana en ik wachten wel op je in de helikopter,' was de verstandige opmerking van mijn moeder, en ze stak haar arm door die van

Nana en trok haar mee, voordat ze hem kon vragen of hij recentelijk nog iemand een goed boek had voorgelezen.

'Het is een prachtig hotel,' merkte Jean-Claude op toen hij de imposante hal zag. 'Ik ben nog niet eerder op het Engelse platteland geweest.'

'Het is niet overal zoals hier,' zei ik – ik wilde niet dat hij te hoge verwachtingen koesterde. 'Ik ben hier op uitnodiging van de eigenaren, de heer en mevrouw Small.'

Precies op dat moment, alsof ze wilden bewijzen dat alles te maken heeft met de juiste timing, verschenen Fiona en Christopher Small. 'Fijn dat we je voor je vertrek nog even zien,' zei Fiona, en ze sloeg vriendschappelijk een arm om mijn schouders. 'Ik wilde alleen maar zeggen dat we erg genoten hebben van jouw verblijf bij ons, vooral van je Meditaties gisteravond – iedereen had het erover.'

'Ik ben blij dat je het mooi vond – ik stuur je een exemplaar van het boek zodra de tweede druk er is,' zei ik. 'Mag ik je voorstellen aan een vriend van me – Jean-Claude...?' Ik herinnerde me, net als toen ik de kaart naar zijn school had gestuurd, dat ik zijn achternaam niet wist.

'Jean-Claude du Bois,' zei hij, en hij stak zijn hand uit terwijl ik de heer en mevrouw Small bedankte voor hun gastvrijheid.

'Du Bois,' zei ik toen we met veel geknerp over het grind van de oprit liepen. 'Die naam komt zeker veel voor in Frankrijk – zo heet mijn Franse lerares ook.'

'Dat klopt,' antwoordde Jean-Claude. 'Dat is mijn moeder.'

Ik bleef als aan de grond genageld staan. Madame du Bois, allemachtig! Onze eigen Madame du Bois met de raadselachtige glimlach en de twinsets.

'Volgens mijn moeder ben je een hele goede leerling,' vervolgde hij – misschien viel het allemaal nog mee.

'Vroeger wel,' zei ik zacht, 'voor de komst van Charlotte Goldman, je weet wel.'

'Ah, ja, Charlotte,' zei hij glimlachend, 'maar zij is half Frans, dus is ze uiteraard goed in die taal.'

'Ook al stelt ze in de andere vakken niets voor,' voegde ik eraan toe – hij kon net zo goed helemaal op de hoogte zijn. We waren bijna bij de helikopter. De piloot stond naast de deur op me te wachten. Toen hij ons zag, zwaaide hij lachend.

'O, daar heb je Anthony,' zei ik met misschien iets te veel geveinsd enthousiasme. 'Ik ben blij dat hij het weer is – hij is fantastisch, de perfecte piloot.'

De perfecte piloot stampte de peuk van zijn sjekkie uit met een zwarte rubberlaars en hield toen de deur van de helikopter voor me open. Als ik het tempo flink zou drukken op onze wandeling over het gazon, had ik nog ongeveer dertig seconden om een charmante laatste zin te bedenken.

'Ik geloof dat ik met mijn hak vastzit in het gras,' zei ik, en ik bleef abrupt staan.

'Hoe krijg je dat voor elkaar met je gympen?' vroeg Jean-Claude, die zich bukte om mijn voet te bekijken.

'Ik denk dat het gras plakt,' mompelde ik – ik kon niet weg zonder precies te weten hoeveel Madame du Bois had gezegd. 'Ik neem aan dat je moeder je over mijn vergissing in de klas heeft verteld?' Ik maakte langzaam de veter van mijn linkergymp los om hem vervolgens weer vast te maken.

'Ik geloof het niet. Wat was dat voor vergissing?'

'Toen ik haar alles heb verteld over mijn ongelukje in het zwembad op de avond dat we elkaar hebben ontmoet, terwijl ik eigenlijk het lichaam-geestprobleem van Descartes had moeten bespreken.'

'O, die vergissing,' zei hij. 'Daar heeft ze iets over gezegd, ja.'

Het kreng! Ik wist het wel!

'Het was eigenlijk een grapje,' voegde ik eraan toe, toen ik weer overeind kwam. Een grapje! Alles wat ik op een avond met een aantrekkelijke Fransman had gedacht en ervaren opbiechten aan zijn moeder waar de hele klas bij was! Leuk grapje.

Heel even zweeg hij toen we op het prachtig gemanicuurde maar merkwaardig plakkerige gazon stonden. Ik vreesde het ergste, maar toen zei hij: 'Als je wilt kan ik je wel helpen met het lichaam-geestprobleem.'

Nu weet iedereen wel, behalve misschien Charlotte Goldman, dat Descartes met zijn lichaam-geestprobleem probeert te bewijzen dat de geest, de ziel, verschillend is van het lichaam. Het vormde een heel uitdagend filosofisch dilemma. Maar op dat moment was mijn dilemma van een geheel andere aard, hoewel ik moet toegeven dat het een even grote uitdaging vormde. Bood Jean-Claude aan om me te helpen hoe ik een filosofische theorie moest aanpakken of had hij een heel ander soort van aanpakken in gedachten? Het was een interessant dualisme, maar eentje waarover René Descartes had verkozen te zwijgen.

'Misschien kunnen we als je weer terug bent in Londen een keer...' Hij had een interessante manier van een zin beginnen en hem dan door mij af laten maken – waarschijnlijk typisch Frans.

'Ja, dat kunnen we,' antwoordde ik met een spoor van een glimlach, en ik liet een passende stilte vallen die hij dan weer kon opvullen met wat meer praktische suggesties. Maar dat deed hij niet. Hij zei niets. En we stonden inmiddels bij de helikopter.

'Als je wilt,' zei ik, 'kun je met ons mee terugvliegen naar Londen en dan kunnen we het onderweg over Descartes hebben – als je het niet erg vindt om te schreeuwen.'

Ik weet niet waarom ik daar niet eerder op was gekomen. Het kwam vast door de landelijke lucht – die maakt je langzamer.

Anthony hielp me de helikopter in met een grote, zekere hand die ik quasi ongedwongen vastgreep. Toen zei ik: 'Dank je, Anthony. Dit is een vriend van me uit Londen – ik hoop dat er nog plaats voor hem is?'

Anthony knikte en Jean-Claude klauterde achter me aan naar binnen.

'Nogmaals, hallo, madame,' zei hij tegen mijn moeder, die niet in het minst verbaasd leek om hem te zien. 'We hebben elkaar heel even gezien in de hal van het hotel.'

Mijn moeder lachte en ze gaven elkaar een hand. Daarna wendde hij zich tot Nana, die naar hem zat te loeren over de rand van haar handtas die ze als een borstschild tegen zich aan geklemd hield. 'Madame!' riep hij van zijn kant van de helikopter – ik moest ze bij elkaar uit de buurt zien te houden. 'Ik ben Jean-Claude du Bois, een vriend van Harriet.'

'Van Harriet en van wie nog meer?' waren de eerste woorden van Nana, die hopelijk verloren gingen in het lawaai van de opstartende helikopter. Ik had gelijk gehad: Anthony was echt de perfecte piloot. Nana haalde de wattenbolletjes tevoorschijn die ze had meegenomen uit haar hotelkamer en bood ze aan mijn moeder en mij aan alsof het gomballen waren.

'Wil je er misschien een paar voor in je oren?' vroeg mijn moeder aan Jean-Claude, ik denk meer als een soort uitleg.

'Jean-Claude en ik gaan praten,' zei ik, 'over de *Méditations* van Descartes.'

'Wat?' riep Nana uit op een toonhoogte waarvan ze dankzij de wattenbolletjes in zalige onwetendheid verkeerde. 'Meditaties? Heeft iemand jouw boek overgeschreven?'

'Descartes is een Franse filosoof, Nana,' legde ik luidkeels uit toen we opstegen.

'Dan hoef je niet speciaal slim te zijn om te snappen wie hem over jouw Meditaties heeft verteld,' schreeuwde Nana terug, en ze wierp een achterdochtige blik op de beduusde Jean-Claude.

Ik zei dat we ons filosofische gesprek beter konden uitstellen totdat we terug in Londen waren en Jean-Claude was het daar meteen mee eens. Ik reikte hem een paar wattenbolletjes van Nana aan en we vervolgden met z'n vieren zwijgend onze reis van drie kwartier naar Londen.

Vanaf mijn zitplaats bij het raampje vloog het Engelse platteland onder me door. Of vloog ik er zelf overheen? Dat was nou pre-

235

cies het soort filosofische vraagstelling waar ik graag mijn tanden in zette. Van de ene minuut op de andere liet ik het platteland achter me – of liet het platteland mij achter? En wat betekende een minuut? Een maatstaf waarmee je kon inschatten hoe lang ik me op een tijdloze plek op het platteland had bevonden, of een plek op het platteland die steeds in de tijd veranderde? En wat was tijd? Had het verandering nodig omdat het anders niet kon bestaan? Zulke gedachten warrelden door mijn hoofd zoals de wieken van de helikopter boven ons, alleen wat minder luidruchtig.

In minder dan geen tijd, bij wijze van spreken, hadden we Londen bereikt. De tegenstelling die het bood met wat ik had achtergelaten, was verrassend schril. Maar zoals mijn ervaring in de cold tub me had geleerd, waren tegenstellingen een belangrijk aspect van onze empirische waarneming. Londen was op zich niet lawaaierig en overbevolkt, het was lawaaieriger en overbevolkter dan het Engelse platteland dat ik had achtergelaten. En zei dat ook niet iets over mezelf? Dat ik op zich geen goed figuur had, maar wel een beter figuur dan Charlotte Goldman, maar dat ik plat was in vergelijking met Celia Moore? En hoe zat het met het 'ik', het voluptueuze goedgevormde 'ik' dat ik ongetwijfeld binnenkort zou worden? Ik hoefde maar naar mijn moeder te kijken om daar zeker van te zijn. Was er nu al iets van dat 'ik' in 'mij'? En zo ja, wat vertelde ons dat over het begrip 'tijd'?

'Zijn we er bijna?' De bulderende stem van Nana onderbrak mijn gedachten. 'Die piloot neemt er wel de tijd voor.'

Het was niet het filosofische antwoord waar ik naar op zoek was geweest. Maar ironisch genoeg was het toch ergens goed voor – Jean-Claude schrok wakker, net toen we over mijn school vlogen.

Ik keek op mijn horloge. Het was kwart over tien. Klas 3B begon net aan de gymnastiekles. Als het Alice lukte om de bal in de lucht te slingeren met de kracht waar ze berucht om was, zouden ze net allemaal omhoogkijken als wij overvlogen. Dan moesten ze mijn foto wel zien waarop ik stralend op hen neerkeek met daaronder

De oneindige wijsheid van Harriet Rose, als een engelachtig onderschrift dat ze met geen mogelijkheid konden negeren. Als ze heel oplettend waren, en ik vermoedde dat ze dat zouden zijn, dan zou mijn gezicht niet het enige engelachtige gezicht zijn dat hun starende ogen zagen. En dan doelde ik niet op Nana of mijn moeder, hoe engelachtig die ook waren.

'Jean-Claude,' zei ik, nadat ik mijn wattenbolletjes uit mijn oren had gehaald en naar hem had gebaard dat hij mijn voorbeeld moest volgen, 'waarom ruilen we niet van plaats? Dan kun je Londen veel beter zien.'

'Dat is erg aardig van je,' zei hij, toen ik hem op de plaats bij het raampje duwde.

'Helemaal niet,' antwoordde ik. Met een tevreden grijns liet ik me achteroverzakken.

'Is dat niet jouw school, daarbeneden?' vroeg hij. Hij drukte zijn voorhoofd en zijn golvende donkere haar keurig tegen het ruitje.

'Hemeltje, ik geloof dat je gelijk hebt,' zei ik, en ik leunde naar hem over om door hetzelfde raampje te kunnen kijken. 'En dat lijken mijn klasgenoten wel die daar in hun grappige witte korte broekjes naar ons staan te zwaaien.'

We vlogen zo laag dat ik de jeugdpuistjes van Jason Smart kon zien.

'De jongens staan daar op het sportveld,' zei ik toen Jason de lucht in sprong, zijn lippen getuit in een opgewonden 'Harriet Rose'. 'En daar zijn de meisjes die midden in hun partijtje netbal naar ons toe komen rennen.'

Ik telde er veertien, en ze staarden allemaal de lucht in alsof ze een ufo hadden gezien, wat we ergens ook wel waren, totdat ze mijn naam zagen en mijn foto en het gezicht van Jean-Claude dicht tegen het mijne aan gedrukt voor het raampje.

'Ze vinden het kennelijk leuk om je te zien,' merkte hij op. 'Je bent vast heel populair.'

'Zoals ik gezegd heb in mijn Meditatie 69,' antwoordde ik. 'Populariteit is als een griepje. Hoe vlugger het opkomt, des te sneller dreigt het weer te verdwijnen.'

'Daar had ik nog nooit zo over gedacht,' zei Jean-Claude peinzend toen we 3B achter ons lieten om ze verder te laten gaan met hun partijtjes. Het was een rood aangelopen zootje ongeregeld waarvan de een nog verbaasder was dan de ander.

We landden op de afgesproken tijd. Daardoor had ik een halfuur om terug naar de school te gaan die ik in de helikopter in seconden achter me had gelaten. Ik had van tevoren bedacht dat een deel van het prijzengeld zou worden besteed aan een speciale auto waarin mijn familie en ik naar huis zouden rijden, voordat mijn moeder me in haar auto naar school bracht. Ik had het bedoeld als een verrassing voor ons drieën, en zo legde ik het ook aan Jean-Claude uit.

'*Oui, oui*, ik begrijp het,' antwoordde hij. 'Mijn eerste les vandaag begint pas over vijfenveertig minuten, dus ik ga wel lopen.'

Het was me opgevallen dat hij een vertederende manier had om de 'u' in minuten uit te spreken alsof het een 'oe' was. 'Pas over vijfenveertig minoeten?' vroeg ik. 'Dan moet je heel vlug lopen.' Toen herinnerde ik me de snelheid waarmee hij zich in het water van het zwembad had voortbewogen op de dag van onze eerste ontmoeting.

'Als ik in Frankrijk bij mijn vader en stiefmoeder woon moet ik elke dag vijf kilometer naar school lopen en weer terug. Het geeft me tijd om het landschap te bewonderen en, hoe zal ik het zeggen, om mijn gedachten te ordenen.'

We hadden zoveel gemeen, Jean-Claude en ik – een voorliefde voor ons eigen gezelschap, filosofische reflectie, en we hadden allebei waardering voor de simpele onopgesmukte geneugten van het leven.

'Nou, tot ziens dan maar,' zei ik, toen ik achter in de antieke Rolls Royce stapte die ik had besteld, en waar Nana en mijn moeder op me zaten te wachten op de zwarte leren achterbank, die perfect paste bij hun designerzonnebrillen.

'Ik bel je vanavond,' riep hij me na, 'en dan spreken we af wanneer we over Descartes gaan praten.'

'Ik denk dat ik thuis zal zijn en daarom zal ik thuis zijn.' Het was een grapje dat alleen een collega-filosoof zou begrijpen. En Jean-Claude begreep het. Ik liet hem achter op de hoek van de straat met een glimlach op zijn gezicht, precies zoals ik hem zo graag zag. Wat een verschil, dacht ik toen ik hem nakeek tot hij uit het zicht verdween, met de dolfijn die ik het eerst had gezien.

31

De straten in Kensington lagen er somber en saai bij na de grandeur van Tegfold Hall Hotel. Ik verlangde naar een portier die onze bagage naar binnen droeg, en naar een harpiste die ons verwelkomde in de zitkamer.

'Oost west, thuis best,' zei Nana, toen we over een stapel post heen de hal in stapten. 'Ik zet wel water op voor een lekker kopje thee.'

Mijn moeder droeg de tassen naar boven en ik raapte de post op voor het geval er iets voor mij bij was.

Het was de eerste keer sinds mijn vaders dood dat we van een vakantie terugkwamen in een leeg huis. Mijn moeder en ik waren een paar keer zonder hem weg geweest, dus daar waren we wel aan gewend, maar als we terugkwamen, stond hij ons altijd op het vliegveld op te wachten, 's winters met een thermosfles met hete thee en 's zomers met een fles gekoeld mineraalwater, en dan reed hij ons naar huis met tranen in zijn ogen omdat we weer thuis waren. En dat waren dan geen aanstellerige tranen. Het waren echte volwassen tranen – en dan waren we alleen nog maar een weekend weg geweest. Eenmaal thuis aten we dan het eten op dat hij had klaargemaakt, en hij luisterde geamuseerd naar onze reisverhalen.

Maar dat was toen. Het was nu anders. Die tijd kwam niet meer terug, net zomin als hij. Het huis leek op een leeg omhulsel in plaats van een thuis. De hal was donker en in de zitkamer rook het naar verwelkte gladiolen. Ik rende naar de piano en droeg de verwelkte bloemen van Bill naar de vuilnisbak buiten bij de keukendeur.

Ik ging naar boven om te controleren of de foto in het zilveren lijstje van onze laatste gezamenlijke vakantie nog onder mijn kussen lag. Toen zette ik hem weer op mijn nachtkastje voordat iemand kon zien dat ik hem had verstopt.

Ik had net mijn kleren uitgepakt toen mijn moeder kwam zeggen ik naar school moest. Ik hoorde haar eerst niet – ik was te veel afgeleid door de herinneringen die de foto in het zilveren lijstje had opgeroepen. Waarom had ze me niet onder aan de trap geroepen, zoals ze meestal deed.

'Wacht maar op me in de auto,' zei ik. 'Ik kom zo.'

'Niet te lang blijven treuzelen,' fluisterde ze lief. 'Je wilt Frans toch niet missen?'

Ik had haar op weg naar huis over Maman du Bois verteld. Ze vond het wel positief dat ik de moeder van Jean-Claude bleek te kennen, ook al had ik haar onbedoeld meer over mezelf verteld dan wenselijk was. 'Ze zal je bewonderen om je eerlijkheid, je openheid,' stelde ze me gerust. 'Dat zijn aantrekkelijke facetten van je karakter, die volgens mij lang niet iedereen heeft. Daar hoef je je niet voor te generen.'

Natuurlijk had mijn moeder zoals gewoonlijk gelijk, en daarom besloot ik om die morgen mijn onreglementaire zwarte vest te dragen over mijn uniform, het vest met IK BEN in zilveren hoofdletters op de rug.

'Zorg maar dat Miss Grout je daar niet in ziet,' waarschuwde mijn moeder toen ik in de auto stapte. Maar ik was wie ik was, open en eerlijk, en daar geneerde ik me niet voor. Dus hield ik het aan.

Ik had me mentaal voorbereid op de reactie van de klas als ik de deur binnenkwam – mijn moeder en ik hadden het er zelfs op weg naar school over gehad. Ik was er klaar voor. 'Daar is ze, de superstar,' hoorde ik iemand roepen toen ik naar mijn tafeltje liep. 'Vind je de school niet beneden je waardigheid? Heb je geen interviews op het programma staan?'

Ik haalde mijn Franse schrift tevoorschijn, precies zoals we gepland hadden, en ik negeerde ze volledig totdat ze iets verstandigs te zeggen hadden.

'Parky was hier net nog op zoek naar jou,' schreeuwde een ander. 'Hij vroeg of je hem wilde bellen over zaterdag.'

Ik gaf geen krimp.

'Harriet,' riep er nog een, 'zou je me in je oneindige wijsheid kunnen vertellen welke les we nu hebben?'

'Frans,' zei ik, maar ik bleef in mijn schrift kijken.

'Waar ben je trouwens geweest?'

Ik had op de vraag van Charlotte gewacht. 'Ik heb in een enorme villa gelogeerd met een zwembad zo groot als deze school, met Jean-Claude, zijn vader en stiefmoeder – die brengen daar hun zomer door.' Dat wilde ik zeggen. Maar ik kon niet liegen, dus in plaats daarvan zei ik: 'Ik heb het weekend doorgebracht in een landhuishotel op uitnodiging van de eigenaren.' Meer hoefden ze niet te weten, of ze moesten me onder druk zetten.

'En was je daar, zeg maar, samen met die vent in de helikopter?'

Jason kwam tenminste meteen ter zake. Daar kon ik wat mee.

'Nee,' antwoordde ik, en ik hield ondertussen het gezicht van Charlotte in de gaten. 'Hij is vanmorgen naar het hotel gekomen om me op te zoeken.'

'Was er soms weer een feestje waarop je boeken signeert om hem daarheen te lokken?' vroeg ze meesmuilend.

'Nu je het zegt, dat was ik helemaal vergeten,' antwoordde ik, 'dat je onuitgenodigd op mijn vorige feestje kwam opdagen.'

'Hoe weet je nou of Jean-Claude me niet had uitgenodigd om met hem naar de presentatie van jouw boek te gaan?' vroeg ze met een hoogrood gezicht.

Daar had ik niet aan gedacht. Misschien had hij haar wel uitgenodigd na ons etentje in de bistro. Hoe kon ik nou weten of en wanneer ze contact met elkaar hadden gehad? Hij had gezegd dat hij impulsief was. Misschien had Nana toch gelijk over hem.

'Wie is dat trouwens, die sul in de helikopter?' voelde Jason zich genoodzaakt te vragen.

'Dat is geen sul, dat is een vriend van me. We hebben een heleboel gemeen.'

'Wat? Denkt hij ook dat hij een superstar is?' vroeg Miles Brown lachend; ik had verwacht dat hij jaloers zou zijn.

'Ik weet zeker dat Jean-Claude een superstar zou kunnen zijn als hij dat wilde,' antwoordde ik streng. 'Hij is er knap genoeg voor en dat kun jij van jezelf niet zeggen, Miles Brown.'

Ik voelde dat Madame du Bois het lokaal was binnengekomen toen ik Miles Brown op zijn nummer zette, maar daar trok ik me niets van aan. Ik was ze allemaal beu, al deze mensen en hun kinderachtige jaloezie.

'Harriet!' Natuurlijk kon Madame du Bois mijn uitbarsting niet door de vingers zien zonder er een opmerking over te maken. Kom maar op als je durft, dacht ik toen zij aan haar parels zat te wriemelen. Ik ben ook klaar voor jou.

Maar dat deed ze niet. In plaats daarvan glimlachte ze meelevend en vroeg of ik met de les wilde beginnen door wat van Ionesco voor te lezen. Het was duidelijk dat ik Madame had onderschat. Als jong meisje was ze waarschijnlijk ook vanwege haar uiterlijk en haar intelligentie gepest. Nu ik erover nadacht had ze wel iets *bon-chics*. Ik bestudeerde Madame het halve uur dat de les duurde en aan het eind zag ik haar in een totaal ander licht. Waarom was me nog niet eerder opgevallen hoe onopvallend elegant haar donkerblauw met gele vest met de gouden knopen was, hoe subtiel geraffineerd haar donkerbruine korte kapsel was, de ingetogen waardigheid waarmee ze op het bord schreef. Ik kon nog veel opsteken van deze onopvallend stijlvolle vrouw – ze moest iets van haarzelf in mij hebben herkend.

'*Merci, madame*,' riep ik impulsief toen ze bij het verlaten van het lokaal langs mijn tafeltje liep.

'*Je vous en prie*,' antwoordde ze met een invoelend lachje. '*À demain*.'

'*À demain.*' Het bleef me de rest van de dag bij. Zo veel kernach-
tiger dan 'tot morgen'. Bij '*À demain*' werden geest en mond gefocust op de nabijheid van de volgende dag, vooral als je het vlug op
z'n Frans uitsprak. *À demain* klonk bijna als Attentie! om dan gevolgd te worden door een stil: '*Je suis arrivée!*'

Toen ik de overvolle gang af liep, nam ik me onmiddellijk voor
dat ik zou afzien van 'Tot ziens'. Van nu af aan was het '*À demain*'
voor mij.

Toen Miss Grout me bij het passeren in de gang een brief overhandigde, nam ik aan dat die met mijn vest met 'Ik ben' erop te maken
had. Maar ik hield hem wel aan – ik was niet in de stemming om
onderdanig te zijn. Trouwens, ze zou eigenlijk blij moeten zijn dat
ik wist wie ik was – geen van de anderen leek te weten wie *zij* waren.
Het gaf blijk van een zelfvertrouwen waarvan ze de laatste keer dat
we elkaar hadden gesproken vreesde dat ik dat niet had. Ik besloot
om haar brief pas te lezen als ik thuis was – er waren grenzen aan
de hoeveelheid kritiek die ik op één dag in mijn eentje aankon.

Zodra ik de deur in kwam en de welkomstgroet van mijn moeder hoorde, scheurde ik de envelop open. Ik had nog nooit eerder
een brief van Miss Grout gekregen. Toen ik haar voornaam zag die
aan de onderkant van het vel papier stond gekrabbeld, vroeg ik me
af of ik me had vergist. Misschien ging het toch niet over mijn vest.
Misschien was het wel een bedankbriefje voor het boek dat ik voor
haar had achtergelaten. Dat had niet gehoeven, dacht ik glimlachend, toen ik de brief begon te lezen:

Beste Harriet,
Hartelijk gefeliciteerd met je winst in de 'Gezicht van Londen'-wedstrijd. Ik had nooit verwacht dat uitgerekend jij
daaraan mee zou doen. (Die arme, bescheiden Miss Grout.)
Nu je zo beroemd bent (Beroemd? *Moi*? Alsjeblieft zeg!)
vroeg ik me af of jij aanstaande donderdag misschien een

praatje zou willen houden voor een paar leerlingen en hun ouders aan het eind van onze OL-avond. Die avonden zijn vaak heel saai en langdradig – ik weet zeker dat we aan het eind allemaal wel een beetje behoefte hebben aan wat afwisseling en iets grappigs, dus het lag voor de hand dat ik aan jou dacht en aan je boekje.

Met vriendelijke groeten,

Scarlett Grout

PS Je zou maar een minuut of tien hoeven te praten, en dan zijn er nog vijf minuten voor eventuele vragen.

Ik was verbijsterd. Ik kon het nauwelijks geloven – Miss Grout een 'Scarlett'! En nog wel eentje die door een miljoen Rhett Butlers zou zijn genegeerd. Toen ik haar brief voor de tweede keer las, begon ik haar in een volledig ander licht te zien. Onder dat stugge, corpulente uiterlijk lag een speelse, opwindende, brutale, levendige Scarlett op de loer. Alles viel opeens op zijn plaats – haar verlangen om mij te begrijpen, haar fascinatie tegen beter weten in voor mijn Meditaties, haar passie voor een plaatsje naast mij in de schijnwerpers. Mijn god, wat had die vrouw mij ontzettend hard nodig – en ik zou haar niet teleurstellen. Zodra ik in de zitkamer was, pakte ik een vel papier van mijn bureau en schreef:

Beste Scarlett (zo mag ik je vast wel noemen nu we penvriendinnen zijn)

[Dat zou ze leuk vinden!]

Het zou me een groot genoegen zijn om je uit de brand te helpen met je saaie avondje. Je kunt altijd op Harriet Rose rekenen, hoe uitgeput of terneergeslagen je je ook voelt – denk daaraan, Scarlett. Ik ben er voor je.

HR.

Ik zou de brief meteen de volgende morgen onder de deur van haar kamer schuiven.

'Ik heb een brief gekregen van Miss Grout,' zei ik tegen mijn moeder bij een kopje thee en een van haar zelfgebakken plaatkoekjes met een vleugje citroen erin.

'O? Wat wilde ze?' vroeg ze.

Ik gaf haar Scarletts brief.

'Niet te geloven!' riep ze uit, en ze gaf hem door aan Nana.

'Ik weet het. Ik kon het ook niet geloven,' zei ik.

'Wat een lef!' vervolgde mijn moeder. Ze leek zich meer over de naam te verbazen dan ik had verwacht.

'Het laat inderdaad een heel andere kant van haar zien,' zei ik.

'Als ik het niet had gedacht, het ouwe kreng!'

'Echt?' zei ik. 'Ik had meer gedacht aan Edith of Gertrude.'

Ik wou net gaan uitleggen dat het geen zin had om wrok te koesteren tegen een vrouw in nood, alleen maar omdat ze een ongepaste voornaam had, toen Nana zei: 'Iets grappigs aan het eind van de avond? Laat ze maar in de spiegel kijken! Wat is dat trouwens, een OL-avond?'

'Oude leuteraars betekent het, geloof ik,' suggereerde mijn moeder.

Haar ervaring als mijn publiciteitsagente zou haar onderhand toch wat meer kennis van zaken hebben moeten geven. 'Ouders en Leraren,' corrigeerde ik haar zo tactvol mogelijk. 'En ik heb net een briefje aan Scarlett geschreven dat ik het doe.'

'Ik dacht dat je verstandiger was,' waren de laatste woorden die Nana eraan kwijt wilde en mijn moeder was het daar volmondig mee eens.

En zo werd het lot van de ouderavond van donderdag bezegeld.

Mijn moeder leek zich merkwaardig veel zorgen te maken naarmate de avond dichterbij kwam. Ze stond erop dat Nana en zij op de eerste rij zouden zitten.

'Het is maar een praatje,' bracht ik naar voren. 'Ik krijg geen Oscar uitgereikt.'

'Je moet goed nadenken over wat je gaat zeggen,' zei ze bij wijze van aanmoediging, 'en als een vraag je niet aanstaat, bedenk dan dat je geen antwoord hoeft te geven. Dan moet je gewoon niets zeggen, je wenkbrauwen optrekken en naar het plafond staren alsof de vraag beneden je waardigheid is.' Ze deed me de blik voor die ze in gedachten had, en Nana voegde eraan toe dat als iemand mij van mijn stuk probeerde te brengen, ze hun dan wel even zou vertellen dat ze konden doodvallen, en dan zou ze hun haar hoedenspeld laten zien. Ze leken er allebei van te zijn opgekikkerd, maar ik werd er eerlijk gezegd een beetje moedeloos van. Tot dat moment had ik het best spannend gevonden, lekker mijn boek promoten en misschien zelfs aan anderen adviezen geven over het uitgeversvak. Maar nu kreeg ik opeens het gevoel dat ik op weg was naar een interview met die enge Jeremy Paxman van de BBC.

'Ik hoef maar tien minuten te praten en dan zijn er nog vijf minuten voor vragen,' hield ik hun voor, misschien nog wel meer ter geruststelling van mezelf.

'Tien minuten kunnen erg lang duren,' antwoordde Nana troostend.

'En gaat Scarlett jou aan de zaal voorstellen?' vroeg mijn moeder.

'Dat weet ik niet. Ik denk het wel,' zei ik.

Mijn moeder en Nana wisselden een steelse blik die ik niet helemaal thuis kon brengen.

32

Ik was te goed van vertrouwen, dat was mijn probleem. Ik moest gewoon beter uit mijn ogen kijken. Het had niet veel zin om een enorme kennis te vergaren over filosofische theorieën als ik niets wist over de wat meer wereldse, praktische zaken, zoals mannen. Ik kon het niet ontkennen – ik was een groentje als het op zaken van het hart aankwam. Een zekere natuurlijke charme had ik wel, en ik wist ook wel hoe in principe de regels van de aantrekkingskracht werkten. Bij mij was het probleem dat ik niet wist op wie ik die regels moest toepassen. Er waren tijden geweest, ik geef het nu maar toe, dat de kaaklijn van Miles Brown er aantrekkelijk had uitgezien, vooral als hij in een Snicker hapte. Maar zoals ik in Meditatie 62 had opgeschreven toen ik ziek thuis lag met mazelen – die ik ironisch genoeg van Miles zelf had gekregen: 'Van afwezigheid word je wijzer.' Tegen de tijd dat ik weer op school terugkwam en hij me had begroet met een: 'Hallo, Harriet, je ziet er puik uit – wat dacht je van een tongzoen?' wist ik zeker dat ik me ontzettend had vergist.

Maar op de een of andere manier had Jean-Claude een andere indruk gemaakt. En niet alleen vanwege zijn uiterlijk of de manier waarop hij mijn naam uitsprak. Hij was een denker, hij wilde me begrijpen, hij luisterde naar wat ik te zeggen had. Of dat had ik gedacht. Maar hoe dacht ik er nu over? Wilde hij een antwoord op wie 'ik ben'? En wie was hijzelf trouwens?

Ik trok het vest uit dat ik die morgen met zo veel aplomb had uitgekozen en hing het netjes terug in mijn kast, waarbij ik nog

even het zilveren IK BEN met mijn rechterwijsvinger beroerde.
Niet 'ik was', niet 'ik zal zijn', niet 'ik had kunnen zijn', alleen maar
'ik ben' – ik ben nu, hier, vandaag. Daar was alles mee gezegd, maar
luisterde Jean-Claude er echt naar? Was hij op zoek naar het wezen
van Harriet Rose?

Ik trok mijn witte badjas aan, met 'Tegfold Hall Hotel' op het
zakje geborduurd, die Fiona samen met een paar bijpassende witte
badstoffen slippers die verscheidene maten te groot waren als af-
scheidscadeautje had laten liggen.

'Waarom?' Die allesomvattende vraag, dat zoekende, aftastende
'waarom?' sloop weer mijn hoofd binnen, waar al mijn gedachten
en verwachtingen en angsten begraven lagen. Waarom zou een
denkende, gevoelige filosoof, zoals Jean-Claude beweerde te zijn,
luisteren naar het onbenullige gebabbel van een nitwit als Charlotte Goldman? En mogelijk haar zelfs mee vragen naar de feestelijke
presentatie van mijn boek? En waarom zou een denkende, gevoelige filosofe, zoals ik beweerde te zijn, Jean-Claude daarna nog een
kans geven?

Ik was nog steeds bezig met een antwoord toen ik de telefoon
hoorde. Ik wist al voordat ik mijn moeder 'Harriet!' hoorde roepen
dat hij het was. Hij had gezegd dat hij die avond zou bellen, en in
dat ene opzicht was hij wel betrouwbaar. En ik had, in mijn oneindige wijsheid, gezegd dat ik thuis zou zijn.

Thuis daalde ik wel heel anders de trap af dan in het Tegfold Hall
Hotel. Hier hing geen Sir Peregrine Small om op weg naar beneden
te bekijken, hier was geen Fransman die kwam aansnellen om te
helpen met mijn bagage, hier lag geen zwart-witte marmeren vloer
in de hal. Maar Jean-Claude was er wel aan de andere kant van de
telefoonlijn, en Harriet Rose had nog steeds geen antwoorden op
haar vragen. En het enige wat die twee scheidde toen ze de telefoon
pakte was dat alomtegenwoordige, allesomvattende 'waarom?'

'Hallo,' zei ik. 'U spreekt met Harriet Rose', alsof hij dat niet wist.

'*Bonsoir*, Harriet Rose,' antwoordde hij. 'Ik ben Jean-Claude.'

Wat zeg je als er zoveel te zeggen valt, maar als de woorden niet willen komen, als trommelstokjes die geen trommel kunnen vinden' (Meditatie 51). 'Hoe gaat het met je?' Dat was in ieder geval een begin.

'Ik ben nog steeds duizelig van die helikopter,' antwoordde hij lachend.

'O jee,' zei ik, en wachtte of hij nog iets anders ging zeggen.

'Ik zou je vanavond bellen om een afspraak te maken voor ons gesprek over Descartes.'

Dacht hij nou echt dat ik was vergeten waarom hij belde?

'Ja,' antwoordde ik, 'dat is zo', en toen zweeg ik weer. Ik had er geen bedoeling mee: ik wist gewoon niet wat ik moest zeggen.

'Ik vroeg me af of je misschien donderdag zou kunnen, om een uur of zes – net voor het weekend.'

Zijn precisie was in ieder geval bewonderenswaardig. 'Deze donderdag?' zei ik, alsof hij ook een andere had kunnen bedoelen. 'Het spijt me, dan kan ik niet. Ik ben gevraagd een praatje te houden.'

'Ik had kunnen weten dat een beroemdheid als jij het druk zou hebben,' zei hij, en ik proefde iets van teleurstelling in zijn stem. 'Waar is dat praatje? Ik zou er graag bij willen zijn.'

'Na de ouderavond op mijn school.' Dat had ik wel wat spannender kunnen laten klinken, maar dan zou dat voorbijschieten aan het doel dat ik wilde bereiken.

'Je gaat daar zeker met je familie heen?' Hij vroeg zich vast af of Nana erbij zou zijn.

'Mijn moeder en Nana komen, en natuurlijk zijn er ook ouders en leraren.'

'Met jou wordt het vast een interessante avond,' zei hij, waardoor ik me afvroeg of hij zich ons gesprek in de bistro nog herinnerde – 'Wat wil je worden als je van school af komt?' had hij gevraagd. 'Interessant,' had ik geantwoord, en hij had gezegd: 'Dat ben je al.'

'Dat hoop ik,' zei ik. Ik vreesde dat ik door de knieën ging.

'Dat weet ik zeker,' antwoordde hij, en ik nodigde hem bijna uit om te komen. 'Het is jammer, want daarna ga ik naar Frankrijk – ik logeer het weekend bij mijn vader en stiefmoeder.'

'O,' zei ik, 'wat leuk voor je.'

'Misschien zouden we als ik weer terug ben...'

Daar had je het weer, de zin niet afmaken.

'Misschien,' zei ik, en wachtte.

'Nou, *au revoir*, Harriet.'

'Tot ziens,' zei ik, en toen was hij weg.

Er zit niet veel tijd tussen maandag en donderdag. Drie dagen. Tweeënzeventig uren. Tweehonderdnegenenvijftigduizend en tweehonderd seconden. En elke seconde die ik verknoeide met me af te vragen wie er bij mijn praatje aanwezig zouden zijn – hoe het zou voelen om mijn leraren toe te spreken en de ouders van mijn klasgenoten, welke vragen ik zou krijgen voorgelegd – betekende een seconde minder om me voor te bereiden op wat ik zou gaan zeggen. En daar was ik per slot van rekening voor uitgenodigd: ze wilden allemaal horen wat Harriet Rose te zeggen had.

Eén ding was zeker: Scarlett Grout zou erbij zijn, ze zou me aanmoedigen en aan mijn lippen hangen. Als ik op enig moment tijdens die tweehonderdnegenenvijftigduizend en tweehonderd seconden zenuwachtig zou worden, dan hoefde ik alleen maar aan Scarlett te denken en dan was ik kalm. Dat krijg je als je bewonderd wordt en als men je nodig heeft: het neemt je mee naar hoogten die je in je eentje nooit zou halen.

Meteen de volgende morgen, na de ochtendbijeenkomst (en voor deze ene keer zorgde ik ervoor dat mijn moeder me daar op tijd afleverde) schoof ik mijn handgeschreven brief onder de deur van de kamer van Miss Grout door. Ze zou hem natuurlijk meteen openmaken, met dat raadselachtige glimlachje, en door haar dikke brillenglazen zou ze snel de woorden afspeuren naar een teken dat ik present zou zijn. Misschien had ik de brief korter moeten maken – een simpel 'ja' zou al voldoende zijn geweest. Meer woorden hadden Scarlett en ik niet nodig.

Toen de donderdagmorgen aanbrak en er nog maar negen uur te gaan waren, begon het uitblijven van een reactie harerzijds me wat zorgen te baren – had ik mijn brief misschien onder een tapijt geduwd? Had ze moeite met mijn handschrift? Had ik misschien beter een boodschap op haar voicemail kunnen inspreken?

Ik besloot haar na de ochtendbijeenkomst aan te spreken, waarbij ik tussen neus en lippen zou vermelden dat ik volledig was voorbereid, haar zou vragen hoeveel exemplaren van mijn boek ik mee moest brengen, en haar zou vertellen dat ze niet bang hoefde te zijn als de pers weer kwam opdagen. Maar zoals ik al had beklemtoond in mijn Meditatie 39, plannen maakten er nog wel eens de gewoonte van zichzelf te ontplannen als je er niet op verdacht was – misschien maakte dat deel uit van het Plan, het grotere Plan, dat wij geen van allen kunnen zien.

Tijdens de bijeenkomst klonk de stem van Miss Grout dieper dan gewoonlijk, en ze spuugde haar woorden uit alsof ze haar keel blokkeerden. En dit gold niet alleen voor de mededelingen over wie er moest nablijven, maar ook voor leuke dingen zoals het afscheidsfeestje van Miss Mason. Ik luisterde maar half toen ik haar 'Harriet Rose' hoorde zeggen, en daarna 'de ouderavond van vanavond' en 'een praatje houden'. Tegen de tijd dat Miss Grout mijn volledige aandacht had, viel er niet veel meer te zeggen. 'Strikt genomen, is het, zoals altijd, een avond voor ouders en leraren, en ik zou dat ook graag zo willen houden. Maar vanwege de uitzonderlijke omstandigheid dat Harriet een praatje houdt, ben ik bereid om ook enkelen van jullie toe te laten, uiteraard volgens het principe 'wie het eerst komt, die het eerst maalt'. Daarna stootte Scarlett een van haar zenuwachtige lachjes uit, terwijl ze de zaal afspeurde om te kijken of ik er was. 'De eerste tien die na deze bijeenkomst hun naam opgeven bij Harriet mogen deze... verhelderende gebeurtenis bijwonen.'

Ik wist wat ze probeerde te doen – me belangrijk laten klinken, de anderen aanmoedigen om mijn status te erkennen. 'Geef je naam op bij Harriet' betekende dat ik kon kiezen. 'Verhelderende gebeurtenis' betekende 'geef haar bijval'! Dat was waarschijnlijk ook de reden waarom er werd geklapt toen ze klaar was. En waarom Charlotte Goldman als eerste haar naam opgaf. Ze werd gevolgd door Jason Smart, Miles Brown en een paar oudere meisjes die verschrikkelijk graag wilden weten of er tv-camera's bij zouden zijn.

'Harriet heeft geen tv-camera's nodig,' legde Celia Moore uit. 'Dat stadium is ze al voorbij.' Ik nam me voor om er persoonlijk voor te zorgen dat Celia een goede plaats kreeg.

33

De dag brak aan. Ik zeg het alsof het een willekeurige dag was, een datum in een agenda, een bladzijde in een boek, maar het was niet zomaar een dag: het was dé dag. De dag voor triomfen, de dag voor rampen, de dag voor hoop, de dag voor wanhoop, de dag voor talent, de dag voor afgunst, de dag voor rozen, de dag voor onkruid.

Ik wist dat mijn moeder mijn praatje op de ouderavond heel serieus opvatte toen ze naar beneden kwam in haar donkerblauwe streepjesmantelpak dat ze alleen aantrok als ze indruk wilde maken. En Nana had een zwart-witte jas aan die ik haar alleen maar bij de begrafenis van mijn vader had zien dragen. Dat zag er niet erg veelbelovend uit. En ik, ik nam het ongewone besluit om mijn schooluniform aan te trekken. Misschien klonk het dom, maar ik had het gevoel dat het boek daardoor in een wat begrijpelijker perspectief werd geplaatst.

'Je kunt niet in je uniform gaan, niet als al die mensen erbij zijn,' had mijn moeder me onder de neus gewreven.

'Waarom niet?' had ik gevraagd.

'Omdat het een soort feestje is. Omdat jij een mooi meisje bent, een schrijfster die een boek gepubliceerd heeft en bovendien een gastspreekster. Omdat Charlotte Goldman er misschien ook is en zij zeer zeker geen uniform aanheeft.'

Ik was onwrikbaar blijven vasthouden aan het schooluniform totdat ze dat laatste argument in de strijd wierp. Dat zag ze. Het was niet eerlijk. Waarom had ik een gezicht waarop je alles zag?

'Je denkt dat je alles weet,' had ik haar bits toegevoegd, lichtelijk geërgerd door het feit dat ze altijd gelijk had. 'Wat vind jij dan dat ik aan moet?'

'Dat hangt af van wat je wilt uitstralen,' legde PR uit. 'Welk facet van jezelf zou je willen benadrukken?'

'We moeten niet vergeten,' zei ik peinzend, 'dat ik waarschijnlijk op het podium zit naast Scarlett, dus moet ik niet iets aandoen dat vloekt met haar stijl.'

Toen mijn moeder met het voorstel kwam dat ik mijn legerjack en bijpassende kaki broek zou aandoen, zag ik onmiddellijk wat ze daarmee beoogde. Twee generaals, zij aan zij verheven boven een zaal vol met korporaals, die ze inspireerden met hun vertrouwen, die ze aanmoedigden met de kracht van hun woorden.

'Dat vind ik geen gek idee,' zei ik met een tevreden glimlachje. 'Ik denk ik er mijn platte, zwarte veterlaarsjes bij aantrek, dat past mooi bij elkaar.'

Maar mijn moeder dacht dat een subtiel vleugje vrouwelijkheid me misschien wat toegankelijker zou maken, vooral als het bescheiden onder de tafel verborgen was. Dus in plaats van de laarsjes deed ik mijn zwarte leren sandalen met de enkelbandjes aan, die zo'n verpletterende indruk op Jack hadden gemaakt in de bibliotheek van de familie Small. En omdat de broek grotendeels de enkelbandjes bedekte, zag je bijna niets meer van de afdrukken van zijn tanden.

'Hoe zie ik eruit?' vroeg ik toen ik de zitkamer binnenkwam waar Nana en mijn moeder op me hadden gewacht terwijl ik me omkleedde.

'Heel mooi!' zei mijn moeder blij.

'Die Scarlett Grout weet niet wat haar overkomt,' beaamde Nana, wat me wel wat geruststelde – ik was bang geweest dat Nana die militaire look niet helemaal zou begrijpen. 'Zo zie je eruit alsof je oorlogen kunt winnen,' vervolgde ze. 'Je veegt al je tegenstanders met één blik van de kaart.'

'Gelukkig zijn er geen tegenstanders vanavond.' Ik lachte, maar mijn moeder en Nana zagen er de humor niet van in.

Toen haalde mijn moeder haar digitale camera tevoorschijn en nam een foto van me toen ik bij de open haard stond met mijn arm op de schoorsteenmantel – een bekende pose van generaals. 'Deze plakken we in je album achter de foto's van je boekpresentatie,' zei ze terwijl ze op het knopje drukte waarmee ze de foto kon terughalen. 'Zo kun je zien hoe veelzijdig je bent.'

'Net als haar oma.' Nana lachte en maakte op haar revers de broche met de distel vast die ze vroeger als hoedenspeld bij zich droeg. 'Volgens mij komt het door de fraaie jukbeenderen. Wat jij, Mia?'

'En de intelligente kijkers,' zei mijn moeder met een twinkeling in haar eigen ogen. Toen stak ze haar arm door de mijne en zei, toen we naar de voordeur liepen: 'De strijd kan beginnen', wat volgens mij de militaire analogie wel een beetje te ver doordreef, maar dat zei ik niet. Zo zijn generaals nu eenmaal. Ze luisteren en denken na zonder al te veel te zeggen.

Het was bijna tijd. We hadden nog tien minuten, en dan begon het.

'Ik hoop dat je je speech goed hebt voorbereid,' zei mijn moeder met een strenge blik op haar gezicht, toen ze ons naar school reed. 'Ik dacht dat ik je net op je kamer hoorde.'

'Ik heb een paar Meditaties uitgekozen die ze iets te denken geven,' zei ik. 'En dan zeg ik nog iets over mijn schrijfstijl.'

'Een goed idee,' vond mijn moeder. 'Hou het kort.'

'En duidelijk praten,' drong Nana aan. 'Laat je door niemand van je stuk brengen.'

'Het is maar een stomme ouderavond.' Ik lachte. 'Ik heb wel voor hetere vuren gestaan.'

Soms stond ik versteld van mijn familie. Televisie, radio, de London Portrait Academy, Tegfold Hall Hotel, noem maar op, en van zo'n klein miezerig schooltje in Kensington deden ze het bijna in hun broek. Het was niet logisch.

Geheel in stijl leverde mijn moeder ons vijf minuten te laat af. Ik schrok een beetje van het aantal auto's op de parkeerplaats, en het waren niet zomaar auto's: het waren hele dure, zoals Volkswagens en BMW's. Er was zelfs een gloednieuwe zwarte Mercedes coupé, met open dak. Wij zetten onze onopvallende zilverkleurige Peugeot ernaast en liepen vlug naar de gymzaal.

Miss Quick, de conrectrix, stond bij de deur te wachten en begroette ons met: 'Jullie zijn laat. Miss Grout wacht op jullie.'

'Ik merk dat we het zonder formaliteiten moeten stellen,' antwoordde mijn moeder en ze trok met een vleugje sarcasme haar wenkbrauw op. Miss Quick lachte zenuwachtig en stelde zich voor. Daarna begeleidde ze ons tot voor in de zaal en wees naar een rij lege stoelen waarop een briefje lag met *gereserveerd* erop. Mijn moeder ging aan het eind van de rij zitten met Nana naast zich. Daarmee bleven er nog vier lege stoelen naast Nana over, ook met 'gereserveerd' erop. Hoeveel gasten word je als beroemde gast verondersteld mee te brengen? Ik was al bang geweest dat twee te veel van het goede was.

Ik had niet gedacht dat er zo veel mensen zouden komen. Er zaten minstens honderd gasten in de volgepakte gymzaal. Ze waren nog aan het praten toen we naar binnen liepen, waarschijnlijk hadden ze het over de ouderavond. Ik telde acht van de tien leerlingen die zich na de ochtendbijeenkomst bij mij hadden opgegeven. Ze zaten bij elkaar op de tweede rij. Afgezien van een stuk of drie leraressen die ik herkende, was de rest van het publiek mij onbekend.

Ik voelde hoe mijn zelfvertrouwen me in de steek liet, toen ik mijn familie achterliet en achter Miss Quick aan de drie treetjes aan de zijkant van het podium op liep, waar ze me naar mijn plaats bracht, naast Miss Grout. Er stond zelfs een microfoon waardoor ik kon spreken en een glas water, alsof ik een lid van een panel was. We vormden een goed paar, Scarlett en ik, zij aan zij verheven boven alle anderen. Ik glimlachte naar haar met de vertrouwelijkheid van een vriendin, maar zij was zeker in haar eigen gedachten verdiept, want ze glimlachte niet terug. Pas toen ik ging zitten, had ik in de gaten hoe stil iedereen was geworden. Eigenlijk was het enige geluid dat ik hoorde het kloppen van mijn hart en wat onderdrukt gelach van de leerlingen op de tweede rij.

Miss Grout tikte op de microfoon met haar wijsvinger, draaide zich toen naar me om en zei: 'Zeg eens wat in de microfoon, Harriet.' Het was wat ze in mediakringen een soundcheck noemen. Ik zei het eerste wat er in me opkwam:

'Odi et amo: quare id faciam, fortasse requiris.
Nescio, sed fieri sentio et excrucior.'

'Wat was dat?' fluisterde Miss Grout.

'Mijn lievelingsgedicht van Catullus,' antwoordde ik.

Miss Grout siste 'tss' en schudde haar hoofd. 'Kan iedereen achterin Harriet horen?' riep ze zonder de hulp van een microfoon.

'Ja, maar we snappen er de ballen van,' schreeuwde een man terug, en iedereen behalve mijn twee gasten begon te lachen.

'Harriet,' fluisterde Miss Grout weer, 'bedenk in godsnaam ditmaal iets zinnigs.'

Maar voor mij was Catullus zinnig – ja, eigenlijk werd hij door velen als een van de grootste Romeinse dichters beschouwd. 'Wat had u dan in gedachten?' fluisterde ik terug, nadat ik wel eerst mijn hand om de microfoon had gelegd, zodat niemand anders ons kon horen.

'Zeg maar gewoon "cheese" en tel tot drie.'

'En dat noemt u zinnig?' vroeg ik.

'Laat ook maar,' snauwde Miss Grout. Ik denk dat zij ook zenuwachtig was. Als ik dat had geweten, had ik beter nagedacht.

'Hallo,' zei ik zo zinnig mogelijk in de microfoon. 'Ik hoop dat uw ouderavond niet zo saai en langdradig was als Miss Grout verwachtte.'

'Zo is het wel goed, Harriet. Ik zal je zelf wel voorstellen,' viel

Miss Grout me in de rede. 'Harriet Rose is een leerling van deze school, dus veel leerlingen en leraren die hier vanavond zijn, kennen haar al. Maar ik weet zeker dat er ouders bij zijn die tegen zichzelf zeggen: "Harriet Rose? Wie is dat?" En ik moet toegeven dat ik tot voor zeer kort ook nauwelijks wist wie ze was.'

Er klonk een kabbelend gelach waardoor Miss Grout moed leek te vatten, want ze begon harder te praten. 'Andere ouders onder de aanwezigen weten precies wie ze is en ik weet dat er op school veel is gepraat over de publicatie van haar boek *De... de...*.' Ze rommelde wat in haar aantekeningen en ging toen verder, '*De oneindige wijsheid van Harriet Rose, Een verzameling Meditaties*, die haar merkwaardig genoeg de titel "Het Gezicht van Londen" heeft opgeleverd bij *London Live*. Diegenen onder u die tijd hebben om vroeg in de avond al tv te kijken, hebben het misschien gezien.'

Ze lachte alsof ze dit bijzonder amusant vond.

'Er is hier op school ook aandacht voor geweest van plaatselijke en ook landelijke pers, wat ik eerlijk gezegd nogal verbazingwekkend vond. Een paar ouders hebben mij gebeld om te vragen hoe ik tegenover al die publiciteit sta die Harriet tot nu toe heeft gekregen, en de invloed ervan op de andere leerlingen. Hoe dan ook, al die ophef over een onbeduidend... over Harriets Meditaties bracht mij op het idee dat ik haar hier moest uitnodigen, zodat u eventuele vragen rechtstreeks op haar af kunt vuren en niet op mij. Dus geneer u alstublieft niet. Maar ik heb eerst moeten goedvinden dat Harriet een paar woorden tot u spreekt. Ik zal uw plezier in deze avond niet verder bederven door te veel te vertellen over Harriets bedenksels. In plaats daarvan zal ik ze voor zichzelf laten spreken, en dan kunt u uw eigen conclusie trekken. Ik weet zeker dat Harriet u graag een paar Meditaties zal voorlezen en u wel iets wil vertellen over de kunst van het uitgeven – en we prijzen ons gelukkig dat we niet alleen Harriet hier vanavond hebben, maar ook haar publiciteitsteam, haar moeder en grootmoeder, wier enthousiasme voor de schrijfsels van Harriet grote bewondering afdwingt.

Dus ik mag u aankondigen... de beroemde, de onvergetelijke Harriet Rose.'

Het was niet de introductie die ik had verwacht. Plotseling voelde ik me bedrogen, alsof ik in een hoek was gedreven als een zielig schaap dat nietsvermoedend naar de markt wordt geleid. Toen pas daagde het bij me. Ik had Miss Grout overschat. Ze was geen hartsvriendin. Ze was überhaupt geen vriendin van me. Ze had helemaal geen bewondering voor me. Ik voelde me verraden, misleid, onder valse voorwendsels tot deze absurde bijeenkomst verleid. Ze was helemaal niet van plan geweest om mijn boek te promoten, laat staan de reputatie van de school. Ze wilde helemaal niets weten over de wereld van boeken en uitgeven. Ze wilde zich gewoon ontdoen van het probleem dat ik en mijn boek voor haar waren geworden. Er hadden ouders over mij opgebeld! Welke ouder deed in vredesnaam zoiets?

Op dat moment werd de deur achter in de gymzaal opengegooid en Charlotte Goldman liep naar binnen, vergezeld door haar vader. Ik had hem al eens op school gezien, toen Charlotte aan het eind van het tweede jaar de hoofdrol speelde in *My Fair Lady*. Ze had de rol gekregen vanwege haar mooie zangstem; anders hadden ze hem wel aan een van de oudere meisjes gegeven met een echt goed figuur. Persoonlijk had ik geen hoge pet op van haar stem. Ik vond hem even plat als haar boezem. De mijne vond ik mooier, en in ieder geval kon ik wijs houden. Maar omdat ik het vertikte om te glimlachen tijdens het zingen en geen stomme gebaartjes wilde maken en met mijn voet wilde tikken, had ik de rol niet gekregen.

Meneer Goldman was een klein mannetje. Toen ik hen vastberaden naar de eerste rij zag lopen en plaats zag nemen naast Nana op de plaatsen die voor mijn gasten waren gereserveerd, zag ik dat hij en Charlotte even groot waren. Feitelijk zag meneer Goldman eruit als een kale, dikke, bebrilde uitgave van zijn dochter. Ze hadden dezelfde gelaatstrekken – de geprononceerde kin, de schichtige bruine ogen, en de grote pruilmond die eruitzag alsof hij er al jaren niets anders mee had gezegd dan 'meer!'.

Ik had geen keus. Ik moest het publiek toespreken zoals ik had gerepeteerd. Er was geen ontsnappen mogelijk, tenzij ik mijn toevlucht nam tot een charlotteske tactiek en net deed alsof ik flauwviel. Maar nee, ik was Harriet Rose: ik zou ze tegemoet treden en hun vragen trotseren, hoe die ook mochten uitvallen. Bovendien had ik mijn moeder en Nana bij me als het lastig werd. Ik schraapte mijn keel en nam een paar ogenblikken de tijd om rustig te worden. Ik moest oogcontact zien te krijgen met mijn publiek voordat ik begon, ze vanaf het begin voor me zien te winnen met mijn hemelsblauwe ogen. Vanaf mijn verheven positie op het podium kon ik hen duidelijk zien – nieuwsgierige, sceptische gezichten, jong en oud. Op de een of andere manier miste ik de warmte die ik tot dan toe altijd bij mijn publiek had gevoeld. En de subtiliteit ontbrak sowieso. 'Neutraal' was het woord dat ik gebruikt zou hebben om ze te beschrijven. Eerder een publiek voor thee met koekjes dan voor champagne.

Miss Mason zat achteraan, en verborg zich achter een dikke laag poeder. Naast haar zat meneer Shaw op zijn tanden te zuigen.

Waar was de betovering, de intelligentie, het *savoir-faire* waar ik aan gewend was? Er was toch wel één persoon bij die iets stijlvols had? Mijn blik viel op een man en een vrouw in het midden. Zij was klein en rond, hij lang en dun. En toch vertoonden ze wel een zekere gelijkenis; de onverstoorbaarheid, het donkere haar, de begripvolle bruine ogen. Een vrouw die de woorden 'à demain' een echte betekenis gaf en een man wiens principe 'aujourd'hui' leek te zijn.

Moge vandaag vervuld zijn van vreugde
zodat morgen zich kan rijgen
aan een keten van gelukkige gisterens...

'Dit is Meditatie 4 uit mijn verzameling.'

Ik had daar niet mee willen beginnen. Eigenlijk had ik het helemaal niet willen opzeggen. Maar toen ik Madame du Bois en Jean-Claude daar samen zag zitten, leek het op de een of andere manier een passend begin, bijna een welkomstwoord. Hij had duidelijk heel veel moeite gedaan om er te zijn. Dus verdiende hij het. Daarom had ik me speciaal tot hem gericht, alsof de anderen er niet waren. Rij twee had het algauw in de gaten: ze draaiden zich allemaal om en staarden hen aan. Ik kon voelen hoe opgewonden de andere meisjes waren over Jean-Claude zonder dat ik hun gezichten kon zien. En Jason Smart zat op het uiterste puntje van zijn stoel. Dit bood voor weken gespreksstof.

Ik zweeg om ze de tijd te geven hun hinderlijke gefluister te stoppen en om ze te doordringen van de betekenis van mijn intieme blik.

'Descartes heeft gezegd: "ik denk, daarom ben ik", maar doen jullie dat ook?' Het gebruik van een vraag om mensen aan het denken te zetten was een techniek die ik had opgepikt van Socrates. 'Lopen jullie gevaar dat jullie je hersens niet inschakelen?' Daar ik al een Meditatie tot Jean-Claude had gericht, dacht ik, waarom zou ik er ook niet een tot Charlotte Goldman richten? Per slot van rekening was de kunst van de verhelderende toelichting een ander trucje van Socrates. 'Denk eraan dat voor elke theorie het omgekeerde nooit ver weg is. En het omgekeerde van de theorie van Descartes zou zijn: "Ik denk niet, daarom ben ik niet."'

Het liep lekker. Sommigen, zoals Charlotte, luisterden met open mond, anderen waren weer aan het fluisteren. Ik zette door: 'Ik ben met een Meditatie over René Descartes begonnen, omdat hij een filosoof is die ik bewonder, en zijn ideeën hebben de mijne beïnvloed. Voor diegenen onder u die niet bekend zijn met de filosofie van monsieur Descartes, hij geloofde dat hij kon bewijzen dat de ziel onafhankelijk van het lichaam bestond. Dat betekent dat hij een dualist was, in tegenstelling tot zijn tijdgenoten in de zeventiende eeuw. Tot in de huidige tijd zijn er filosofen die geloven dat er geen afzonderlijke entiteit, "de ziel", is, maar dat we louter lichamelijke, stoffelijke wezens zijn, die volledig ophouden te bestaan als we sterven. En dat brengt me op Meditatie 47: "Ik wil graag geloven dat de geest, de ziel, onafhankelijk van het lichaam bestaat, iets eeuwigs dat doorleeft als onze lichamen zijn opgehouden te bestaan. Maar als ik om me heen kijk, ben ik bang dat dit onmogelijk is als de zielen van zo velen hebben opgehouden te bestaan terwijl hun lichamen nog doorleven."'

Ik had er een speciale reden voor om, toen ik eenmaal had opgekeken, te blijven kijken naar de brede borst van Jean-Claude – en dat was niet omdat hij nu naar voren boog terwijl hij met een enthousiast knikje zijn instemming liet blijken, hoewel dat me waarschijnlijk wel hielp het te zien – want daar zag ik de woorden die ik eerder had gemist. Het stond er in grote witte letters, scherp afgetekend tegen het zwart van zijn T-shirt, als een boodschap van hoop en verwachting in een wereld die verder niet veel reden tot hoop gaf. Alleen ik kon weten waarom hij juist die woorden had gekozen. Alleen ik kon me hem voorstellen hoe hij zijn wensen beschreef aan degene die het T-shirt moest bedrukken. Alleen ik kon begrijpen hoe belangrijk het voor hem moest zijn geweest. Er stond: WAAROM NIET?

Ik wendde snel mijn blik af uit angst dat hij zou zien hoe mijn wangen van kleur verschoten – en nog erger, dat sommige van de anderen dat ook zagen. Rij twee zat me weer aan te gapen en ik wist zeker dat ik had gezien hoe Charlotte zich omdraaide. Het was de demonstratieve blik van Miss Grout op haar horloge die me weer tot de werkelijkheid terugbracht. Ik had zeker te veel tijd in beslag genomen. Tien minuten, had ze gezegd. Ik had het gevoel dat het er wel vijftig waren geweest. Ik had hun allemaal stof tot nadenken gegeven. Het werd tijd dat ik afrondde.

'De grootste invloed op mijn schrijfstijl heeft Marcus Aurelius gehad. Hij heeft me geïnspireerd om mijn overpeinzingen over mijn leven onder woorden te brengen, over de mensen om mij heen, degenen die ik bewonder, en over dat wat belangrijk voor me is. Net als Marcus Aurelius heb ik mijn Meditaties genummerd zodat ze allemaal apart kunnen worden gelezen – afzonderlijk, maar toch deel van een geheel. Ik wil u nog een Meditatie voorlezen voordat ik stop, en ik hoop dat u er even bij stil wilt blijven staan voordat u uw vragen stelt. Het is Meditatie 45:

Om het leven heb ik niet gevraagd
Over mijn naam had ik niets te zeggen
De kleur van mijn ogen heb ik niet bepaald
Mijn haren heb ik niet zelf uitgekozen
Over mijn sterfdag ga ik ook al niet
Maar mijn woorden kies ik wel
Mijn gedachten geef ik vorm
Ik sta voor wat ik doe
Woord, gedachte, daad
Daar wil ik wel voor tekenen
Gelieve mij dus daarop af te rekenen.

Allemaal bedankt voor het luisteren.'

Ik speurde de rijen met bekende en onbekende gezichten af met ogen die ik tot spleetjes had dichtgeknepen van scepsis en ironie, hen tartend om een vraag te stellen. Ik had niet om hun komst gevraagd. Ik had mezelf ook niet uitgenodigd. Feitelijk begon ik me opeens af te vragen wat ik daar überhaupt deed. Ik had dit niet nodig: zonder dit werd mijn boek toch wel verkocht. Ik was een auteur die een elitegezelschap in de London Portrait Academy had toegesproken. Ik had geen tweederangs schooltje in West-Londen nodig om mijn carrière te bevorderen. Wat verbeeldden deze mensen zich wel?

Ik kon de stem van Miss Grout horen die hen aanspoorde een vraag te stellen – eentje maar, iemand had toch zeker wel een vraag, een commentaar dan – nee?

Ik had me nog nooit goed over het begrip stilte gebogen. Seconden, minuten met woordeloze perioden, gevuld met een angstige verwachting. Ik werd me bewust van een grote ronde zwart-witte klok aan de muur tegenover mij. Er stonden vier getallen op: 3, 6, 9 en 12. De wijzers waren lange zwarte pijlen, die met een bloeddorstige berekening hun doel opzochten. Plotseling hoorde ik de tweede wijzer die als een hartslagmeter tikkend zijn rondje maakte. Naarmate de seconden elkaar opvolgden zoog de klok me op, totdat ik bijna was vergeten dat ik in een afgeladen gymzaal stond in afwachting van voorspelbare vragen van ongeïnteresseerde ouders en hun puberspruiten.

Ik telde honderdvijfendertig seconden voordat de eerste vraag gesteld werd. Het was de stem van een vrouw ergens achter in de zaal die zat weggedoken achter een rij met grotere, bredere ouders met veel haar. 'Ik vroeg me af, Harriet, hoe oud je bent?'

Ik had de afgelopen dagen geprobeerd te bedenken welke vragen ik zou krijgen voorgeschoteld, zodat ik op allemaal zou zijn voorbereid, maar over mijn leeftijd had ik er geen verwacht.

'Veertien,' antwoordde ik, en viel toen terug op de vraag waar ik me het prettigst bij voelde: 'Waarom?'

Maar het was Miss Grout die reageerde: 'Het is de bedoeling dat jij vragen beantwoordt, Harriet, niet dat je ze stelt.'

Ik zei niets en wachtte op de volgende vraag. Ditmaal hoefde ik niet lang te wachten – hij kwam van Jason Smart. Hij stelde de vraag niet op een normale toon, hij schreeuwde hem me toe, ook al zat hij maar twee rijen van het podium verwijderd. 'Nu je, zeg maar, beroemd bent en op de televisie komt en zo, denk je dat er een kans is dat je gratis kaartjes krijgt voor een wedstrijd van Chelsea?'

Ze lachten allemaal, alsof Jason een grapje had gemaakt – maar ik kende zijn gezicht goed genoeg om te weten dat hij niet grappig had willen zijn, dus toen het gehinnik wat was bedaard, antwoordde ik: 'Als dat zo is beloof ik dat ik ze aan jou geef, Jason.'

Ik had wel verwacht dat hij daar blij om zou zijn, maar zelfs ik was een beetje van mijn stuk gebracht door zijn: 'Je bent geweldig, Harriet!'

Was dit nu alles? Hing het succes van mijn eerste literaire avond af van een door leeftijd geobsedeerde moeder en een puberale voetbalfan? Het was niet bepaald van een hoogstaand gehalte.

'Kom nou, ouders in de zaal,' sneerde Miss Grout. 'Ik weet dat er mensen bij zijn die wel een vraag voor Harriet hebben.'

Ik weet zeker dat ze bij deze woorden naar meneer Goldman keek, maar hij zag haar niet, want hij was druk bezig aantekeningen te maken op een gelinieerde blocnote op zijn knie. Ik kon alleen maar zijn kruintje zien, en dat was glimmend en rood, alsof er zich binnen in zijn hoofd een heleboel afspeelde. Ik weet nog dat ik dacht dat dat niet bepaald een familietrekje was. Net toen het erop leek dat er geen vragen meer kwamen, stond hij op met zijn blocnote in zijn linkerhand, wisselde een blik met Miss Grout en zei, met een diepe zelfverzekerde stem: 'Ik heb een vraag voor mejuffrouw Rose.'

'Ja, meneer Goldman.' Miss Grout ging tevreden achterover zitten alsof iemand haar tijdens het verdrinken een reddingsboei had toegeworpen. Daarna glimlachte ze hem bemoedigend toe.

'Je hebt vanavond zowel naar Marcus Aurelius als naar Descartes verwezen in zeer positieve bewoordingen,' begon hij.

'Dat is zo,' antwoordde ik. 'Ik heb voor beiden grote bewondering.'

'En je hebt een Meditatie uit je boek geciteerd die speciaal verwijst naar Descartes.'

'Dat klopt,' beaamde ik argwanend. Ik herinnerde me dat de vader van Charlotte advocaat was. Ik keek hem recht in de ogen, die vergroot werden achter dikke ronde glazen. 'Tot dusver zijn we het blijkbaar met elkaar eens.'

'Ik ben blij dat te horen,' zei hij met een spottend lachje. 'Je hebt ook gezegd dat je jouw boek hebt geschreven naar het voorbeeld van de werken, liever gezegd de meditaties van Marcus Aurelius. Is dat correct?'

'Jazeker,' antwoordde ik.

'En je hebt ons een paar van je eigen Meditaties gepresenteerd waarvan er een laat zien dat jij net als meneer Descartes een dualist bent.'

Hij had een overdreven klemtoon gelegd op het woord 'Meditaties'.

'Dat ben ik inderdaad,' zei ik.

'Een andere Meditatie lijkt te suggereren dat je het idee aanhangt dat we keuzevrijheid hebben, voor zover het onze besluiten en daden betreft, en dat we daarom moreel verantwoordelijk kunnen worden gesteld voor die besluiten en daden.'

'Ja,' zei ik, en ik vroeg me af of ik echt verantwoordelijk kon zijn voor de daad van het spannen van mijn beenspieren tijdens het praten.

'Wat je moeilijk kunt volhouden als onze besluiten en daden gedetermineerd zouden zijn.'

'Moeilijk, maar niet onmogelijk,' antwoordde ik aarzelend. Ik had geen kruisverhoor verwacht. Probeerde hij me erin te luizen?

'Tot zover is er niets ook maar in de verste verte origineel aan de ideeën die je poneert. Om precies te zijn, het zijn de ideeën van andere mensen.'

'Veel filosofen hangen dezelfde gedachten aan,' zei ik.

'Ja, dat is zo,' antwoordde hij, en hij zette tijdens het praten zijn bril af, 'maar juffrouw Rose, u bent een veertienjarig schoolmeisje dat filosofie heeft gestudeerd gedurende, wat zal het zijn, een jaar of twee, drie?'

'Bijna drie.' Charlotte beantwoordde de vraag van haar vader alsof ze er al een tijdje op had zitten wachten.

'Precies!' herhaalde haar vader met een steelse grijns naar zijn dochter. 'Bijna drie jaar!'

'Ik heb veel geleerd in die tijd,' zei ik. Ik deed mijn best om zelfverzekerd over te komen, maar ik vreesde dat mijn bibberende onderlip me al had verraden.

'Dat zal best,' antwoordde hij met een veelbetekenende blik naar Charlotte, die vanwaar ik het kon zien naar hem leek te knipogen, 'maar was dat voldoende om je eigen filosofische overtuigingen te publiceren? En om anderen aan te moedigen om daadwerkelijk over te gaan tot de aanschaf van dat boek met jouw – laten we eerlijk zijn – elementaire benadering van complexe theorieën waarover grote geesten jaren hebben gedaan om er te komen? Het is je reinste waanzin om te geloven dat een infantiel boek als dit een succes zou kunnen zijn. Je reinste waanzin!'

In *Question Time* onderbreekt David Dimbleby mensen uit het publiek die te lang doorgaan, maar Miss Grout schonk alleen maar een glas water voor zichzelf in, zonder er een voor mij in te schenken, en nam er toen langzaam een slokje van. Ik voelde hoe er zich een blos over mijn hele gezicht uitbreidde tot aan mijn oren toe, maar ik kon mijn ogen niet dichtdoen en tot tien tellen, niet met al die mensen erbij die naar me keken, en dan vooral Jean-Claude. Ik zag hoe de lippen van meneer Goldman de ene zin na de andere formuleerden, maar in mijn benauwde toestand ving ik slechts af en toe een woord op... 'Marcus Aurelius' en 'Romeinse keizer' en 'Harriet Rose' en 'zelfbedrog' en 'voor je eigen bestwil'. Ik moest iets zeggen. Het enige wat ik kon uitbrengen was 'Maar ik heb de titel "Het Gezicht van Londen" gewonnen.' Dat was meer om mezelf weer wat vertrouwen te geven dan om meneer Goldman en de andere aanwezigen te overtuigen.

'Naar alle waarschijnlijkheid heeft men uit medelijden op je gestemd,' antwoordde meneer Goldman. Hij ging zitten en Charlotte gaf hem een klopje op zijn kwabbige knie.

Ik wist dat ik vanbinnen kwaad was, maar mijn enige gedachte was: Waarom is mijn vader er niet en de vader van Charlotte Goldman wel?

Ik was me er vaag van bewust, voor zover ik überhaupt nog iets kon zien, dat op de eerste rij wat opschudding was ontstaan. Nana probeerde overeind te komen en tegelijkertijd haar hoedenspeld te pakken, terwijl mijn moeder haar uit alle macht probeerde tegen te houden. Maar dat weerhield Nana er niet van om te schreeuwen: 'Het is wel duidelijk wat uw probleem is – u bent gewoon jaloers op Harriet en op haar boek!'

Waarop mijn moeder zei: 'Vooral als je zelf een nitwit van een dochter hebt.'

Geheel tegen de verwachtingen in gooide Charlotte alleen maar haar hoofd achterover en begon hard te lachen bij deze suggestie, terwijl haar vader zijn lippen weer tot een neerbuigend glimlachje plooide. Ogenblikkelijk maakte mijn woede plaats voor angst en voor een gevoel van vernedering. Misschien had meneer Goldman wel gelijk. Misschien zat ik wel helemaal fout.

Toen hoorde ik een andere stem ergens vanuit het midden van de zaal. 'Ik wil graag reageren op dat laatste punt.' Het was Jean-Claude. 'Ik studeer filosofie aan een school in South Kensington waar ik het eindexamenjaar doe. In tegenstelling tot Harriet heb ik al verscheidene jaren gedetailleerd studie gemaakt van het onderwerp.'

Jean-Claude ging zich toch zeker niet bij de aanvallers voegen?

'Natuurlijk heeft Harriet ons geen filosofische dissertatie gegeven in haar boek. Zij mag me corrigeren als ik me vergis, maar ik geloof ook niet dat ze zoiets voor ogen had toen ze eraan begon.'

Natuurlijk had ik dat niet. Dat was toch logisch? Waarom was me dat niet eerder te binnen geschoten? Maar dat was nog niet alles.

'Ik ben niet alleen een filosoof, ik ben ook een Fransman, een landgenoot van René Descartes zoals Harriet zou zeggen. Ik heb daarom het gevoel dat ik enigszins gerechtigd ben over de man te spreken.'

Terwijl hij praatte voelde ik dat de blos van mijn gezicht verdween.

'Ik geloof ook in het bestaan van de ziel als een entiteit afzonderlijk van het lichaam. Velen delen die overtuiging. Descartes had er niet – hoe zal ik het zeggen – het alleenrecht op. Dichters en theologen zijn ook op dit onderwerp gesteld, en dat geldt ook voor Harriet Rose.'

Ik gooide mijn haren naar achteren omdat ik vond dat ze te veel voor mijn ogen hingen. Miss Grout dook weg om ze niet in haar gezicht te krijgen.

'Ik heb de Meditaties van Harriet gelezen en ik vond het boek verfrissend origineel. Ik weet niet of de vragensteller het heeft gelezen, maar als dat wel het geval is, weet hij dat het niet alleen gaat over filosofische theorieën; het beslaat vele onderwerpen die van belang zijn voor de schrijfster als tiener – wat overigens ook voor mij geldt – die voor het eerst bepaalde aspecten van het leven ervaart.'

Het was precies waar ik aan had gedacht. Ik had geen idee dat zijn Engels zo goed was.

'Tussen twee haakjes' – dat was Jean-Claude weer – 'ik heb op Harriet gestemd bij die wedstrijd om "Het Gezicht van Londen", en ik heb dat zeker niet uit medelijden gedaan.'

Iedereen – zelfs Nana en mijn moeder – was met stomheid geslagen.

Ten slotte schraapte Miss Grout haar keel en zei: 'Nou, ik wist dat Harriet vanavond haar publiciteitsteam bij zich had, maar ik had geen idee dat ze haar agent ook had meegenomen. Heel verstandig.'

'Ik zou het een eer vinden om de agent van Harriet te zijn, maar naar haar succes tot nu toe te oordelen heeft ze er geen nodig, of wel soms?'

Ditmaal was het Charlottes beurt om knalrood te worden. Niet dat haar vader dat in de gaten had – hij had het veel te druk, want hij was verwoed aantekeningen aan het maken.

Ik hoopte dat Miss Grout zou inzien dat dit het juiste moment was om de avond te beëindigen, en ik denk dat ze dat ook had willen doen als een vrouw in de middelste rij die vlak bij Madame du Bois en Jean-Claude zat, niet had geroepen: 'Eén vraagje nog!' Ze was een hele jonge moeder, chic maar niet opvallend gekleed, als een vrouw die vertrouwen in zichzelf heeft. Ze zat naast Celia Moore, wat ik bijzonder geruststellend vond. 'Een klein vraagje, Harriet – hoeveel exemplaren heb je verkocht?'

Ik bewoog mijn lippen om te antwoorden, maar er kwam geen geluid uit. Ik verkeerde waarschijnlijk nog in een shocktoestand. Gelukkig schoot Nana me te hulp. 'Tot dusver hebben we achttienhonderd bestellingen binnen, zeshonderd van vierenvijftig filialen van Waterstone's,' las ze voor uit een groot rood factuurboek dat ze nooit aan mijn moeder of aan mij liet zien, 'waarbij zijn inbegrepen verscheidene nabestellingen, plus elfhonderdvijfennegentig bestellingen van onafhankelijke boekhandels en bibliotheken, en van boeksigneersessies, en vijf van mijn goede vriend bij Pipers in Piccadilly.' Ze sloeg trots het factuurboek dicht en ging zitten met een woedende blik op meneer Goldman, die druk doende was het glimmende jasje van zijn pak aan te trekken en zijn blocnote op te bergen in een krokodillenleren aktetas.

'Ik weet zeker dat mevrouw zulke precieze getallen niet verwachtte – een ruwe schatting was ook goed geweest.' De irritatie van Miss Grout was voor mij gemakkelijker te zien nu ik wist hoe die eruitzag.

'Ik dacht dat directrices wel waardering op konden brengen voor precisie,' antwoordde Nana ijzig.

Miss Grout had er schoon genoeg van. De rechterkant van haar gezicht vertoonde een zenuwtrek en haar leesbril was beslagen. Het was tijd dat zij de avond tot een einde bracht.

'U allen bedankt voor uw komst,' zei ze beleefd. 'In de hal staat er thee klaar met koekjes voor degenen onder u die er geen genoeg van kunnen krijgen!' Ze lachte dat lachje weer. En daar bleef het bij. Geen bedankje voor de gastspreekster, geen felicitaties met mijn succes, geen vermelding van het boek. Alleen maar lauwe thee met kleffe koekjes in de hal. Toen stond ze op – Scarlett – en liep de trap af en de gymzaal uit, gevolgd door Miss Quick, die ook gauw maakte dat ze wegkwam. Ik bleef dus alleen op het podium achter, maar ik was vastbesloten om een indrukwekkende aftocht te blazen ondanks de minachtende manier waarop Scarlett me had behandeld.

Het publiek was nog blijven zitten. Ze zaten me allemaal aan te staren, aan hun stoel gekluisterd door de gebeurtenissen van die avond. Ik speurde de eerste rij af naar vriendelijke gezichten – mijn moeder, Nana... maar waar was Nana? Er was een lege plek naast mijn moeder, waar ze had gezeten. Meneer Goldman en Charlotte zaten er ook niet meer. Ik duwde mijn stoel naar achteren om op te gaan staan, maar mijn benen, die ik tijdens het hele kruisverhoor stevig over elkaar had geslagen, leken elke vorm van leven te hebben verloren en zaten vast in de zitstand. Ik zat helemaal alleen op een podium in een gymzaal stampvol met leraren, ouders en leerlingen die me allemaal zaten aan te gapen. Hadden ze het gemerkt? Wat moest ik doen? Ze zaten op mij te wachten.

Ik pakte mijn pen en deed net alsof ik zomaar wat zat te schrijven, totdat ze weggingen en mij en mijn slappe benen aan hun lot overlieten.

'Help!' krabbelde ik op een vodje papier dat Miss Grout had laten liggen, waarop in hoofdletters de titel van mijn boek stond. Ik pakte het stukje papier op, zorgde ervoor dat ik het naar opzij draaide en stak het naar voren zodat niemand behalve mijn moeder het kon zien. In een oogwenk stond ze naast me op het podium en praatte tegen me alsof er niets was gebeurd, alsof ik niet door meneer Goldman was vernederd waar de hele zaal bij was, alsof Nana er niet vandoor was – waarschijnlijk op zoek naar meneer Goldman en Charlotte, met haar hoedenspeld in de aanslag, en alsof mijn benen het niet zojuist onder alle druk hadden begeven.

'Mijn benen!' fluisterde ik. 'Ik krijg ze niet meer aan de gang.'

'Je moet er onder de tafel hard overheen wrijven en dan blijf ik wel praten,' instrueerde mijn moeder me. Ondertussen liep ze tot pal voor het tafeltje zodat alleen de gasten aan de zijkant van de gymzaal me nog konden zien. 'Je was geweldig,' vervolgde ze, 'echt heel goed. En je hebt je Meditatie prachtig voorgelezen.'

'Je had me tegen moeten houden!' snauwde ik. 'Je had me moeten waarschuwen voor die ouwe Grout en voor vader en dochter Goldman. Ik dacht dat ouders verondersteld werden een beschermend instinct te hebben – hoe zit dat bij jou?'

Ik voelde dat mijn benen nog helemaal sliepen, en de rest van mijn lichaam voelde ongeveer hetzelfde aan. 'Ik wou dat jullie nooit begonnen waren met de publicatie van mijn Meditaties. Jullie hebben me volkomen voor gek gezet. De hele hoofdstad heeft op *London Live* kunnen zien hoe de mensen uit medelijden op me hebben gestemd, en ik wist het niet eens. Waarom zouden ze anders op mij gestemd hebben? Wie zou er echt mijn – hoe noemde die ouwe kaalkop het ook alweer – mijn elementaire benadering van ingewikkelde vraagstukken willen lezen? Alleen jij en Nana, meer niet.'

'Harriet, je trekt je toch niets aan van wat een of ander jaloers mannetje zoals meneer Goldman te beweren heeft, hè? Ik dacht dat je verstandiger was. Een mooi intelligent meisje als jij – dat is net zoiets als Sneeuwwitje die advies vraagt aan Dopey.'

Mijn moeder wist altijd goed hoe ze me weer met beide benen op de grond moest krijgen, zelfs onder de meest tragische omstandigheden. Natuurlijk had ze gelijk, en de stampvolle gymzaal dacht er ook zo over. Het was hun luide applaus dat ons erop attent maakte dat ze elk woord dat we hadden gefluisterd hadden gehoord door mijn microfoon. Ik had er mijn hand overheen moeten leggen voor het geval hij nog steeds was ingeschakeld – per slot van rekening was ik nu een beroepsspreekster.

'Bravo!' riep iemand van achter uit de zaal. 'Bravo, mevrouw Rose!'

Mijn moeder draaide zich met een buiging en een glimlach om naar de zaal. Toen hielp ze mij de drie treetjes af, waar Jean-Claude stond te wachten om me verder te helpen.

Het was niet eerlijk. Als ik een van Nana's grote witte zakdoeken in mijn mouw nodig had, zat die er niet. Ze mogen me op rij twee niet zien huilen, dacht ik. Dan zouden ze misschien denken dat ik een charlotteske aandachttrekster was. Maar ik kon geen kant op.

'Ik neem haar mee naar huis,' zei mijn moeder tegen Jean-Claude.

'Wat kan ik doen?' vroeg hij.

'Nana zoeken,' antwoordde ze. Toen nam ze me bij de arm en loodste me de school uit en onze auto in. 'Een avond met Harriet Rose' was ten einde gekomen.

34

'Ik wil met rust worden gelaten,' zei ik tegen mijn moeder toen we thuis waren. 'Ik heb tijd nodig om na te denken.'

'Ik ben in de keuken bezig met de coq au vin – omdat je dat zo lekker vindt.' Ze schikte mijn kussen op de bank en trok mijn dekbed wat dichter om mijn schouders. 'Ga maar wat tv kijken – dan denk je er niet meer aan.'

Maar hoe moest ik dat doen als mijn hoofd vol zat met de woorden van meneer Goldman? En niet alleen de woorden die hij feitelijk had gebezigd: er waren ook nog de woorden waarvan ik bang was dat hij ze misschien had gezegd en die ik was vergeten, en de woorden die de rest van het publiek waarschijnlijk zei na mijn vertrek. En dan waren er nog mijn woorden, namelijk die ik had moeten zeggen, maar die ik niet had gezegd. En die ik in mijn boek had gebruikt, maar die nooit door iemand hadden mogen worden gezien.

Wat hadden ze trouwens voor zin? Puberaal gezever zonder inhoud, kinderlijke overpeinzingen over de wereld om mij heen, wat Jean-Claude er ook over gezegd had. En wie was Jean-Claude eigenlijk? Kon ik zijn woorden echt vertrouwen? En ik was geen filosoof – van een studie van drie jaar en een prijs op school werd ik echt geen Bertrand Russell. Wat waren mijn theorieën? Waar was mijn 'critique'? Wie zou er ooit verwijzen naar de roseaanse school? Had mijn vader me maar een gieter gegeven in plaats van een pen, dan had er onderhand al een bloem naar mij vernoemd kunnen zijn. In plaats daarvan zat ik nu te smachten naar mijn eigen bewijs. Het was zijn schuld, en ook de schuld van Nana en van mijn moeder: ze hadden me geen van drieën moeten stimuleren om te schrijven. Ze hadden me voor gek gezet. Waarom hadden ze geen iPod voor me kunnen kopen voor mijn verjaardag, zoals bij normale families? Als ze mijn stomme gedachten niet waren gaan publiceren, was dit allemaal niet gebeurd. De pers zou me met rust hebben gelaten, de hele school zou niet over me praten en Scarlett zou me nog steeds volslagen genegeerd hebben. Besefte er dan niemand dat ik niet het type was voor een status als beroemdheid? Ik had moeten zitten worstelen met examens en met hypotheekaflossingen, ik had de ene na de andere schriftelijke afwijzing hebben moeten ontvangen van uitgevers en agenten die de boodschap die ik probeerde over te brengen niet begrepen, voordat ik dit stadium had bereikt. Ik was verdorie pas veertien. Wat weten veertienjarigen nu van tv-optredens en media-aandacht? Mijn familie had me moeten beschermen, me niet halsoverkop als een gewillige prooi in de kaken van de monsterachtige roem moeten slingeren, alsof ik een product van een theaterschool uit Noord-Londen was.

Ik zou een ernstig woordje met Nana en met mijn moeder moeten spreken als Nana terugkwam met Jean-Claude. Ik pakte mijn pen uit mijn notitieboekje dat mijn moeder naast me had laten liggen en schreef snel op wat ik hun duidelijk wilde maken; geen keiharde kanonskogels als die van meneer Goldman, maar uitdrukkingen van de manier waarop ik me voelde. Roseaanse bewijzen van onveiligheid. Het was belangrijk voor me dat ze het begrepen. Ik nummerde ze, zoals ik had gedaan met mijn Meditaties, maar deze punten leidden tot een conclusie die iedereen, zelfs Charlotte Goldman, wel moest begrijpen.

1. Ik ben mijn familie dankbaar voor hun liefde en steun en bemoediging.
2. Zonder die liefde en steun en bemoediging had ik mijn Meditaties niet geschreven.

3. Als ik mijn Meditaties niet had geschreven, had mijn familie ze niet kunnen uitgeven.

4. Als mijn familie mijn Meditaties niet had uitgegeven, zou ik de vernedering van vanavond niet hebben ondergaan.

5. Deze vernedering maakte me ongelukkig.

6. De meeste grote filosofen erkennen het belang van geluk als doel.

7. Ik ben geen groot filosoof.

8. Zelfs mensen die geen grote filosofen zijn kunnen de doelen van degenen die dat wel zijn naar waarde schatten.

9. Ik wil gelukkig zijn.

10. Conclusie: hou in godsnaam die afschuwelijke meneer Goldman voortaan bij me uit de buurt.

Ik las het door, want ik wilde niet dat er werd gezondigd tegen de logica. Dat was niet zo. Ik was redelijk tevreden over de bewijsvoering, vooral over de conclusie. Ze zouden het begrijpen als ik het aan ze voorlas, dat wist ik zeker. Het enige wat ik nu nog nodig had, was dat Jean-Claude Nana thuisbracht.

Maar waar waren ze? Ik keek op de klok op de schoorsteenmantel. Het was halfnegen. Mijn moeder en ik waren al meer dan een uur thuis.

'We hadden ze niet op school moeten laten zitten,' zei ik tegen mijn moeder, die voor het raam op de uitkijk stond.

'Ik vond dat jij naar huis moest,' zei ze. 'Ik dacht dat ze in een taxi achter ons aan zouden komen. Zelfs Nana zou toch gemakkelijker te vinden moeten zijn.'

'Je weet hoe rap ze kan zijn als ze zich iets in haar hoofd heeft gezet,' zei ik. 'Kijk maar hoe ze was op de eerste dag van de uitverkoop bij Harrods – ze was uren weg.'

Weg? Had ik 'weg' gezegd? Kon Nana helemaal weg zijn? Ik was er die morgen bij het ontbijt in Tegfold Hall nog bang voor geweest. Ze was de oudste – het was logisch dat zij als eerste heen zou gaan. Maar niet zo vlug en niet op deze manier. Ik had dit eerder moeten bedenken.

'Nana is weg!'

'Ik denk dat dat voor ons beiden duidelijk is, ja!' zei mijn moeder, een tikkeltje geërgerd.

'Niet gewoon weg,' riep ik uit. 'Weg, over en uit, heengegaan. Op haar laatste tocht.'

'Stel je niet zo aan, Harriet,' zei mijn moeder bits.

'Waarom zou ze er dan nog niet zijn?'

'Omdat zij ook een aanstelster is. Net als jij.'

Maar ik was geen aanstelster – ik was een realiste, met misschien een vleugje idealisme van tijd tot tijd. Ik bedoel dat ik de wereld zag zoals hij was, maar wel met een idee in mijn hoofd over hoe hij zou moeten zijn. En in een ideale wereld zou Nana nu hier bij ons zijn en zou ze Jean-Claude van top tot teen opnemen en tegen me zeggen dat ik wel iets beters kon krijgen.

'Hij heeft jouw Meditaties voorgelezen aan Charlotte Goldman,' had ze dan gezegd. 'Hoe kun je nou iemand vertrouwen die Meditaties voorleest aan een meisje dat in de veronderstelling verkeert dat je Meditaties doet om te ontspannen voordat je naar bed gaat.'

Mijn moeder vond dat de coq au vin niet langer kon wachten. Ze bracht het gerecht naar binnen op een dienblad en we begonnen te eten.

We zwegen een poosje en deden net alsof er geen vuiltje aan de lucht was. Toen zei mijn moeder: 'Ik ga terug naar school om naar ze te zoeken.'

'En dan zit ik me hier in m'n eentje zorgen te maken zeker? Ik ga mee.'

Toen we er waren, zaten de deuren op slot. Zelfs de aankondiging van mijn praatje was al weggehaald en vervangen door een papier waarop stond: *Bestellingen bij de achteringang s.v.p.*

'Waar woont Jean-Claude?' vroeg mijn moeder, toen we op de lege parkeerplaats weer in de auto stapten.

'Ergens in South Kensington,' antwoordde ik. 'Ik weet het precieze adres niet.'

'Je moet eigenlijk nooit met iemand uitgaan als je zijn adres en telefoonnummer niet weet,' zei mijn moeder.

Maar dit was geen tijd voor preken: Nana werd vermist.

'Boekwinkels?' opperde ik. 'Misschien is ze gaan kijken of die winkel om de hoek nog wat exemplaren wilde bestellen. Ze zijn tot laat open.'

Mijn moeder vond dit een goed idee, dus togen we die kant op. Er waren maar een paar mensen in de winkel en geen van hen was Nana. Ik zag onmiddellijk verscheidene exemplaren van mijn boek in een stapeltje op een tafel met nieuwe titels liggen.

Mijn moeder pakte er een paar van af en legde ze op een andere tafel waarop stond dat er 'Meesterwerken' op lagen. 'Daar horen ze thuis,' zei ze, en we liepen naar buiten.

Toen we weer thuiskwamen, verwachtte ik half en half dat Nana er al een kopje thee voor zichzelf aan het zetten was, maar het huis was nog even leeg als we het hadden achtergelaten. En er had niemand ingesproken op de voicemail.

'Ik word ontzettend kwaad op haar als er niets met haar aan de hand is,' zei ik.

Het kwam er een beetje anders uit dan ik het had bedoeld, maar mijn moeder begreep het wel. 'Misschien zijn ze ergens iets gaan eten,' zei ze zonder veel overtuiging.

'Midden in de nacht?' antwoordde ik. 'Een vierenzeventigjarige grootmoeder die de hort op is met een zestienjarige Fransman?'

'Waarom niet?' vroeg mijn moeder. 'We hebben het niet over Assepoester.'

Uiteindelijk stemde ik ermee in om naar bed te gaan. Mijn moeder zei dat ze me wakker zou maken als er nieuws was.

Nieuws. Ik had al eerder op nieuws gewacht. De laatste keer had er het woordje 'slecht' voor gestaan, en daarna waren de laatste zes maanden van het leven van mijn vader aangebroken. Nog een verlies konden we niet meer aan. Nana moest in veiligheid zijn. Ik probeerde te slapen, maar het was onmogelijk. Mijn hart bonsde zo hard dat ik de hele tijd dacht dat er iemand op de voordeur klopte.

Tegen de tijd dat het morgen werd, had mijn moeder een plan uitgewerkt. Ik had moeten weten dat ik in tijden van crisis op haar kon vertrouwen. Er zat maar één addertje onder het gras: Bill moest erbij betrokken worden. Hij had blijkbaar het antwoord in handen – de oplossing voor een probleem dat buiten onze macht lag.

'Bill? Je spreekt met Mia Rose – de moeder van Harriet. Het spijt me dat ik al zo vroeg bel.' Het was een veelbelovend begin, maar ik zag nog steeds niet goed wat ze met dit alles beoogde. 'Ik vroeg me af of jij ons zou kunnen helpen. Ik zou het niet vragen als het geen noodsituatie was.'

Ze deed de deur van de zitkamer dicht, zodat ik niets meer kon horen.

Pas later die morgen begreep ik het. Mijn moeder zat naar de ontbijttelevisie te kijken toen ik uiteindelijk weer in de zitkamer terugkwam. 'Vind je het gepast om televisie te gaan zitten kijken alsof er niets aan de hand is?' vroeg ik kwaad, ten dele omdat zij de deur van de zitkamer had dichtgedaan toen ze met Bill had zitten telefoneren.

'Luister!' riep ze. Ze dacht toch niet dat ik geïnteresseerd was in ontbijttelevisie? Ik liep naar het toestel toe om het uit te doen. Ik had mijn vinger al op het knopje toen ik haar gezicht zag – ernstig en ingetogen met haar zwart-witte tulbandhoed op en met op borsthoogte een telefoonnummer. 'Als u deze vrouw hebt gezien, belt u dan alstublieft naar het nummer onder op uw scherm. We hebben begrepen dat er een beloning van vijfduizend pond is uitgeloofd voor informatie die ertoe kan leiden dat ze veilig thuiskomt.' Bills stem klonk ernstig, alsof hij zijn hoofd weer naar één kant scheef hield.

Ik pakte mijn moeders hand en zei: 'Dat was je dus van plan. Ik wist wel dat je iets zou bedenken.' We hielden elkaar vast en ik snikte in een witte zakdoek die me door mijn moeder was aangereikt.

'Ik heb een foto van haar naar Bill gemaild. Hij zei dat het de meest recente moest zijn. Ik hoop dat de mensen haar herkennen als ze haar tulbandhoed niet meer opheeft.' Toen begon mijn moeder ook te huilen.

De telefoon ging en we sprongen allebei op om op te nemen. Mijn moeder was er het eerst bij. 'Hallo Bill. Is er al nieuws?' Ik zag aan haar gezicht dat er nog geen goed nieuws was. Er was maar één melding binnengekomen van iemand die Nana dacht te hebben gezien – in een pub die de Cornish Yarg heette. Hoewel de Cornish Yarg zeer onwaarschijnlijk klonk (Nana hield niet van pubs – ze zei dat pubs mannen ertoe aanzetten om 'raar' te gaan doen, en dan sperde ze haar ogen open, keek naar boven en sloeg haar armen stijf over elkaar voor haar borst) vonden we dat we er toch maar beter konden gaan kijken.

'De Cornish Yarg?' herhaalde ik toen mijn moeder eindelijk haar gesprek met Bill had afgebroken. 'Wat is dat nou voor stomme naam voor een pub midden in Londen?'

'Klaarblijkelijk is het een kaassoort,' legde mijn moeder uit. 'Yarg is *gray*, maar dan achterstevoren.'

'Waarom zou iemand een kaas naar gray achterstevoren willen noemen? Zat je daarom zo aan de telefoon te lachen?'

'Lachen?' zei mijn moeder. 'Ik herinner me niet dat ik heb gelachen.'

'Ik heb je duidelijk horen lachen. Ik dacht nog dat ik dat vreemd vond nu Nana zoek is.'

'Nu weet ik het weer,' herinnerde mijn moeder zich. 'Bill zei dat de persoon die die kaas heeft uitgevonden waarschijnlijk dyslectisch was.' En toen produceerde ze een benepen lachje om mij te overtuigen.

'En dat vond jij grappig?' vroeg ik streng.

'Niet echt, nu ik erover nadenk. Het kwam waarschijnlijk van de zenuwen.'

'Nou, we kunnen maar beter meteen die pub gaan bekijken. Als het echt Nana was, zal ze er wel niet al te lang zijn. Ze moest waarschijnlijk naar de wc.'

'We nemen een taxi. De chauffeur weet wel waar het is.'

'Heeft Bill gezegd waar het was? Zo te horen is het echt een pub voor hem.'

'Alleen dat het niet ver van zijn studio was.'

'Zie je wel!' antwoordde ik, en toen gingen we op zoek naar een taxi.

Tot onze geruststelling herkende de chauffeur de naam onmiddellijk. We vingen een glimp op van het uithangbord voordat we het gebouw zelf zagen. Het was een rechthoekig bord dat heen en weer zwaaide, met in het midden een afbeelding van een grote ronde kaas, bedekt met wat eruitzag als brandnetels.

'Dat is de Yarg!' zei de chauffeur, en hij wees naar een donker somber gebouw op de hoek van de straat, met gekleurde ruiten en zwarte luiken.

'Breng me terug!' riep ik. 'Ik ga daar niet naar binnen!'

Gelukkig dacht de chauffeur dat ik een grapje maakte, en hij begon te lachen. Mijn moeder pakte me bij de arm en trok me de taxi uit.

We hadden moeten weten dat we niet naar binnen moesten gaan toen we het handgeschreven bordje zagen met GEEN ONDERHEMDEN erop dat bij de draaideur naast de ingang was vastgeprikt. Het hing scheef en werd op zijn plaats gehouden met een stukje kauwgum of iets dergelijks, ik kon niet precies zien wat. Mijn moeder keek me ongerust aan en pakte me wat steviger beet.

'Ik wacht wel buiten,' zei ik, en ik draaide me om naar de draaideur.

'Ik denk dat het hierbinnen veiliger voor je is,' antwoordde mijn moeder. En daar zou ze wel eens gelijk in kunnen hebben.

Samen keken we op het damestoilet, dat een roze toiletpot had en een bijpassend fonteintje met een druppelend kraantje. Nana was in geen velden of wegen te bekennen.

'Ze was hier nooit naar binnen gegaan, ook al moest ze nog zo nodig,' zei ik. Ik kneep mijn neus dicht en liep naar buiten.

Op dat moment, net toen we in de richting van de deur liepen, kwam Bill binnenstormen, helemaal bezweet en vol van zichzelf. 'Ik dacht wel dat ik jullie hier al zou aantreffen,' zei hij met de vertrouwelijkheid van een oude familievriend. 'Hebben jullie Nana al gevonden?'

Nana? Wie dacht hij wel dat hij was om haar zomaar Nana te noemen? Hoe kon je nu zo aanmatigend zijn? 'Nee,' zei ik vinnig. 'Mijn grootmoeder is hier niet, maar dat had ik al wel gedacht.'

'Nou, zullen we dan maar wat drinken nu we toch hier zijn?' vroeg hij en tot mijn stomme verbazing ging mijn moeder erop in. We vonden een halfronde bank in de hoek van de gelagkamer, waar mijn moeder en ik net op pasten, maar waar Bill niet meer bij kon. Maar dat deerde hem niet. Hij trok er een krukje bij en ging tegenover ons aan het tafeltje zitten waar hij heen en weer begon te schommelen met één voet met een Nike-schoen aan op de dwarslat. Ik werd er gewoon zeeziek van. 'Fantastisch hè?' vroeg hij, en ik deed een schietgebedje dat hij het niet over kaas zou gaan hebben. 'De Yarg is hier al jaren. Chris, de waard, is een oude vriend van me. We kennen elkaar van de universiteit.' Bill zwaaide vrijpostig naar de man achter de bar, die naar hem terugzwaaide met een sigaret tussen zijn vingers. Daarna liep Bill naar Chris toe om voor zichzelf een biertje te bestellen, voor mijn moeder een glas wijn en voor mij een bitter lemon.

'We moeten op zoek naar Nana.' Ik maakte gebruik van zijn afwezigheid om daarop te wijzen.

'Ik weet het,' beaamde mijn moeder, 'maar we moeten beleefd

tegen Bill zijn. Hij heeft heel veel moeite gedaan om die foto van Nana op de tv te krijgen.'

Daarmee werd ik weer op mijn plaats gezet. Ik had moeten beseffen dat ze alleen maar beleefd wilde zijn. Bill was alweer op de terugweg. Ik schonk hem een halfslachtig glimlachje. Daarmee moest hij het maar doen.

Hij dronk zijn bier gulzig op en vroeg tussen de slokken door: 'Hoe gaat het met je boek, Harriet?' Ik zag aan de manier waarop hij de vraag stelde dat hij niet in mijn antwoord geïnteresseerd was, dus gaf ik hem dat ook niet, en hij merkte het niet eens. Maar mijn moeder wel.

Mijn moeder zag alles, vooral als het met mij te maken had.

'Wanneer heb je Nana voor het laatst gezien, Mia?'

Als hij haar dan per se Nana wilde noemen, had hij dat aan mij moeten vragen.

'Gisteravond,' antwoordde mijn moeder 'We waren op een ouderavond op de school van Harriet.'

'Nou, daar verveelt iedereen zich een ongeluk,' zei Bill, die zijn glas met grote slokken leegdronk. 'Waarschijnlijk had ze er gewoon genoeg van.'

'Ik hield er een praatje,' zei ik, en ik keek hem recht in de ogen zoals Nana en ik John Wayne vaak hadden zien doen bij soortgelijke gelegenheden.

'O,' zei Bill. Meer niet. 'O,' gevolgd door een lang, lichtelijk beschaamd zwijgen. Hij haalde een sigaret tevoorschijn en stak hem aan.

'We vonden het een geweldige avond,' voelde mijn moeder zich genoodzaakt te verklaren. 'Tot bijna aan het eind.'

Ze had me er niet aan moeten herinneren net nu ik zo mijn best deed het te vergeten.

'Hoezo? Wat is er aan het eind gebeurd, Harriet?' vroeg hij met een verdwaasde glimlach. 'Wist je niet meer wat je moest zeggen of zoiets?'

'Harriet weet altijd wat ze moet zeggen,' antwoordde mijn moeder ijzig, en de richting waarin het gesprek zich bewoog beviel me steeds beter.

'Oeps! Sorry Harriet! Ik ben op de vingers getikt!' Hij legde schalks een brede hand over zijn mond.

Ik merkte aan de manier waarop mijn moeder naar me keek dat het mijn beurt was om iets te zeggen. 'Er was een uiterst onbeleefde man bij die blijkbaar niets van mijn werk snapte.'

'Die kom je bij de media ook vaak tegen, schat.' Hij probeerde indruk te maken op mijn moeder met geveinsde oprechtheid, maar ik doorzag het.

'Iedereen was verdiept in mijn filosofische debat met hem, dus toen Nana de zaal uit ging, hebben we dat niet gemerkt.'

'Wat is er met die kerel gebeurd?' Het was niet bepaald *Inspector Morse*, maar in ieder geval was hij de draad nog niet kwijt.

'Die is ook weggegaan,' zei mijn moeder, 'hoewel we niet weten wie er het eerst wegging. Opeens waren ze allebei weg. Ik heb aan Jean-Claude gevraagd om haar te gaan zoeken en...'

'Wie is Jean-Claude nu weer?' onderbrak hij haar nieuwsgierig.

Wat ging hem dat aan? 'Hij is een vriend,' zei ik, 'een collega-filosoof.'

'Je bedoelt dat hij je vriendje is.' Opnieuw vereenvoudigde hij een complexe situatie op de manier die ik langzamerhand typisch voor hem begon te vinden.

'Het punt is,' kwam mijn moeder tussenbeide, en ik kon aan haar gezicht zien dat hij haar ook de keel uit ging hangen, 'dat ze gisteravond niet is thuisgekomen, en dat is helemaal niets voor haar. Ik heb iedereen gebeld die ik kon bedenken, tot de plaatselijke ziekenhuizen toe.'

Die laatste woorden kwamen er fluisterend uit, omdat ze dacht dat ik het niet wist. Maar dat was niet zo. Ik had zelf ook opgebeld.

'En de reacties op de foto die jij vanmorgen op de tv hebt laten zien, waren niet bepaald bemoedigend. Maar toch bedankt.' Mijn moeder was op het punt aanbeland dat ze hem ieder moment kon vertellen dat we weggingen. Dat zag ik. 'Het was erg aardig van je, maar als je het niet erg vindt, Bill,' zei ze op haar beste publiciteits-agentenmanier, die noch Nana noch ik ooit onder de knie zou kunnen krijgen, 'moeten Harriet en ik maar eens gaan. Harriet heeft al een halve dag op school gemist.'

'Jij kleine spijbelaarster!' zei Bill toen we opstonden.

'Nou, nee,' zei ik. 'Mijn lerares heeft tegen mijn moeder gezegd dat ik 's morgens vrij had.'

'O, ik snap het,' zei Bill, maar daar geloofde ik niets van.

'En bedankt voor de drankjes,' voegde mijn moeder eraan toe. 'Dat hadden we net nodig, hè Harriet?'

'Ja,' antwoordde ik.

'Dan blijf ik nog even en neem er nog een met Chris. Ik laat jullie wel weten als we nieuws over Nana hebben.'

'We hebben hem niet voor de gladiolen bedankt,' fluisterde ik toen we ons door de overvolle rokerige pub een weg naar de uit-gang baanden.

'Beter van niet,' zei mijn moeder.

'Ik heb Jean-Claude wel bedankt voor mijn rozen,' biechtte ik op.

'Dat was anders.'

Soms was mijn moeder moeilijk te volgen.

'Waarom?' vroeg ik.

Ze aarzelde en antwoordde toen: 'Omdat jij er geen bezwaar te-gen zult hebben als hij je weer bloemen stuurt.'

Ergens klonk het wel logisch.

35

Er stond maar één boodschap op de voicemail toen we thuiskwamen van de Cornish Yarg. Hij was niet van Nana of van Bill.

'Met Jean-Claude. Ik moet Harriet spreken.' Stom genoeg had hij geen telefoonnummer achtergelaten.

'Wat een idioot!' riep ik.

'Ben je nou niet erg onaardig over hem?' vroeg mijn moeder.

Maar ik was niet in de stemming voor Engels-Franse betrekkingen.

'Je kunt beter vanmiddag wel naar school gaan om te kijken of je Madame du Bois kunt vinden,' besloot mijn moeder. 'Er is altijd nog een kans dat Jean-Claude Nana gisteravond heeft gevonden.'

'Dan had hij het toch wel in zijn boodschap gezegd?'

'Bij buitenlanders weet je dat nooit,' zei mijn moeder met een veelbetekenende blik.

'Je gaat nergens zonder mij naartoe, hoor,' zei ik toen ik het huis verliet. Ik nam geen enkel risico met het enige familielid dat ik nog had.

'Nee, dat beloof ik,' zei ze. 'En maak je geen zorgen. Ik weet zeker dat er niets met Nana aan de hand is.'

Ze wist het niet echt zeker – dat zag ik aan de manier waarop ze me niet aankeek toen ze het zei. Ze wilde gewoon dat ik naar school ging, zodat ik haar niet zag huilen.

Ik liep langzaam naar school en keek overal onderweg in etalages en in portieken. Ik verwachtte niet echt om Nana aan te treffen, maar het kijken gaf me hoop. Ze was niet weg, maar gewoon ergens anders en als ik maar bleef kijken zou ik haar heel binnenkort vinden. Dan stond ze ergens in haar zwart-witte jas en met haar tulbandhoed op en met haar zwarte leren boodschappentas onder haar arm en dan zei ze: 'Doe niet zo dom, Harriet. Dacht je dat ik niet terug zou komen?'

Pas toen ik het klaslokaal binnenging en merkte dat wiskunde al begonnen was, schoot het me te binnen. Het was vrijdag. En dat betekende dat Madame du Bois haar vrije dag had. De rest van de klas staarde me met open mond aan toen ik kwam binnenwandelen. Ik voelde dat ze het de hele morgen over me hadden gehad. Ze hadden waarschijnlijk gedacht dat ik niet zou komen.

Ik ging aan mijn tafeltje zitten, me bewust van alle ogen die nog steeds op mij waren gericht. De superstar Harriet Rose was gearriveerd. Heb je gehoord hoe ze gisteravond door de vader van Charlotte voor gek is gezet? En die blik die ze wisselde met die Franse vriend van haar, die Jean-Claude! Dat was die knappe jongen uit de helikopter die met Madame du Bois op de middelste rij zat. Was je erbij toen hij voor die arme Harriet opkwam? Heb je haar gezicht gezien toen ze niet van haar stoel kon opstaan?

'Ik heb vanmorgen je grootmoeder gezien op de televisie.' Het onmiskenbare zeurstemmetje van Charlotte Goldman gaf aan dat de wiskundeles voorbij was.

'Harriets grootmoeder?' was de voorspelbare reactie van Jason Smart. 'Je vertelt me toch niet dat die ook een boek heeft geschreven? Hoe heet dat dan? *De Meditaties van een verwelkte Roos*?'

De anderen vonden dit kennelijk bijzonder grappig behalve Charlotte, die zei: 'Doe niet zo grof tegen die arme Harriet. Haar grootmoeder zag eruit als een lieve oude dame, ook al droeg ze een gekke tulbandhoed en een zonnebril.'

'Alleen iemand met stijl kan een tulbandhoed dragen met een zonnebril,' antwoordde ik streng. 'Maar een type als jij gaat dat boven de pet.'

'En wat voor type is dat precies, Harriet?' vroeg Charlotte met een iel stemmetje.

'Het type dat onuitgenodigd binnendringt op andermans boekpresentatie, in wufte roze tierelantijnen met bijpassende lipgloss.'

De rest van de klas kon wel waarderen wat ik zei. Dat vond ik leuk. Dus ging ik verder: 'Het type dat nooit vergeet om waterproof mascara op te doen voor het geval ze moet huilen om aandacht te krijgen.'

Die opmerking veroorzaakte lang niet zo veel bulderend gelach als de eerste – ze hadden waarschijnlijk allemaal waterproof mascara op.

'Heb je haar al gevonden?' vroeg Miles op een ongewoon meelevende toon.

'Heb je je Nana verloren?' lachte Jason.

'Er is een beloning van vijfduizend pond voor de persoon die haar vindt,' gniffelde Charlotte.

'Vijf mille!' riep Jason. 'Wat doen we hier dan nog?'

Klas 3B stormde en masse naar de deur en rende luidruchtig de trap af toen de schoolbel klonk om het einde van de lessen aan te kondigen. Ik bleef wat achter toen ze door het schoolhek de oprijlaan afrenden, de vrijheid tegemoet. Ik kon horen hoe Jason keihard de meest waarschijnlijke plaatsen opsomde waar je een oudere dame kon vinden die die nacht niet was thuisgekomen. Sommigen lachten terwijl anderen Jason op zijn donder gaven vanwege zijn stomme gevoel voor humor. Maar het interesseerde me niets, ook al waren de grapjes tegen mij gericht. Ik wist wat Nana zou zeggen: 'Trek je er maar niets van aan, Harriet, laat ze maar lekker lachen. Wie het laatst lacht, lacht het best.'

Het vervelende was dat ze allemaal behalve ik het laatst hadden gelachen: Charlotte Goldman was er kennelijk in geslaagd Jean-Claude te verleiden, en het enige wat ik daartegenover had kunnen stellen was een tochtje in mijn helikopter terwijl hij zijn oren had dichtgestopt met watten; de vader van Charlotte had me bijna aan het huilen gebracht in aanwezigheid van een afgeladen gymzaal aan het eind van mijn praatje op de ouderavond; onze beloning van vijfduizend pond voor de veilige terugkeer van Nana had alleen maar geleid tot een drankje met een donjuan op zijn retour in een smerige pub; ik was niet meer de beste van de klas in Frans maar was in plaats daarvan naar de middelmoot weggezakt met een kleine opleving toen ik mijn Franse avonturen met Jean-Claude had opgebiecht aan de hele klas en aan de lerares die zijn moeder bleek te zijn; zelfs de *Guardian* had wat niet meer was dan een subtiel gevoel voor humor aangezien voor de reacties van een vroegrijp veertienjarig meisje; en mijn eigen lieve oma, die me nog nooit had teleurgesteld, was zonder één woord verdwenen in de chaos van Londen. Ik was zelfs zo stom geweest om te geloven dat ditzelfde schoolhek een hemelse boodschap had verkondigd, terwijl er in werkelijkheid alleen maar een zootje minderwaardige journalisten van de plaatselijke pers had gestaan. Het zag ernaar uit dat mijn leven één grote zakloopwedstrijd zou worden. Waar was de pittige, uitbundige Harriet Rose in de rode bikini gebleven? Waar was het meisje met het zwarte vest met IK BEN erop?

Veertien was te jong om al gedesillusioneerd te zijn. Daar moest je minstens een reeks verbroken relaties en een gewichtsprobleem voor hebben gehad. Nee, mijn familie was niet in de wieg gelegd voor desillusies. We waren meer dan de som van drie paar staalblauwe ogen. We waren een trilogie van hoop tegenover wanhoop, vreugde tegenover tragedie, humor in de diepten van verdriet.

Ik haalde diep adem, trok mijn schouders recht en liep met ferme passen en met een vastberaden blik het smeedijzeren hek door, alsof er aan de andere kant een nieuw leven op me wachtte. Op de een of andere manier voelde het ook zo aan, nog voordat ik me bewust werd van het wegstervende gelach, dat plaatsmaakte voor opgewonden gefluister van mijn klasgenoten, die elkaar naarstig in de zij porden.

'Is dat niet die vent in de helikopter die gisteravond bij dat praatje van Harriet was?' vroeg Jason.

'Die ken ik,' verklaarde Charlotte trots. 'Dat is Jean-Claude.' Ze fatsoeneerde haar haren en liep zelfverzekerd over de oprit naar hem toe.

'Wie is dat dan?' riep Jason haar achterna.

'Ik heb hem een tijd geleden ontmoet in de fitnessclub van de moeder van Harriet,' riep ze terug, alsof Jean-Claude absoluut niets met mij te maken had.

'Kan hij goed tongzoenen?' vroeg Jason met de volwassenheid van een kikkervisje.

'Gaat je niets aan.' Charlotte lachte en keek naar de grond, zogenaamd om haar gêne te verbergen. Gêne, ze wist niet eens wat dat was.

'Nou, hij komt eraan, Charlotte, dus je kunt je maar beter voorbereiden,' ging Jason verder, en hij deed op de rug van zijn hand het geluid van een zoen na.

Wat kon ik zeggen? Ze wist waarschijnlijk meer over zijn tongzoenen dan ik.

Ik weet niet meer wie het was die toen schreeuwde: 'Daar is ie!', maar ik weet nog heel goed wat er daarna gebeurde. Jean-Claude liep recht op Jason en de rest van de klas af, terwijl ik me als de wijze oude uil verstopte achter een grote eik en afwachtte wat hij daar kwam doen. Stel dat hij een afspraakje met Charlotte had?

'Bonjour,' zei hij op kalme toon. *Je m'appelle Jean-Claude – Jean-Claude du Bois.*'

Iedereen hield even hoorbaar de adem in van verbazing, behalve Jason, die kennelijk zijn conclusie nog niet had getrokken of die, als hij dat wel had, daar niet van onder de indruk was. 'Nou en?' vroeg hij met zijn mooiste Engelse accent. 'Wat zou dat?'

'Jullie kennen mijn moeder. Ik was gisteren met haar op de ouderavond.'

'En wie is jouw moeder dan wel?' vroeg Jason.

'Madame du Bois – jullie Franse lerares,' antwoordde Jean-Claude ietwat verontwaardigd. Ik vond die verontwaardiging wel leuk. Die paste bij hem. Hij leek er wat volwassener door, maar dat kon ook komen door de grote tegenstelling met Jason Smart.

'Nogmaals, hallo, Jean-Claude!' Charlotte zei niet alleen maar wat, ze liep nota bene helemaal naar hem toe. Maar ik was degene voor wie hij de avond tevoren was opgekomen. Ik was degene aan wie hij rode rozen had gestuurd. Ik was degene voor wie hij honderd kilometer naar Tegfold Hall Hotel was gereisd.

'Ik ben op zoek naar Harriet,' zei hij. 'Harriet Rose. Is ze hier?'

Ik kwam tevoorschijn uit mijn schuilplaats achter de boom als Eva in het Paradijs.

'Hier ben ik, Jean-Claude,' zei ik. En hij glimlachte.

Iedereen zag die glimlach. Zelfs Jason. Ze moesten er naar blijven kijken, als naar de laatste episode van een lange televisieserie. Allemaal keken ze van Jean-Claude naar mij en daarna weer naar Jean-Claude.

En de hele tijd was Charlotte naast hem blijven staan, want ze wist niet wat ze moest doen. Hoe zou ze ook? Het zou bij geen enkel vrouwentijdschrift zijn opgekomen om dit probleem te behandelen.

Maar Jean-Claude wist wel wat hij moest doen. Hij liep pal langs Charlotte heen naar mij toe, en schonk geen enkele aandacht aan de uitroepen en aan het geluid van diverse mensen die tegelijk naar adem happen. Binnen een paar seconden stond hij naast me, alsof mijn voortand net weer door mijn onderlip was gegaan – wat best kon zijn gebeurd, want ik had het toch niet gemerkt.

Ik weet niet wat ik van hem verwachtte, maar ik moet zeggen dat ik net zo verbaasd was als alle anderen toen hij zei: 'Je bent me nog vijfduizend pond schuldig.'

De opluchting van Charlotte Goldman duurde echter niet lang, want hij vervolgde: 'Dat is mijn beloning. Ik heb jouw Nana gevonden.'

Eerlijk waar, ik kan niet zeggen dat het alleen kwam omdat ik zo blij was dat ik mijn armen om hem heen sloeg, maar het had er zeker een heleboel mee te maken. De juichkreet van Jason vond ik wel tamelijk gênant – kom op, zeg, hij kende mijn grootmoeder niet eens. En dat de rest van de klas toen met hem meedeed – nou ja, wat kon mij dat schelen? Dit was mijn dag en die zou ik door niets of niemand laten verpesten, zelfs niet door Charlotte Goldman, die toen ik mijn armen van de nek van Jean-Claude af haalde, zei: 'Ik hoop dat je ervan hebt genoten, Harriet – het heeft je vijfduizend pond gekost.'

Ik hoefde er niet op te reageren. Opnieuw nam Jean-Claude die taak van me over: 'Ik wil geen beloning van Harriet,' zei hij. 'Haar blijdschap is al beloning genoeg voor me.'

Dat snoerde haar de mond. Feitelijk snoerde het iedereen de mond, zelfs mij. Ik had wel duizend vragen voor hem, maar ik kon er niet een onder woorden brengen. Ik probeerde het wel, maar mijn lippen leken net zo verlamd als mijn benen waren geweest. Het enige wat ik kon uitbrengen was het ene woordje 'waar?', gevolgd door een ijzige stilte.

Gelukkig kon Jean-Claude er blijkbaar de humor van inzien. 'Eerst vind ik je oma en nu vind ik ook Kratylos weer.'

Zijn diepe Gallische lach stak schril af tegen het hoge piepstemmetje van Charlotte, toen ze zei: 'Toch niet die stomme ouwe Griekse filosoof waar Harriet zo mee wegloopt!'

Vliegensvlug was het bloed weer teruggestroomd naar mijn verlamde lippen: 'En laat ik nou denken dat de enige filosoof van wie jij ooit gehoord hebt Snoopy was,' zei ik. Waarop Jean-Claude weer zijn Gallische lach liet horen.

'Je klinkt net als Anne Robinson,' was het enige dat Charlotte nog kon uitbrengen.

'En jij ben de zwakste schakel!' antwoordde ik, terwijl Jean-Claude me bij mijn arm pakte en me meeloodste naar de parkeerplaats. 'Tot kijk!'

Ik wist dat ze ons achterna zouden komen. Ergens hoopte ik ook dat ze dat deden – ik wilde niet dat ze iets zouden missen. Toen we op de parkeerplaats waren, bleef hij staan – vermoedelijk om te kijken waar zijn brommer stond. Ik nam de gelegenheid te baat om hem de vraag te stellen waar ik zo graag het antwoord op wilde weten: wat was er met Nana gebeurd?

'Toen je moeder me gisteravond vroeg om jouw Nana te zoeken dacht ik dat het *très facile* zou zijn. Ik zocht op de meest voor de hand liggende plaatsen – op de parkeerplaats, bij de thee- en koffietafel in de hal. Ik heb zelfs even voor het toilet staan wachten. Maar helaas kon ik haar niet vinden. Ik stond op het punt om het op te geven en naar huis te gaan, toen ik door de open deur van de gymzaal iets zag bewegen op het podium waar jij je praatje hebt gehouden. Ik liep de gymzaal in en *voilà!* Daar was ze, je grootmoeder!'

Ik wou dat hij het op een andere manier kon vertellen. Hij begon trekjes te vertonen van Monsieur Poirot.

'Ze zat in een exemplaar van jouw Meditaties te lezen.'

'Dan zal Miss Grout het hare wel hebben laten liggen,' meende ik.

'*Ah, oui, possible.*' Hij was weer in het Frans bezig en ik kon op de achtergrond horen hoe Jason hem stond na te doen.

'Ze veegde haar ogen af met een zakdoek, dus ik wist meteen dat ze erg overstuur was en ik was bang om haar te storen. Ik heb gewacht tot ze eindelijk opkeek en toen zag ze me en lachte.'

Jason deed net alsof hij een viool bespeelde en Charlotte kon met moeite haar lachen inhouden.

'Ik hielp haar het trapje af en ik wilde haar net naar huis brengen toen we een geluid hoorden – een geklop. Het kwam van de deur van de gymzaal. Een zacht klopje maar. Zoiets als dit.' Jean-Claude tikte, om zijn verhaal kracht bij te zetten, op de achterruit van een geparkeerde taxi die ik nog niet had opgemerkt om zijn verhaal kracht bij te zetten. 'Ik was niet de enige die op zoek was naar jouw oma. Een van de ouders was ook naar haar op zoek.'

Het portier van de taxi werd met veel geweld opengegooid door een hand die ik uit duizenden zou herkennen. Toen klonk er een stem die ik gevreesd had nooit meer te horen, die zei: 'Was dit het wachtwoord waarop ik uit moest stappen, Sacha? Ik dacht dat we Mia zouden ophalen en dat we dan Harriet naar huis zouden brengen. Je bent al eeuwen weg!'

En daar sprong Nana de taxi uit met de lichtvoetigheid van een tiener. Ze zette haar tulbandhoed recht, die aan het dak van de taxi was blijven haken als gevolg van haar overhaaste bewegingen. Mijn moeder, die nog in de taxi zat, als een boodschapper van de goden, keek me met een mengeling van blijdschap en opluchting aan. 'Nana wilde meteen hiernaartoe,' zei ze. 'Heb ik je niet gezegd dat alles goed zou komen?'

Geen Meditatie zou ooit de blijdschap kunnen beschrijven die ik op dat moment voelde. Alleen een geniaal schrijver zou misschien in de buurt kunnen komen. Ik kan alleen maar zeggen dat Nana weg was en dat ze nu terug was, en iedereen die echt weet hoe het is om iemand te verliezen, zal weten hoe ik me voelde.

'Ik heb overal naar die meneer Goldman gezocht!' Ze ontplofte als een vulkaan die al veel te lang op een uitbarsting had moeten wachten. 'Hij boft dat ik hem niet kon vinden.'

Omdat brutaliteit kennelijk een familietrekje was, kwam Charlotte tussenbeide: 'Hij moet toch gemakkelijk te vinden zijn geweest – hij reed in de gloednieuwe zwarte Mercedes coupé met open dak.'

Nana draaide zich met een ruk naar haar om: 'Is daarom al zijn haar afgewaaid?' vroeg ze venijnig, om meteen daarop haar verhaal te vervolgen. 'Maar elke grote... lelijke... grijze... saaie wolk' – ze wachtte even voor elk bijvoeglijk naamwoord om een ijskoude blik op Charlotte te werpen – 'heeft een zilveren randje.'

'Je oma wilde je het nieuws zelf vertellen,' zei Jean-Claude.

'Nieuws?' vroeg ik met angst in mijn hart en bevend over mijn hele lichaam. 'Welk nieuws?'

'Niet alle ouders gisteravond waren zoals meneer Goldman,' zei Nana. 'Sommige waren heel verstandig.' Ik begon medelijden met Charlotte te krijgen. 'Een in het bijzonder.' Nana had een manier van praten alsof ze een heel volk toesprak. 'Haar naam is mevrouw Moore.'

'De moeder van Celia Moore?' Het was meer een uitroep dan een vraag.

'Die bedoel ik, ja.'

'Een erg aardige dame,' deed Jean-Claude een duit in het zakje. 'Ze heeft jouw oma en mij voor een etentje bij haar thuis uitgenodigd.'

'Was Celia er ook?' Ik hoopte dat ik onverschillig klonk – ik wilde niet dat hij dacht dat ik bang was dat hij Celia's borsten had gezien.

'Nee. Ze moest studeren voor haar proefwerken.'

Die goeie ouwe Celia. Ze verdiende haar succes.

'Mevrouw Moore wilde alles over jouw boek weten,' zei Nana trots, 'en ik kon haar daar natuurlijk alles over vertellen. Elk detail. Elk verkocht boek. Ik had al die informatie bij me in mijn factuurboek. Het was een fluitje van een cent.' Ik was bang dat Nana misschien de grenzen van de gastvrijheid van mevrouw Moore op de proef had gesteld.

'Ik denk niet dat ze dat allemaal wilde horen,' opperde ik fluisterend.

'We hebben de hele nacht doorgepraat. En in de tussentijd heeft ze je hele boek gelezen.'

Het klonk steeds onwaarschijnlijker. Als Jean-Claude er niet bij was geweest zou ik hebben gedacht dat het Nana in de bol was geslagen.

'Toen is ze vanmorgen meteen met ons naar haar kantoor gereden.'

'Haar kantoor?' herhaalde ik, me bewust van het gegrinnik van de anderen dat ik, eerlijk gezegd, volkomen begrijpelijk vond.

'Om dit op te stellen.'

Ze overhandigde me een document dat er officieel uitzag. Mijn naam stond erop. En de titel van mijn boek. En een bedrag. Een heel hoog bedrag. In getallen en woorden. De rest van de klas kwam om me heen staan om een glimp van het document op te vangen.

'Het is een contract,' verklaarde Charlotte. 'Ik heb gezien dat mijn vader ze zo opstelde. Is mevrouw Moore ook advocaat?'

'Nee!' riep Nana. 'Mevrouw Moore is directeur van een van de belangrijkste uitgeverijen ter wereld. En dit' – ze pakte het contract uit mijn hand en zwaaide ermee naar Charlotte – 'is een contract voor de koop van de rechten van Harriets boek – je weet wel, Charlotte, dat infantiele boekje waarvan Harriet abusievelijk dacht dat het succes zou kunnen hebben.'

Ik kon de gemompelde reactie van Charlotte niet verstaan. Het deed er ook niet toe. Nana was terug en ze had iets gepresteerd waarop ze net zo trots was als ik. Daarom was ze zo lang weggebleven.

'Toen ik in de gaten had dat mevrouw Moore geïnteresseerd was in jouw boek, heb ik aan mezelf beloofd dat ik pas naar huis zou gaan als ik een contract in handen had. Ik heb de uitgevers overgehaald om het extra vlug op te stellen vanwege alle belangstelling van de media. Je hebt dit verdiend, Harriet! En je hoeft je geen zorgen meer te maken over al die extra bestellingen die jouw domme oude Nana heeft opgenomen.'

'Je bent helemaal niet dom!' riep ik, en ik drukte haar tegen me aan alsof ik haar nooit meer los wilde laten. 'Je bent de slimste, liefste Nana van de hele wereld.' En alleen een dwaas zou het niet met me eens zijn geweest. Jean-Claude was dat duidelijk wel. Als ik naar die twee keek, had het er alle schijn van dat ze in de loop van de afgelopen vierentwintig uur al hun geschillen hadden bijgelegd.

Nana frommelde ergens in de mouw van haar jas naar een zakdoek en vervolgde toen: 'Ik had het niet gekund zonder de hulp van deze Fransman!'

Mijn moeder bleef veilig weggedoken in de taxi zitten en ze zat met een enorme zonnebril te worstelen. Ze was bang dat een traan zou verraden dat ze ook een aanstelster kon zijn.

'Ik heb vanmorgen geprobeerd je op te bellen,' zei Jean-Claude, 'om te zeggen dat je je geen zorgen moest maken, zonder het geheim van je Nana te verklappen, maar je was er niet.'

'Dat was vast toen we iets met Bill aan het drinken waren in de Cornish Yarg,' zei ik met een blik op mijn moeder in de taxi. Ze knikte.

'Wat?' schreeuwde Nana. 'Jullie zijn iets gaan drinken met die schuinsmarcheerder van een journalist, toen je arme oude Nana al de hele nacht weg was?'

Ik wou net gaan uitleggen dat Bill alleen maar had willen helpen bij het zoeken, toen ik zag dat Jean-Claude zich blijkbaar zat te ergeren aan mijn verwijzing naar Bill. Dat was niets voor hem. Dus zei ik maar: 'Bill is eigenlijk erg aardig als je hem wat beter kent.' Mijn moeder gaf me een goedkeurend knipoogje en ik knipoogde terug alsof we gelijktijdig hadden gezegd: 'Dat zal hem leren!'

Een nieuwsgierige Jean-Claude vervolgde: 'Je hebt me niet teruggebeld.'

Ik wist wat hij eigenlijk wilde vragen: 'Hoe lang hebben jullie zitten drinken met die schuinsmarcheerder van een journalist?' Dus zei ik niets.

'Ik heb jouw Nana de rest van de morgen mee naar het huis van mijn moeder genomen en zij heeft voor haar gezorgd terwijl jij en je moeder niet thuis waren. Ik denk dat ze de dikste vriendinnen zijn geworden.'

'Dan hebben we het dus over Madame du Bois, onze Franse lerares?' Jason Smart stelde dit vast alsof het de normaalste zaak van de wereld was om de gesprekken van andere mensen af te luisteren.

'Wat had ik moeten doen zonder mijn lieve Franse vriendinnetje en haar zoon hier?' zei Nana peinzend, en ze gaf Jean-Claude een klopje op zijn wang.

Aangemoedigd door dit onverwachte blijk van genegenheid waagde ik het tegen Nana te zeggen: 'Het was aardig van Jean-Claude om je zo te helpen, hè Nana?' Misschien had ik diep in mijn hart toch ook wel iets van een goede publiciteitsagent.

'Je grootvader zou hebben gezegd dat Jean-Claude juist had geboft!' Haar lichtblauwe ogen twinkelden ondeugend, maar ik kon zien dat ze hem aardig was gaan vinden.

'En daar had hij dan gelijk in gehad,' beaamde Jean-Claude. Daarop moest Nana lachen. Alles was weer als vanouds.

'Ik kan je niet genoeg bedanken,' zei ik.

'Misschien wel,' antwoordde Jean-Claude. De helft van mijn klasgenoten begon spottend te lachen en de rest zweeg. 'Je zou dit weekend met me mee kunnen gaan naar Frankrijk. Mijn vader en stiefmoeder hebben een grote villa aan de Côte d'Azur waar ze hun vakanties vieren, met een heel groot zwembad, zo groot als deze school en een prachtig uitzicht op de Provence. Zeg dat je meegaat, Harriet!'

'Zeg dat je meegaat!' jouwde Jason.

'Op één voorwaarde,' antwoordde ik. 'Dat Nana en mijn moeder ook mee mogen.'

'Dat zou me een waar genoegen zijn,' zei hij, en ik voelde dat Charlotte Goldman de kleur van haar feestjurk aannam.

36

Aan iedereen die het einde te veel vindt lijken op een Amerikaanse film en meer iets à la Jane Austen had willen hebben, zou moeten worden voorgehouden dat Harriet Rose er ook zo over dacht. En daarom legde ze de volgende morgen met haar meest ingetogen Elizabeth Bennett-stem uit dat ze zich had bedacht over de vakantie in Frankrijk in de villa van de vader van Jean-Claude met een zwembad zo groot als de school. Niet dat ze niet wilde gaan of dat ze hem niet aardig vond, want feitelijk vond ze hem erg charmant en *sympathique*. Het was meer dat ze de gedachte niet kon verdragen aan een romantische relatie met een man die haar Meditaties had voorgelezen aan iemand als Charlotte Goldman – een bedriegster, een konkelaarster, een nitwit. En hoewel ze besefte dat 'nitwit' niet een woord was dat Jane Austen zou hebben gebruikt, vond ze toch dat in dit specifieke geval geen ander woord paste. Op een manier die niet zoveel verschilde van een held van Jane Austen, glimlachte Jean-Claude een heel klein beetje, alsof hij dacht aan een heel grappig geheimpje, wat weer tot gevolg had dat de heldin bijna geneigd was weg te lopen en nooit meer een woord tegen hem te zeggen. Maar dat deed ze niet.

In plaats daarvan luisterde ze aandachtig toen hij haar verslag deed van een gesprek dat hij met Charlotte Goldman had gehad op de avond van de boekpresentatie. Charlotte, die naar hem toe was komen hupsen als een roze *blanc-manger* (*blanc-manger* was in feite Harriets bijdrage aan het verhaal, omdat het een Frans woord was dat Jean-Claude gemakkelijk zou begrijpen), had hem gevraagd of zij misschien zijn exemplaar van Harriets *Oneindige wijsheid* mocht lenen omdat zij er pas laat was en ze uitverkocht waren. Natuurlijk had ze hem beloofd het aan hem terug te geven, zodra ze het uit had – het was haar verleidingsregel nummer één, die ze uit de *Cosmopolitan* had. Maar Jean-Claude had haar verteld dat hij zijn exemplaar nodig had – als onderdeel van de kennismakingscursus op zijn school was er aan de filosofiestudenten gevraagd om deel te nemen aan een gesprek met de titel 'Bespiegelende voordrachten'. Het gesprek zou plaatsvinden op een avond waar publiek bij werd uitgenodigd, en hij had besloten voor te lezen uit de Meditaties van Harriet om er daarna een paar woorden over te zeggen. Hij wist zeker dat hij niet tegen Charlotte had gezegd op welke dag het zou zijn – hij was in zijn geboorteland al een paar keer door een Franse mug gebeten – dus hij was uiterst verbaasd toen Charlotte na de voordracht naar hem toe kwam 'om gedag te zeggen' en om hem te vertellen dat zijn voordracht 'briljant' was. Het zal niemand verbazen dat de edele reactie van Jean-Claude was dat zijn voordracht niet briljant was, maar de Meditaties van Harriet wel, waarmee Charlotte, uiteraard, instemde. Hij had eraan toegevoegd dat hij Charlotte dankbaar zou zijn als ze aan Harriet de boodschap zou overbrengen dat hij hoopte dat ze het niet erg vond dat hij uit haar *Oneindige wijsheid* had voorgelezen zonder haar toestemming, maar dat hij haar verscheidene malen tevergeefs had geprobeerd te bellen, nadat ze de boekpresentatie zo onverwacht had verlaten.

Natuurlijk wilde Harriet er niet op wijzen dat Charlotte Goldman nooit een dergelijke boodschap aan haar had overgebracht, maar ze had haar verkeerd begrepen held al zo onaardig behandeld dat ze het wel móést vertellen. En terwijl we dit verhelderende relaas langzaam laten wegebben, moeten we het doek laten zakken, omdat de schroomvalligheid van Harriet anders de aanwezigheid van de lezer als hinderlijk kan ervaren als zij en Jean-Claude het lichaam-geestprobleem eens goed onder handen nemen.

Veel dank ben ik verschuldigd aan iedereen bij Headline die aan de publicatie van *De oneindige wijsheid van Harriet Rose* gewerkt heeft, maar in het bijzonder wil ik graag Charlotte Mendelson en Leah Woodburn bedanken.